Le temps des amours lucides

De la même auteure

Elle meurt à la fin (en collaboration avec Sylvie Bérard), Montréal, Paje
    éditeur, coll. « Post-scriptum », 1993
La fin de siècle comme si vous y étiez (moi, j'y étais), Montréal, XYZ édi-
    teur, 1995

brigitte CARON

Le temps des amours lucides

roman

La publication de cet ouvrage a été rendue possible grâce à l'aide financière du ministère du Patrimoine canadien par l'entremise du Programme d'aide au développement de l'industrie à l'édition (PADIÉ), du Conseil des Arts du Canada (CAC), du ministère de la Culture et des Communications du Québec (MCCQ) et de la Société de développement des entreprises culturelles (SODEC).

La recherche préliminaire et la rédaction de cet ouvrage ont été rendues possibles grâce à la contribution financière du Conseil des arts et des lettres du Québec et du Conseil des Arts du Canada.

XYZ éditeur
1781, rue Saint-Hubert
Montréal (Québec)
H2L 3Z1
Téléphone : 514.525.21.70
Télécopieur : 514.525.75.37
Courriel : xyzed@mlink.net
Site Internet : www.xyzedit.qc.ca

et

Brigitte Caron

Dépôt légal : 4e trimestre 2002
Bibliothèque nationale du Canada
Bibliothèque nationale du Québec
ISBN 2-89261-343-4

Distribution en librairie :
Au Canada :
Dimedia inc.
539, boulevard Lebeau
Ville Saint-Laurent (Québec)
H4N 1S2
Téléphone : 514.336.39.41
Télécopieur : 514.331.39.16
Courriel : general@dimedia.qc.ca

En Europe :
D.E.Q.
30, rue Gay-Lussac
75005 Paris, France
Téléphone : 1.43.54.49.02
Télécopieur : 1.43.54.39.15
Courriel : liquebec@noos.fr

Conception typographique et montage : Édiscript enr.
Maquette de la couverture : Zirval Design
Photographie de l'auteure : Chantal Riopelle
Illustration de la couverture : Pieryves Angers, *Le malheureux magnifique*, 1972
(Photo : Chantal Riopelle)

Avertissements

• Mille anecdotes pour un passage, cent rencontres pour un personnage, nombre d'influences au détour de chaque page : ce roman est une œuvre de fiction. Aux personnes réelles qui y sont nommées ou citées, merci pour la toile de fond ! Salut à feu Richard Vincent, sans doute le clown le plus merveilleux du paradis, pour le personnage du Bon Boss.

• D'autre part, dans le premier tome, *La fin de siècle comme si vous y étiez (moi, j'y étais)*, il était question d'un bar, appelé *Le Boudoir*, décrit dans des termes peu flatteurs. Il s'agissait évidemment du *Boudoir du Nord*, autrefois situé rue Saint-Denis près de l'intersection de la rue Jarry, et qui a changé de raison sociale depuis. Mille excuses à Raymond Hubert, du café-bar *Le Boudoir* de l'avenue du Mont-Royal, et à tout le personnel, pour la confusion. Pour me faire pardonner, je vous ai tous fait apparaître dans *Le temps des amours lucides* !

• Certains codes internautes sont utilisés dans le roman. Il suffit de tourner la tête vers la gauche pour décrypter l'expression du petit bonhomme créé par les signes graphiques.

• Attention : Contenu plein d'amour !

Remerciements

D'abord, pour la lecture des avant-textes, merci à Martin Dulude, Martin Letendre et Suzanne Beauchemin.

Ensuite, pour les informations diverses, merci à Hélène Brunet, assistante au coordonnateur du programme de cirque social du Cirque du Soleil ; Richard Simard, lieutenant-détective, et Walter Filippas, constable, tous deux du Module des incendies criminels de la Communauté urbaine de Montréal ; Réal Desjardins, pompier à Laval, et la police de cette municipalité ; Lennou Suprice, du Bureau de la Communauté chrétienne des Haïtiens de Montréal ; la Fédération des femmes du Québec ; et à tous ceux et celles qui m'ont aidée à retracer des souvenirs de ce passé si récent et déjà tellement révolu.

Il me faut aussi remercier chaleureusement les hommes qui ont généreusement répondu à mon enquête sur les « vrais gars » (ou sur ce qu'on appelle plus couramment « les hommes à femmes »), qui visait à créer des personnages vraisemblables. Même s'ils m'avaient fait jurer de ne jamais les citer, je me permets quand même un coup de chapeau particulier à S. G., qui a persisté à m'expliquer l'âme masculine malgré mes hurlements scandalisés, J. V., L. R., F. D., J.-M. M., D. L. et plusieurs autres.

Et puis, remerciements infinis à toutes les personnes (amis, collègues, étudiants et barmen, entre autres) qui ont enduré mes affres d'écrivaine pendant toutes les années qu'a duré l'élaboration de ce roman.

Enfin, comme d'habitude, pour les personnages et les récits, merci à Sylvie Bérard (et à sa lampe-champignon), Josée Champagne, Carole Cusson, Sylvie DesRochers, Suzanne Grenier, Chantal Riopelle, Sylvie Roy, Joane Simard, Eric Labonté, Robert Langlois, Marie-Lise Sicotte et tous ceux ou celles qui ont participé à l'un de mes dix déménagements ou qui m'ont gentiment permis de collaborer aux leurs ; à la gang de Beauce, à tous les petits braillards que j'ai gardés ; et, bien sûr, à tous les gars qui m'ont soit brisé le cœur, soit cassé les pieds.

J'aurais tant voulu que vous m'aimiez.

Chapitre 1

Migrations montréalaises

L'Agenda selon Joanna Limoges
1ᵉʳ juillet

7 h : Ouvrir un œil, flanquer une taloche au radio-réveil, remarquer qu'il fait un temps superbe, deviner que dans trois heures la chaleur torride se prêtera à n'importe quoi sauf à déménager, et rire.

7 h 1 : Sortir du lit comme dans une annonce de matelas, allez, hop la vie ! C'est aujourd'hui que je me marie, youpi !

7 h 3 : Adresser un bec plein de dentifrice à mon reflet. Joanna, ma choupette, ce que tu peux être belle quand tu es amoureuse !

7 h 8 : M'envoyer deux doubles espressos derrière la cravate en dressant la liste de ce qu'il reste à accomplir en ce jour de migration annuelle.

7 h 38 : Disposer dans le lecteur laser du ghetto blaster une toune de gros rock sale et clencher le son pour faire enrager les voisins une ultime fois.

7 h 39 : M'inquiéter du déroulement de la journée (par pure superstition).

7 h 40 : Penser à mon chum. N'Amour, je t'aime ! Je te veux ! J'arrive !

7 h 41 : Commencer à finir d'empaqueter mon barda :
— déverser le contenu des tiroirs à vêtements dans des sacs à poubelle ;
— masking-taper lesdits tiroirs à la commode ;
— lier, à l'aide de gros élastiques, les cintres supportant mes fringues ;
— recouvrir les paquets ainsi constitués de sacs à poubelle ;
— manquer de sacs à poubelle ;
— sacrer.

8 h 8 : Dévaler les escaliers et voler jusqu'au dépanneur, les cheveux dans le vent ;
— tomber sur le Jamaïcain qui me rappelle mon running bill excessivement souffrant, et payer le running bill ;
— embrasser le Jamaïcain dans l'enthousiasme du moment et lui dire adieu à jamais, en français, juste pour l'écœurer ;

— remonter les escaliers en touchant à peine aux marches et me rendre compte, en ouvrant la porte de l'appart, que j'ai oublié les sacs à poubelle ;

— sacrer derechef.

9 h pile : En me contorsionnant pour récupérer des dossiers coincés derrière la bibliothèque, retrouver, du même coup, une bague que je cherchais depuis six mois et ma bonne humeur.

10 h 30 : Histoire de confirmer les présences à cette charmante festivité estivale (et de vous présenter les autres narrateurs en vrac, comme ça, ce sera fait), rappeler…

Curriculum vitæ

IDENTIFICATION	ÂGE	OCCUPATION	DESCRIPTION
Ninon Lafontaine, la fille la plus efficace à l'ouest du mât olympique, qui songera à tout ce que j'aurai oublié (hé, oui, il arrive que ça m'arrive), et qui me certifie qu'à l'heure où on se parle, Marc devrait être en route.	29 ans.	Artiste multidisciplinaire œuvrant en arts ménagers et en design d'intérieur.	5' 5", poids moyen, yeux bruns, cheveux ondulés naturellement auburn, le nez plein de taches de rousseur, jamais à la mode, jamais démodée ; on appelle ça le style !
Marc Auger, notre vieil ex commun.	Le crisse d'âge (33 ans pour les non-initiés).	Par les temps qui courent, palefrenier.	Beau, grand, fort et brun de partout, sauf de sa dent en or.
Patricia Chaillé, qui — ça y est, je savais qu'il y aurait un drame, une tragédie shakespearienne, un *act of God* — n'est pas chez elle. Fiou ! tout va bien, je la joins au Local d'entraide communautaire où elle bénévole quotidiennement.	34 ans, mais ça a toujours été une femme sans âge.	Militante. Si ce n'est pas une profession, c'est certainement une vocation !	Yeux bruns, cheveux bruns et raides, grande et costaude. Pas laide, mais pour elle, l'élégance est une aliénation, alors je vous laisse imaginer son look par vous-même.
Dany Lamont, qui se met à placoter comme si je n'avais que ça à faire, mais qui finit par m'assurer qu'elle sera ici sous peu, et que les muscles de Sylvain, sa tendre moitié masculine, nous rejoindront à l'arrivée pour la phase finale.	27 ans. En paraît 13.	Étudiante à la maîtrise en psychosociologie de la communication à l'UQAM.	Blondinette, 5' 2", les yeux bleus, y a-tu quelqu'un qui a vu la blonde de Sylvain Dumas ?

IDENTIFICATION	ÂGE	OCCUPATION	DESCRIPTION
N'Amour !, qui me réitère son engagement, son enrôlement et sa présence à son propre déménagement. N'Amour, je t'aime ! je t'aime je t'aime je t'aime je t'aime ! Dis-moi que tu m'aimes ! Encore encore encore ! À tantôt, beubye ! (Joanna, ma pitoune, ce que tu peux être gnangnan quand tu es amoureuse !)	26 ans.	Artiste des arts du cirque et, plus spécifiquement, clown.	5' 9", brun très frisé, les yeux noisette. Un body juste assez musclé monté sur un frame d'ancien maigre. Et un torse ! Et des cuisses ! Et un nez ! Un nez !
François Tourangeau, son meilleur ami, que mon appel réveille.	27 ans, m'a dit N'amour.	Aucune idée.	Grand et mince, si ma mémoire est bonne.
Quant à moi, je suis Joanna Limoges, la plus vieille, mais aussi la meilleure amie de Ninon (ce que le reste de la gang admet sans protester, puisque c'est elle qui nous a réunis).	29 ans.	Chroniqueuse mondaine à la carrière en ascension, workaholique impénitente (et nymphomane par conviction politique).	Petite, les yeux bleus, les cheveux et les lunettes qui suivent le courant, le reste à l'avenant ; bref, beau pétard éminemment sympathique.

Midi : Déménager, ogué, ogué ! c'est-à-dire flanquer mon trousseau dans le truck et nous précipiter chez mon chum, qui, aidé de son coloc, joindra ses effets aux miens en un préliminaire embrassement mobilier.

3 h (si tout va bien) : Tout remonter dans notre nouveau nid.

5 h (si la cadence se maintient) : Commander la pizza.

5 h 5 (si tout se passe comme prévu) : Épingler sur la porte le bail arborant nos noms et trinquer à notre cohabitation officielle dans l'allégresse générale !

1er juillet 1995

C'est aujourd'hui le grand jour. La météo s'est parée de tous ses atours pour nous mettre dans l'atmosphère. Il doit faire 30 humidex, sans vent. Le soleil est d'une blancheur aveuglante dans le ciel d'un bleu presque foncé, comme mouillé de sueur. Je tarde un peu à quitter la fraîcheur de mon sous-sol. Il sera bien temps de plonger au cœur de cette journée folle où il faudra bander les muscles dans la chaleur affolante, s'infliger des exploits d'efficacité et trouver ça drôle en plus. Laissons encore s'écouler quelques minutes.

Ce doit être la huitième fois, en moins de douze ans, que je déménage Joanna.

La première fois, elle quittait père et mère plus ou moins poliment, dans un grand rire libérateur, une semaine après son dix-huitième anniversaire. Elle avait rapaillé toutes les vieilleries de ses matantes autrefois dans le vent, c'est-à-dire désormais quétaines en diable, pour meubler un minuscule salon double avec cuisine au bout du couloir, en face du parc LaFontaine, et elle avait réquisitionné toutes ses conquêtes du cégep de Rosemont pour les transporter.

L'année suivante, elle s'était retrouvée quelques rues au sud, entre une fée du logis et une obsédée de la diète équilibrée, qui la poursuivaient du matin au soir, l'une avec un porte-poussière, l'autre avec un pèse-personne. Elle avait fini par les fuir pour se retrouver, par réaction, sans doute, dans le taudis crasseux de trois tripeux plutôt portés sur les substances illicites, des griffes desquels, dans un sursaut de lucidité, elle avait réussi à s'échapper quand elle avait fini son premier bac. À ce moment-là, il avait été question qu'on loue quelque chose ensemble, elle et moi, mais j'avais senti que sa vie sociale trépidante m'aurait vite énervée et j'avais reculé devant le risque que cela représentait pour notre amitié. D'autant plus qu'entre-temps, j'avais trouvé ici un havre de paix et de rassurante pénombre.

Alors, après ça, elle a alterné entre les bachelors miteux et les piaules partagées, au hasard des copines de passage, des collègues du moment et des occasions à ne pas manquer. Elle a tout essayé : les vieux apparte-

ments pleins de potentiel qu'on s'écœure de retaper, les logements modernes sans âme mais pleins de charmantes commodités, les lofts mal rénovés situés dans de sordides quartiers... Et voilà qu'elle emménage, pour la première fois de sa vie, avec son chum. Comme elle doit être excitée et heureuse ! Et comme je l'envie...

Mais je ne regrette pas de lui avoir présenté Jean-Marie, même si j'aurais pu, à l'époque où je l'ai connu, essayer de le séduire. C'est un gars amusant, intelligent et capable de grande tendresse, d'après ce que Joanna en dit, mais je l'aurais probablement vite ennuyé avec mon quotidien sage et raisonnable, mes habitudes solitaires et mes grands silences de créatrice claustrée. Et puis, Joanna convient tellement mieux à son train de vie en patins à roulettes ! En tout cas ! J'ai bien hâte de voir comment ils vont se débrouiller. Je sais qu'elle tremble à l'idée de rater son coup et de découvrir qu'elle est vraiment invivable. Mais il est au moins aussi fou qu'elle, c'est déjà ça ; il ne la retiendra pas dans ses envolées passionnées. Au contraire, il risque de l'entraîner dans son propre délire, et alors, jusqu'où iront-ils ? Sky is the limit !

Du moins iront-ils quelque part, alors que j'éprouve de plus en plus la désagréable impression de faire du surplace. Bien sûr, mon travail m'apporte de grandes satisfactions, ma vie est confortable et je ne suis pas malheureuse car j'écris. Mais il y a si longtemps que je n'ai pas partagé mon temps... Je commence à craindre d'avoir perdu la faculté d'être deux. Mes dernières tentatives pour trouver quelqu'un de compatible avec ma vie ou pour m'immiscer dans celle d'un autre se sont avérées bien décevantes.

Allons, un peu de courage, lançons-nous dans la canicule pour aller la rejoindre. D'autant plus que j'ai hâte de revoir Marc, à qui j'ai si peu souvent l'occasion d'aller rendre visite à Nominingue, Patricia, encore plus débordée qu'elle ne l'était avant de perdre son emploi, et Dany, qui ne sort plus de Laval depuis qu'elle rédige son mémoire de maîtrise. Et puis, Montréal est si belle, le jour où elle déménage !

Ninon

Le grand jour

J'm'en vas chez nous,
C'est l'été
J'm'en vas aider ma sœur qui déménage

ROBERT LÉGER (BEAU DOMMAGE),
Tous les palmiers

Salut, les filles ! Dites donc, ça fait un bail ! (C'est le mot, d'ailleurs, puisque je déménage aujourd'hui, hihi !) Comment ça va depuis la dernière fois ?

Pour ma part, vous avez deviné que c'est la joie totale. Oui mesdames, je réalise le grand rêve de ma vie, celui que je cultive depuis ma prime enfance, époque à laquelle on m'avait inculqué qu'il ne pouvait y avoir de Barbie sans Ken, de Tintin sans Milou ni, par conséquent, de Joanna sans Roméo ! Enfin, je prends mari, j'accroche mes patins, je me fidélise la clientèle, en un mot : je m'en vais habiter avec mon chum ! Ah, mes petites bougresses, je vous vois d'ici verdir de jalousie. Ben chacun son tour ! Après tant d'années de funeste célibat passées à chercher un gars en cheval blanc au périscope, à publier des appels d'offres à tout vent et à tester des candidats comme on élimine des échantillons, il était bien temps que ce soit le mien ! Cette fois, ça y est, j'ai trouvé l'homme de ma vie, le bon, le vrai, le pour toujours, c'est-à-dire, dans le cas qui nous occupe, au moins pour les trois cent soixante-cinq prochains jours.

Car bien sûr, vous n'avez pas pris le mot « mariage » au pied de la lettre, j'espère ? Allons donc, vous n'avez tout de même pas pensé que j'aurais le culot de me présenter en robe blanche devant un vrai de vrai curé (s'il en reste seulement un quelque part) ?

Meuh non ! De nos jours, les serments, c'est devant le propriétaire du château qu'on les fait, quand on a enfin trouvé le donjon de ses rêves avec meurtrières à châssis doubles et vue imprenable sur les douves.

— Oui, je le veux ! ai-je déclaré en apposant ma signature en dessous des deux mille clauses que j'avais fait ajouter en annexe pour être bien certaine de mettre toutes les chances du côté du « Bonheur » avec un gros « B » ventru. Ce à quoi N'Amour a répondu, devant le propriétaire déjà fort marri (décidément !) d'avoir loué son beau logement à de jeunes gens apparemment si peu sérieux :

— Nous voilà « baux ».

Quand je pense que j'ai attendu ce moment pendant presque deux ans, moi qui m'étais déjà tannée d'attendre quand la patience est passée ! Deux ans à tricoter comme une Pénélope qui regarde l'heure en repoussant des hordes de beaux mecs bandés (vous savez, cette race qui a toujours le chic de rappliquer quand notre cœur affiche *no vacancy* ?). Mais hélas ! Il n'y a pas que la symbolique des bagues de fiançailles qui a changé de forme pour prendre celle, infiniment moins romantique, d'un certificat médical ; plus l'on approche du rebord de ce vieux millénaire ébréché, plus les choses semblent compliquées. J'avais rencontré un demi-chômeur qui m'allait comme un jean moulant et qui avait tout le temps de se consacrer à l'idolâtrie de ma paire de fesses, quand soudain, il a fallu qu'un des milliers de curriculum vitæ qu'il avait postés tape en plein dans le mille de son grand rêve, et que mon nouveau jouet se retrouve à Santiago pour un contrat d'amuseur-intervenant auprès des jeunes de la rue. L'histoire de folles qui a suivi, je ne vous la raconte même pas. À moins que vous n'insistiez vraiment. D'accord, puisque vous me tordez un bras. Mais pas maintenant, je suis trop occupée. Et j'ai surtout trop hâte de quitter à jamais ce trou à rats, que j'ai eu la loufoque idée, il y a un an, de trouver convenable. D'ailleurs, on sonne.

— Entre, Ninon ! crié-je en m'extirpant du coin où je suis acculée par une monstrueuse pile de boîtes menaçant à tout moment de s'effondrer sur moi.

— Voilà le renfort ! lance mon amie chère.

— Ninon, c'est effrayant, Patricia va arriver dans dix minutes et je ne suis pas prête. Elle va me pourfendre en hurlant des incantations trotskystes.

— Qu'est-ce qui reste à faire ? demande-t-elle en embrassant la chose suante et engluée de vieille poussière que je suis devenue.

— Si tu voulais t'occuper de la vaisselle ?...

Un instant. Avant que vous ne me considériez comme la femme la plus mal organisée de la terre, permettez-moi de mettre quelques petites choses au point. Premièrement, quand je parle de la vaisselle, j'entends par là les quelques babioles — et la cafetière, bien sûr — que j'ai gardées à portée de la main. Secundo, sachez qu'il y a quelques jours déjà que j'aurais dû être en vacances, et que pour réussir à coordonner dix jours sans heure de tombée, j'en avais rushé vingt-cinq d'affilée ; mais Tabatha, la responsable de la section « Festivals » de l'hebdo culturel pour lequel je chronique, s'est trouvé un emploi dans une grosse revue « papier glacé » (nous faire ça au début de l'été !) et lesdites journées chômées ont failli s'autodétruire dans un grand nuage de calendrier brûlé. Enfin, puisqu'il faut tout vous avouer, chez nous, le ménage était une religion, et pour ma part, adorer la déesse Moppe, très peu pour moi. En outre, quand on est l'amie de Ninon Lafontaine, on sait qu'on peut s'y fier pour s'occuper des détails de dernière minute. Évidemment, je ne croyais pas qu'il en resterait autant que ça, mais on reste calme, on sourit à la vie ; on est dans les temps, comme ils disent au cinéma.

— Comment peux-tu être assez rigoureuse pour jongler avec deux jobs, trois projets et cinq entrevues par semaine, et aussi bordélique chez toi ?

— Tu essaieras, toi, d'entretenir un demi et trois quarts compacté comme un entrepôt où tu vis, tu dors et tu travailles ! réponds-je en garrochant dans une boîte ce qu'on appelle pudiquement « le haut du garde-robe » — c'est-à-dire un tas de machins hétéroclites qu'on ne conserve que pour les déménager.

— J'en connais une qui va triper dans son six-pièces…

— Rhâââ ! J'en fantasme depuis des mois ! On va pouvoir se payer le luxe d'une pièce vide, te rends-tu compte ? Un hamac, deux haut-parleurs, six coussins, une table de salon et trois cendriers ! Le zen total ! Ne manquera plus que du temps. Mais rien qu'en baisant à domicile, j'économiserai déjà trois quarts d'heure de transport par jour, ce qui n'est pas rien.

— Wow ! Il va te falloir un troisième emploi pour meubler tout ce temps libre !

Je ris. Ah, Ninon, que tu me connais.

— Ninon, je suis heureuse.

— Je le sais, et je suis si contente pour toi. Depuis le temps que tu en rêvais.

— Es-tu un peu jalouse, au moins ?

— Si je répondais non, je te ferais de la peine !

— La prochaine qu'on matche, c'est toi ! dis-je en m'attaquant à la montagne de paperasse qui s'est ramassée à la dernière minute sur le dessus de mon bureau. (Avez-vous déjà remarqué que si vous semez une feuille de papier sur une planche de mélamine, il y pousse l'équivalent d'un arbre en moins de temps qu'il n'en faut pour dire « écosystème » ?)

— Au secours ! Les trois dernières fois que tu m'as présenté un gars, ça a failli finir en psychothérapie !

Je l'admets. Mais ce n'est pas ma faute si les gars sont devenus des cas. Et puis, j'avoue que je m'ennuie un peu de crouser. Oh ! Si la vie me demandait mon avis, je lui dirais que je ne retournerais jamais « sur le marché » ! Quand j'ai un chum, le plus formidable est encore d'être en congé de draguer les bas-fonds de la ville pour en racler un. Mais j'ai parfois la séduction qui frétille, alors quand je tombe sur un prospect d'apparence minimalement équilibrée, j'ai tout de suite le réflexe de le refiler à Ninon. Évidemment, ça donne ce que ça donne… Je vous le dis : tout est devenu effroyablement compliqué. Ça n'en rend mon N'Amour que plus précieux. La première qui reluque du côté de mon chum, je l'étrangle à mains nues, je lui arrache le cœur avec une lime à ongles rouillée, je le fais cuire avec des oignons et du piment, et je le jette à la fin.

— Il faudra que je me rappelle que j'ai mis le radio-réveil dans la boîte de manteaux d'hiver.

— Hi ! C'est risqué, ça !

— Tu as raison. Je vais l'écrire sur la boîte.

— Qui on attend ? demande Ninon en pliant mes draps.

— Tout le monde ! Incroyable mais vrai !

— Eh, mais ça n'était pas arrivé depuis le jour de l'An ! Comment as-tu réussi à convaincre Marc de descendre du Nord pour t'aider à déménager ?

— Héhé ! Voilà pourquoi il faut toujours rester amie avec ses ex !

— Moi aussi, je suis restée en bons termes avec Marc, mais en général, c'est moi qui lui rends des services !

Faut dire que depuis son retour « d'Ailleurs » (c'est-à-dire de n'importe où sauf ici), notre Québécois errant est allé s'enterrer au fond des bois, dans une cabane au confort prosaïque (et je suis polie) d'où il ne sort que quand il y est absolument forcé. Autrement dit, il a passé sa vie à se poser sur les plus gros mamelons du monde, et maintenant, il a trouvé refuge dans une vallée entre deux collines. Après ça, vous viendrez me dire que les gars ne cherchent pas leur mère. Où est passé le !@#$ % ? &* d'escabeau ?

— Disons que j'ai usé d'un peu de chantage émotif… Et puis, le 1er juillet, c'est comme le jour de l'An : une tradition. À défaut de pouvoir quitter le Canada, on se déménage le mal de place en espérant que ça marchera, cette fois-ci !

— Et Dany ?

— Je l'attends d'une minute à l'autre. Sylvain va s'en venir plus tard parce qu'il travaillait la nuit passée, alors il faut qu'il fasse son dodo d'après-midi. Ça fait qu'on va être cinq pour vider la place ici, mais en fait d'électroménagers, il n'y a que le frigidaire à descendre. La cuisinière, je l'ai vendue au concierge parce que celle de Jean-Marie est en meilleur état. Après, on s'en va chez N'Amour, où son coloc va nous donner un coup de main, et rendus chez nous, Sylvain et François vont arriver à la rescousse. Tout est calculé !

— Pas si mal organisée que ça, finalement… Mais pour l'instant, ça manque de bras d'hommes.

— Pas besoin, on a Patricia ! Elle adore ça, jouer les héroïnes dans les déménagements !

— Et François, c'est qui ?

— Bof… Le chum de N'Amour. Demande-moi pas pourquoi, d'ailleurs, c'est son parfait contraire. Il fait penser au gars qui pousse tout le monde au suicide dans *Airplane*. Pas du tout le genre à grimper dans les abat-jour, disons…

On sonne à la porte. Je lâche un grand cri de mort, histoire de faire baisser mon stress personnel et d'élever celui des autres. C'est Dany, à qui je confie d'office la salle de bains avant d'arracher mon ordinateur des griffes de Ninon.

— Ne touche pas à Saint-Simonac ! Ne le regarde même pas. Elle ne t'a pas fait mal, mon bébé ? Décroche plutôt les cadres et enlève les crochets.

— Ton tournevis, il est où ?

— Je le sais-tu, moi, où est le tournevis ! Il est avec la chatte qui retrouve pas ses petits ! Tiens, débrouille-toi avec ce couteau à mastic.

On re-sonne à la porte. Je re-lâche un grand cri de mort. C'est Pat.

— Salut, les filles. Comment, vous n'êtes pas prêtes ?

— Patricia, la femme de ma vie ! dis-je en l'embrassant au vol. Débrancherais-tu la lampe halogène du plafond, s'il te plaît ?

— Toujours à moi qu'on confie le travail périlleux !… Où est ton tournevis ?

— Non mais vous êtes obsédées par les tournevis ou quoi ?

Ninon lui passe le couteau à mastic. Patricia bougonne. On rere-sonne à la porte. Je vais répondre en gémissant, une tablette dans une main et des fusibles dans l'autre. C'est Marc, qui m'enlace chaleureusement.

— Salut, beauté !

— Embrasse-moi, Marc ! dis-je en lui tendant tout ce qu'il me reste de disponible, c'est-à-dire ma bouche. À partir de ce soir, le seul qui aura ce droit sera mon conjoint, et je me serai transformée en femme respectable.

Marc me donne un long french cochon, auquel je renonce vite à résister.

— Joanna, tu ne seras jamais une femme respectable.

— Mmh ! Que de beaux souvenirs ça ravive ! ronronné-je en m'essuyant le bas de la figure avec l'avant-bras. Vous ne le direz pas à mon chum, hein ?

— Promis. Mais explique-moi donc comment tu vas faire pour éloigner tes troupeaux d'ex de chez vous, maintenant ? rigole Ninon.

— Je suis toujours fidèle à mes chums, surtout quand je n'en ai qu'un à la fois !

— Est-ce que tout est prêt ?

— Bien sûr ! Pour qui tu me prends ?

Je reçois trois coussins et j'éclate de rire.

— On y va, tout le monde en bas ! Pat, on a le camion jusqu'à quelle heure ?

— C'est bien ça le problème ! annonce-t-elle d'un ton lugubre. Déjà que j'ai eu toutes les misères du monde à m'arracher du Local...

Je lui jette un regard noir foncé en lui flanquant une boîte dans les bras. C'est que, voyez-vous, sainte Patricia s'est récemment attelée à une nouvelle cause : l'élimination de la pauvreté à Montréal. Rien de moins. Et connaissant Patricia comme je la connais, si j'étais à la place de la pauvreté, j'en prendrais tout de suite mon parti et je filerais la queue entre les deux jambes, parce que ça va barder, et c'est bien fait. Pour l'épauler dans sa mission, Pat a réuni une bande de chômeurs diplômés de tous les sexes (pour tout dire, je ne pensais pas qu'il y en avait tant que ça), farouchement déterminés, dont plusieurs néo-Québécois, et ils ont ouvert le fameux Local, d'où ils coordonnent un tas d'initiatives communautaires et diffusent toutes sortes d'informations utiles. Vous avez besoin d'aide, vous cherchez une ressource quelconque, vous ne savez plus comment sortir d'un dédale de boîtes vocales ? Appelez au Local.

— Il y a plein de gens expulsés de leur logement aujourd'hui, explique-t-elle alors qu'on amorce la descente des quatre étages, les bras chargés comme des bagnards, et on s'est ramassés avec quelques urgences. Lioubov, la réceptionniste, s'arrachait les cheveux, pendant que Dorothy était occupée à saboter l'ordinateur — ce qu'on n'a su que plus tard, bien sûr.

Elle s'interrompt pour ouvrir le hayon du camion — un don anonyme d'un sadique pressé de se débarrasser de ce paquet de troubles, dont Pat entretient elle-même les entrailles (saint Christophe, tiens-toi prêt à intervenir !). Let's go, tout le monde en haut.

— Jusque-là, poursuit-elle, je ne devais rapporter le véhicule que demain matin, mais on a reçu l'appel d'une grosse famille qui venait d'être foutue à la porte. Quatre enfants ! maugrée-t-elle en empoignant le bas du frigidaire. Ils ne pourraient pas jouer au rummy cinq cents, à la place ? Est-ce que je fais des enfants, moi ?

— C'est sûr que non, tu es lesbienne, laisse tomber Marc.

— Qu'est-ce que c'est que cette remarque ? rugit Patricia pendant que je réfrène mon envie de la faire débouler jusqu'au sous-sol. On n'aurait pas le droit de faire des enfants à cause de notre orientation sexuelle, peut-être ?

C'est reparti. Chaque fois que Pat et Marc se rencontrent, ça finit en bataille rangée. Et le pire, c'est qu'ils adorent ça, EUX.

— Ben pourquoi tu ne les as pas adoptés, d'abord ?

— Gngngngngn (ça, c'est moi qui force comme une damnée). Aurait mieux valu les envoyer à la DPJ tout de suite. Aïe, vous autres, le retenez-vous, l'ostie de frigidaire ?

— Quarante-trois, lâche Dany qui compte les marches.

— Alors, persiste Patricia…

Je vais la tuer ! Dès que je ne suis plus en dessous de ce foutu frigo, je la tue !

— … j'ai référé la mère à la directrice du Centre d'hébergement pour femmes en difficulté — c'est le cas, non, viarge ? — et j'ai envoyé le mari passer la nuit à l'accueil Bonneau. Après avoir commis quatre enfants, il ne méritait que ça.

— Han ! clamé-je en atteignant le trottoir.

— Puis, au moment où je partais, Dorothy a fait sauter le modem et…

— Patricia, jusqu'à quelle heure on a le camion ?

— Il faut que je rappelle Lioubov vers six heures.

— Alors on sera dans les temps, conclus-je en m'élançant dans les escaliers.

Vous venez de faire connaissance avec Patricia Chaillé et je suppose que vous avez compris le topo. Pat, elle est comme une punk : pleine de piquants à l'extérieur, mais tout à vif à l'intérieur. Dans le fond. Creux, creux. De plus en plus creux, en fait, à mesure que les années passent. C'est triste à dire, mais elle vieillit mal, la Pat, elle s'aigrit. Faut dire qu'elle approche de la mi-trentaine, alors que Ninon et moi tremblons déjà à l'idée du saut qu'on fera dedans l'année prochaine. Et puis mettez-vous à sa place : il y a deux ans, elle trouvait l'emploi de ses rêves au Conseil du statut de la femme et, l'an dernier, paf ! elle le perdait pour cause de compressions gouvernementales. Un an de chômage et de formation plus tard, elle se retrouvait de nouveau au point zéro, c'est-à-dire impliquée dans un projet financé par l'Aide sociale. Elle s'en est sortie en carburant à même sa colère, mais le moins qu'on puisse dire, c'est que cela ne lui a pas arrangé l'humeur.

Je vous fais grâce du dépôt du sous-sol. Dany saute derrière Marc, Patricia prend le volant du camion et Ninon monte avec moi dans Rossinante (une Volvo DL 86 que le garagiste avait qualifiée, avec raison, de « pas tuable »). On se retrouve chez N'Amour.

SURPRISE !
un jeu à la Jean-Marie

1. Comment appelle-t-on un clown portant un costume de deux couleurs assorti d'un jabot [1] ?
   - Un clown blanc ☐
   - Un auguste ☐
   - Un enfant sans-souci ☑

2. Quelle motivation peut avoir un homme de vingt-six ans, sain d'esprit, pour aller habiter avec sa blonde ?
   - Le côté pratique ☑
   - Les avantages économiques ☐
   - L'amour ☑
   - Le goût du risque ☑
   - Avant vingt-sept ans, un gars ne sait pas dire non ☑

3. Lequel de ces objets n'a jamais été mentionné dans les conversations entourant la préparation de ce déménagement ?
   - Le trampoline pliable ☐
   - La table de cuisine indémontable ☐
   - Le piano ☑

---

1. Au Moyen Âge, les Sots (ou « enfants sans-souci ») étaient des troupes regroupant des désœuvrés et des étudiants portant le costume jaune et vert des fous de cour, avec chapeau à grelots et oreilles d'âne, et jouant des sotties, c'est-à-dire des parades bouffonnes particulièrement satiriques où l'on faisait maintes allusions politiques.

Comment mélanger la loi de la gravité dans sa tête en lui démontrant que tout ce qui est descendu remontera

— QUEL PIANO !?! hurlent ensemble mes chumesses adorées.

— Ah, je ne vous en avais pas parlé ? fais-je, hypocrite. Ne vous en faites pas, le gabarit de l'instrument est proportionnel à celui du colocataire de N'Amour…

Justement, le primate susmentionné, receveur de voltigeurs de métier (appelons-le Gros-Taupin), dévale l'escalier, le trampoline à bout de bras. Il est suivi de Jean-Marie, encore en costume de travail, contre lequel je me jette avec un cri déchirant de femme de marin.

— Les hommes sont tous des clowns, soupire Patricia derrière nous.

— Oui, mais heureusement, il y en a qui le sont plus que d'autres ! dis-je en m'essuyant les joues blanchies par le maquillage de mon fiancé.

On parvient sans trop de mal à extirper tout son barda de l'étroite cage d'escalier et on reprend notre souffle sur le trottoir en se passant la bouteille d'eau. Autour de nous, ça déménage à toutes les dix maisons.

— On dirait toute une ville cherchant le bonheur, dit Ninon.

Je suis son regard. De l'autre côté de la rue, un superbe gars en jean, le torse nu huilé de sueur, trime sur un gigantesque bahut en riant de ses trente-deux dents blanches. Je détourne les yeux en psalmodiant :

— Je suis fidèle, je suis fidèle, je suis fidèle…

— Laisse-m'en au moins un pour rêver, égoïste ! s'esclaffe Ninon.

— Tous ! Je te les abandonne tous ! Donne-moi juste le temps de m'habituer !

Le banquet d'enfants s'étant terminé plus tard que prévu, Jean-Marie se dégraye pendant le trajet tout en chantonnant des « Pompompom pom pom popom… » et je profite de chaque feu rouge pour me repaître du profil fin qu'il découvre en se démaquillant. Je n'en reviendrai jamais. Ce gars-là a le plus beau nez du monde et il m'aime. Yahou ! Je jure que je ne laisserai rien ni personne se mettre entre mon bonheur et moi.

Surtout pas les locataires en partance, commençant à peine à sortir leur stock, sapristi ! Mon minutage risque de se gâter, et justement, il y avait longtemps que je n'avais pas engueulé quelqu'un, ça me démangeait...

Je stationne ma grosse Volvo comme s'il s'agissait d'une coccinelle et j'envoie Ninon acheter du houblon. Sylvain s'amène en sifflotant et je l'abandonne à Marc. Comme le second habite au diable vert et que le premier a l'horloge interne à l'envers pour cause d'horaire de travail, ils ne se voient pas souvent. Ils en profitent donc aussitôt pour se mettre à comploter des affaires louches comme deux conspirateurs, au grand désespoir de Dany qui aimerait bien, un jour, voir son chum devenir un adulte. Jean-Marie, qui s'était couché les bras en croix pour réserver une place au véhicule de Patricia, se relève à l'arrivée de notre ménage et va rejoindre les gars qui se foutent de sa gueule.

— C'est parce que tu es passé tout droit que tu es encore en pyjama ? lui demande Sylvain, hilare.

— Je reste habillé comme ça pour faire rire ma blonde. Elle est plus facile à vivre quand elle est de bonne humeur.

— En tout cas, dit Marc, tu as bien du courage. Moi, je ne m'embarquerais jamais à temps plein avec cette fille-là ! J'aurais peur de faire de l'anémie !

— Elle est si vorace que ça ? s'inquiète Gros-Taupin.

De concert, Jean-Marie et Marc secouent une main en roulant les yeux.

— Ça tombe bien, dit N'Amour en bombant le torse, j'aime vivre dangereusement.

— OK, ça va, vous avez fini de me niaiser ?

C'est là que François arrive, très relax, comme s'il était à l'heure. On fait les présentations. Il grogne quelques sons vagues pouvant être interprétés comme « salut », « bonjour » ou « enchanté », au choix. Quel être charmant.

— Bon, décrète Patricia pour chasser l'ange qui n'en finit plus de passer, si on les aidait un peu, histoire d'accélérer le mouvement ?

Les petits jeunots ne demandaient que ça. Quinze minutes plus tard, ils embarquent dans leur van pourrie en nous laissant tout le loisir de découvrir qu'ils nous ont abandonné trois mois de vidanges sur la terrasse derrière la maison.

Après avoir fait la chaîne pour les boîtes (merci à Denis, mon ex numéro 27, pour s'être trouvé un emploi dans une cartonnerie), on laisse Sylvain et François, qui ont les bras frais, se colleter avec les gros meubles. Ninon plaque quelques accords sur le piano (qui, comme nous, ne perd rien pour attendre son tour) et accompagne les cascades de Jean-Marie, très affairé à jongler en se tenant en équilibre sur tout ce qui branle. C'est là qu'il aperçoit ma lampe torchère en chrome tordu surmontée d'un globe-champignon crème cerné de pseudo-or, — un chef-d'œuvre de futurisme néo-art déco des années soixante que je dois à une de mes tantes. Il recule avec horreur.

— Tu n'as pas l'intention de garder cette cochonnerie ?

— Elle n'est pas encore allée se jeter à la poubelle elle-même, cette aberration ? demande Patricia en passant.

— En tout cas, moi, je ne la transporte pas, décide Jean-Marie.

— Moi non plus.

— Moi non plus.

— Ignares ! que je proteste en poussant précautionneusement mon trésor le long du mur. Battez-vous donc avec le divan mangeur d'hommes, au lieu de chialer.

— Ah non ! Aïe, je suis écœuré de le déménager, ce monstre-là, proteste Marc.

— Tu ne disais pas ça quand on faisait l'amour dessus.

— Dedans, tu veux dire.

— Oui, n'est-ce pas ? apprécie Jean-Marie en connaisseur. Quel meuble plein de possibilités !

— Joanna, je t'avertis, la prochaine fois, on met la scie dedans pour le sortir, maugrée Patricia, toujours d'humeur égale.

— En attendant, viens donc m'aider à démonter la porte.

— Comment tu veux faire sans…

Sans le tournevis. Hé oui, toujours lui.

— Tes toutous, je les mets où ? demande Ninon, les bras chargés de Pitou, Culotte, Napoléon et Pamela, la poupée de chiffon.

— Dans le garde-robe. Quand j'ai un chum, je les range.

Vingt et une marches fois cent soixante-six voyages divisé par neuf joyeux participants plus tard, on s'effondre dans notre immense salon dont les fenêtres en angle laissent pénétrer des flots de soleil et on s'envoie une longue rasade de bière glacée. Je regarde ma montre : il est précisément cinq heures. Je prends une autre gorgée, heureuse de me connaître.

— Il faudrait appeler la pizzeria, dit Dany. Joanna, est-ce que ta ligne téléphonique fonctionne ?

— Oui, la ligne est branchée, mais le problème, c'est que le téléphone est probablement à côté du tournevis…

— Au fait, dit Ninon à Jean-Marie, quand elle cherchera le radio-réveil, rappelle-lui qu'il est avec les manteaux d'hiver.

— Oh ! Je ne suis pas vraiment meilleur qu'elle pour me rappeler ces affaires-là ! Il vaudrait peut-être mieux le dire au propriétaire ou avertir la police ?

— Ça serait peut-être plus simple de le sortir de la boîte tout de suite, pendant qu'on en parle ? suggère Sylvain.

— Il faudrait commencer par trouver la boîte, répond Jean-Marie en se dépliant, un peu courbaturé.

Puis, changeant de voix et d'attitude :

— Je me présente : inspecteur Jean-Marie, détective chargé de l'affaire.

— Le téléphone est dans ma sacoche ! me souviens-je brusquement. Je l'avais rangé là pour l'avoir à portée de la main ! Oups ! Mais où est ma sacoche ?

— Tu me l'avais donnée en partant de chez toi, dit Ninon qui me la tend.

— Ninon, une chance que tu es là pour penser à ma place.

— J'ai trouvé le radio-réveil ! annonce N'Amour.

— Bon ! Tout ce qui manque, c'est le tournevis !

— Pensez-vous qu'on peut les laisser seuls tous les deux ? demande Sylvain avec effroi. Il me semble qu'on devrait appeler une gardienne avant de partir.

— Bonjour, ça serait pour faire venir quatre pizzas. Deux toutes garnies, une végétarienne et une… une quoi ? demandé-je aux autres.

Là, ça va du bacon-oignons aux anchois-olives en passant par le pastrami et la spéciale Denis, avec des rigatonis et de la viande hachée ; mais je rappelle à Sylvain que c'est une spécialité lavalloise. Je conclus en commandant des restes de table sur croûte épaisse.

— Mon adresse ? Heu… Jean-Marie, tu te rappelles l'adresse ?

— Je vais voir !

— On va prendre une frite format familial, aussi ! dis-je pendant que Jean-Marie va vérifier le numéro civique sous le porche.

— … Rue Bélanger, angle Marquette… Marquette. M-A-R-Q-U-E-T-T-E ! Market ! « Je m'en vas faire mon *market*, mon petit panier sous mon bras ! » C'est ça. Le numéro de téléphone ? Heu… Je n'ai pas le téléphone, je viens de déménager. Comment je vous appelle ? Par télépathie ! Ma voix est dans votre tête !

Jean-Marie me sauve de la crise d'hystérie en me rappelant son numéro de cellulaire. J'invite les filles à faire le tour de l'appartement. Je leur présente le terrain de jeux, une vaste chambre à recoins ; en face, une autre à peine plus petite qui deviendra mon bureau ; au bout du corridor, une grande pièce rectangulaire qui servira de studio à N'Amour ; et enfin, la petite chambre vide, pour laquelle j'ai de si grands projets. Puis on passe dans la spacieuse cuisine cerclée de fenêtres, par lesquelles on aperçoit deux arbres fournis.

— Mais c'est génial ! s'exclame Dany.

— C'est cher, surtout ! Mais Jean-Marie vient d'obtenir un gros contrat de mascotte pour l'ouverture d'une chaîne de dépanneurs. Il en a au moins pour six mois à avoir du travail régulier.

— Un autre emploi très sérieux, ironise Patricia.

— On va rejoindre les gars avant qu'ils n'imaginent des mauvais coups ? dis-je en les entraînant dans le salon.

— Si ça pouvait n'être qu'une figure de style, chuchote Dany, soudain soucieuse.

— Quoi, le tien magouille toujours ?

— Il y a un bel ordinateur tout neuf qui a atterri sur la table de cuisine, la semaine passée, comme ça, sorti de nulle part.

— Eh bien, au moins, te voilà enfin entrée dans les années quatre-vingt-dix !

— En tout cas, Joanna, poursuit Ninon en tendant des bières fraîches à qui lui en réclame, à deux, tu te retrouveras moins souvent sur la corde raide.

— Et je t'emprunterai moins d'argent, hein ? Surtout que je vais tenir une chronique occasionnelle dans un talk show à la télé, à partir de septembre. Ça va boucher les trous dans le budget s'il y en a. Et il y en a tout le temps.

— Quand je pense qu'on croyait qu'il n'y avait pas pire que le travail au salaire minimum ! lance Patricia en mode scandalisé. Mais voilà maintenant qu'on fournit les locaux et les équipements, et qu'après avoir été la chair à saucisses de la première phase du virage technologique, on est dans la même précarité pour la deuxième ! C'est inique !

François, qui rencontre SuperPat pour la première fois, lui jette un regard vaguement inquiet. Il n'a rien vu.

— AH ! IL EST BEAU, L'HÉRITAGE DES ANNÉES SOIXANTE ! rugit-elle en crescendo. Être pauvre est devenu une job à temps plein ! Et on n'a de cesse de refouler la classe moyenne vers l'aide sociale et de la mettre à la merci du gouvernement qui, comme l'État russe du XIXe siècle, subventionne pour mieux surveiller !

— Si on peut enfin se donner un pays ! murmure Marc.

Il n'en fallait pas plus à Patricia pour passer du 110 au 220.

— Peut-être, mais peut-on se distinguer vraiment quand les partis, nationalistes ou pas, affichent tous les tons de gris et que les citoyens et citoyennes sont dirigés et dirigées par des gouvernements en constante campagne électorale qui naviguent à courte vue ? Si l'on se vote un pays, il faudra s'y mettre TOUS ET TOUTES, dans tous nos gestes économiques, politiques et sociaux !

— Ça va, Ma Dalton, on se calme le stetson. Tout le monde ici est d'accord avec toi. Heu… ? hésité-je soudain en jetant un regard à Chose, là, François.

Qui me le renvoie, à la fois inexpressif et rempli d'évidence. OK. Scuse.

— Je bois à l'indépendance du Québec, émet Marc.

— Et à une nouvelle Amérique, s'enflamme soudain Dany, jusque-là attentive et silencieuse. Il ne s'agit pas de détruire quelque chose mais de créer quelque chose d'autre, de neuf. Le Canada, c'est juste trop grand !

On s'exécute en levant nos verres. Soudain, la sonnette retentit avec un DRELIN ! vindicatif qui nous fait tous sursauter. Le livreur de pizza est un Gino grec (signe certain que la pizza sera délicieuse) à se pâmer d'admiration (mais je suis fidèle je suis fidèle je suis fidèle). Mettons plutôt le couvert (ce qui consiste à déchirer le contenant pour qu'il serve d'assiette au contenu). Théoriquement, les Scott Towels ne devraient pas être loin…

LES HOMMES JOUENT LES TI-JO CONNAISSANT
un loisir à la Jean-Marie

But du jeu : Faire connaissance en montrant de part et d'autre qu'on n'est pas n'importe qui et, si possible, devenir suffisamment chums pour que ce soit le fun quand la gang de votre blonde et la vôtre seront réunies.

Nombre d'équipes : Deux. D'un côté, Sylvain, devenu depuis longtemps un bon chum de Marc (et vague connaissance de Jean-Marie, rencontré dans un pub il y a trois ans, et grâce à qui, par Ninon interposée, vous avez rencontré votre Jojo-Nana chérie), et les filles en guise d'adjuvantes. De l'autre, vous-même, Gros-Taupin et votre vieux complice, avec lequel vous formez un duo redoutable. C'est la *cheerleader* qui se charge de compter les points. L'hôte ayant l'avantage du terrain, c'est aux autres d'attaquer.

Matériel requis : Bière et autres carburants.

Coups non permis : Vous servir à mauvais escient de ce que votre bavarde adorée vous a révélé de vos adversaires. Il s'agit ici d'une affaire de gars qui ont à prouver leur propre valeur pour mériter l'amour des belles.

Gagnants : Tout le monde ou personne. La partie est terminée quand le monde décide de lever le camp.

PING	PONG	LA *CHEERLEADER*
Il n'y a pas à dire, tu te la coules douce, toi ! dit Sylvain en déchirant des dents sa pizza. S'occuper d'une écurie de riches dans les Hautes-Laurentides, c'est le paradis sur terre !	Quand c'est ton oncle le patron, c'est une autre histoire.	Belle passe.
Ah, tu travailles pour ton oncle ? apprend Jean-Marie.	Eh oui. C'est lui qui a hérité du ranch, parce que mes parents ne me trouvaient « pas assez raisonnable », à l'époque. Remarquez qu'ils n'avaient pas tort, puisque tout ce qu'ils m'ont laissé, je l'ai dilapidé en cinq ans.	C'est 1-0 pour Marc et Sylvain.
Tu as quand même fait le tour du monde, pendant ce temps-là, proteste Sylvain. Je ne trouve pas que c'est du gaspillage, moi.	Vraiment ? émet François, l'air intéressé.	Tiens, il parle, celui-là !
Pas tout à fait. Je ne suis jamais allé en Océanie.		Ça se glisse dans une conversation comme un gros as pas d'atout. 2-0
Quoi qu'il en soit, mon oncle a « daigné » m'engager à mon retour, puisque j'avais tout de même terminé mon DEC en techniques vétérinaires.	Est-ce qu'il y a des champions dans ton écurie ? demande François.	Tiens, Marc garde dans sa manche la carte de ses études supérieures en agro-économie, prétexte à sa période nomade, dont il est revenu il y a deux ans. François, prudent, amène le jeu sur un terrain qu'il semble mieux connaître.
Je pense qu'on aurait quelques poulains très prometteurs, mais mon frère ne les entraîne que pour les tournois. Il ne veut rien savoir du jeu.	Il a tort. Les courses de chevaux, ça peut rapporter des fortunes.	Et François se lance dans une énumération de statistiques équestres et d'anecdotes sur le milieu des courses, dévoilant à l'équipe adverse qu'il en sait infiniment plus sur le sujet qu'il n'en a l'air, et faisant bâiller les filles. 2-1
J'aimerais ça, moi, avoir un petit cheval pour faire des acrobaties ! rêve Jean-Marie.	D'après ce que j'ai entendu, tu as bien assez de ta blonde ! s'esclaffe Gros-Taupin.	
J'avoue que je suis tombé sur une bonne pouliche, admet N'Amour, faussement modeste.		Ladite pouliche fait mine d'être vexée quand, dans le fond, elle est gonflée d'orgueil, et va répondre à la porte pour accueillir la seconde caisse de 24. Fin de la première période.

PING	PONG	LA CHEERLEADER
Et vous deux, comment vous êtes-vous rencontrés ? demande Dany au tandem.	Dans un magasin de bandes dessinées, il y a quelques années, répond François. On cherchait le même album de collection.	Tu ne m'avais jamais parlé de ça, N'Amour ?
Il y a beaucoup de choses que tu ignores encore de moi, fillette, répond Jean-Marie sur un ton à la James Bond. Non, sans blague, pour moi, c'était une passion d'adolescence, mais lui, il a continué à chercher des trésors.	Et toi, qu'est-ce que tu fais, exactement ? demande Marc, le Meilleur Ami en chef.	
Je suis un clown.	Oui, ça, on avait remarqué !	
Un clown, c'est un drôle à tout faire. Je suis un peu magicien, jongleur, acrobate, mime, musicien, humoriste à l'occasion…		Sa spécialité, c'est de faire tout ça en échasses ou en unicycle, dit fièrement la Groupie n° 1. Contre toute apparence, c'est un gars très équilibré !
Je travaille pour une maison de production qui s'occupe de casting d'Hartistes. Il m'arrive de tenir le rôle de maître de cérémonie ou de joueur de tours dans les congrès, par exemple ; ou bien je fais le lutin dans les centres commerciaux. Ou encore j'anime des ateliers dans les maisons de jeunes, comme je le faisais pour le Cirque du Soleil à l'étranger. Ça, j'adore ça. Cet été, je vis de mon chapeau au Vieux Port.	La ville ne te paie pas pour distraire les touristes ?	
Pire que ça : il faut que je paie la location de mon bout de trottoir.	Bah, ça doit être relax.	
Ça dépend. Jongler avec des quilles de trois livres, entouré de monde saoul, juché à dix pieds dans les airs, quand tu ne sais jamais s'il n'y a pas un comique qui va te donner une poussée, un pigeon qui va te prendre pour un bol de toilettes ou une craque de trottoir qui va s'ouvrir devant toi, c'est complètement vidant.	Et toi, comment ça va à ta job ? demande Marc à Ninon.	Troisième période.

PING	PONG	LA *CHEERLEADER*
Super bien. Le gros avantage, c'est que je travaille chez moi.	Qu'est-ce que tu fais, exactement ? s'enquiert François.	
Je suis conceptrice pour une compagnie de cartes et cadeaux.	Tu sais, le genre de gugusses fabriqués pour ramasser la poussière ? précise Jean-Marie.	Ma lampe est restée sur le trottoir ! s'exclame la *cheerleader* en sortant précipitamment.
Oh non !	Ninon Lafontaine, tu dis ? réfléchit François. J'ai déjà vu ton nom quelque part.	(Ce moment de disparition est bien involontaire de notre part.)
Sur une carte de Noël, probablement.	Je pense que c'est ça ! C'est de toi, les aquarelles avec les tout petits sapins en relief ?	
Ninon est la créatrice d'une série de cartes de souhaits signées, précise Dany.	Et d'un roman paru il y a quelques années, ajoute la *cheerleader* qui revient, l'horreur à la main.	Ça lui vaut un regard sombre de la part de Ninon, pas le genre à étaler sa confiture, ce que les autres, en bonnes âmes, s'arrangent pour faire à sa place.
Mais je l'ai lu ! s'exclame François.	< 8)	Ça suscite un certain étonnement dans la pièce, le livre ayant connu, à l'époque, un demi-échec (et même un bon trois quarts, pour être honnête).
Attends que je me rappelle : c'était l'histoire de quatre filles et d'un gars dans la fin de la vingtaine, qui se cherchaient et qui…	; o)	Et là, François s'interrompt, regarde tout le monde tour à tour et allume. C'est 3-1, mais François en sait désormais plus sur ses vis-à-vis que le contraire.
Et puis, ça fait quelle impression, de rencontrer des personnages de fiction ? demande Ninon.	J'avoue que c'est un peu déstabilisant… J'avais beaucoup aimé ton livre.	Ah oui ?
Oui, et plus particulièrement la structure des multiples focalisations amenées par le biais des personnages qui s'expriment chacun dans son genre propre…	!	Et devant son auditoire ébahi, il se met à faire toute une analyse du roman, entrant dans la profondeur des détails, décortiquant les liens entre les lieux symboliques et les sous-genres littéraires, l'exploitation narratologique, le décloisonnement proprement postmoderne, mettez-en, c'est pas de l'onguent. Non seulement il a aimé ça, mais en plus, il a tout compris !

PING	PONG	LA CHEERLEADER
Qu'est-ce que tu fais dans la vie ? demande la *cheerleader* sur le ton de « T'es qui, toé ? »	J'enseigne la littérature au cégep.	Ça explique tout. La partie se termine 3 à 2, mais le mec gagne une couple de crans dans l'estime générale. Finalement, il est moins nul qu'il n'en a l'air ! Fin de la partie. La parole est à votre hôtesse, Joanna Limoges.

La minute d'attendrissement

J'ai une soudaine envie de m'asseoir sur les genoux de mon conjoint (mon conjoint, vous vous rendez compte ! ? !) et de lui sacrer un gros french lascif devant tout le monde. Or, je ne vois vraiment pas ce qui pourrait m'en empêcher. Jean-Marie m'accueille et je me love dans la forme de son torse. Un peu plus et je sucerais mon pouce. C'est fou comme il est aussi vrai que cliché que l'amour change tout et colore chaque minute ordinaire d'une aura de rose nanane sucé longtemps. On est toute sèche en dedans à force de ne pas avoir quelqu'un avec soi, et soudain, c'est le contraire : on y est, c'est aussi simple que ça ; le plus étrange est qu'il en ait été autrement un jour. Je ne veux même plus penser à ce temps-là. Je pose ma tête dans le creux de son cou et je l'embrasse là où je lui ai découvert une petite zone érogène très vulnérable. Il baise mes cheveux en souriant (je suis brune acajou, ces temps-ci).

— Mes amis, dit Ninon, je bois à Joanna Limoges, qui est ENFIN CASÉE !

— Vous pouvez sortir des abris, les gars, la saison de la chasse est terminée ! crie Marc à la cantonade.

— Il était temps que tu reviennes, Jean-Marie, les nœuds qu'elle avait faits dans sa libido n'allaient plus tenir bien longtemps, dit Patricia.

Ouais, parlez-moi-z'en, des amours au temps de la pige. Le premier hiver, je me suis facilement résignée à prendre mes vacances à Cuba et à l'accueillir quand il revenait de loin en loin. Mais après six mois prévus à Santiago qui sont devenus dix, Jean-Marie a été transféré à New York pour un trimestre reconduit deux fois. J'ai fait contre mauvaise fortune bon cœur et j'ai couru là-bas à chaque accalmie dans l'ouragan de ma vie. Sauf que, quand ensuite il a été envoyé à Winnipeg, j'ai commencé à en avoir assez des factures d'interurbain, de billets d'avion, de train, d'autobus et de loterie.

Mais le pire, c'était de le savoir hors de mon champ d'attraction, à la merci de n'importe quelle séductrice véreuse. Normalement, mes chums ne me trompent jamais puisque je les baise jusqu'à ce qu'ils se sentent faibles à l'idée de devoir s'exécuter en heures supplémentaires. Mais là, je frémissais à l'idée qu'il puisse trouver notre séparation encore plus difficile que moi et qu'il rompe notre serment de fidélité — ce qui aurait été un comble, étant donné que, pour ma part, je passais ma vie à dire « trop tard ! » à des gars qui avaient jusque-là repoussé mes assiduités.

Je savais bien que je ne pouvais pas lui demander de renoncer à l'emploi le plus formidable de sa carrière, mais la mienne était ici, de même que toute ma vie à part lui, et un jour, parce que ça faisait trop mal, parce qu'il était impossible d'être deux d'aussi loin, parce que je n'en pouvais plus de n'être qu'attente, même quand il était devant moi (pour si peu de temps, toujours pour si peu de temps !), j'ai rompu à mon cœur défendant dans une grande crise de désespoir patent. Mais j'avais le disque dur qui sautait toujours dans la même coche : lui, lui, lui. Tous les autres hommes me semblaient mièvres, stupides et repoussants (et de fait, ils l'étaient). Seuls quelques-uns de mes ex, parmi les plus intimes, trouvaient grâce à mes yeux. Et encore : je ne leur parlais que de lui, de sa formidable personnalité et de ses incroyables prouesses sexuelles (ce qui est chien mais de bonne guerre, n'est-ce pas ?).

Une chance que Ninon a tout arrangé, comme d'habitude, en m'apprenant que mon homme passait désormais ses samedis soir à organiser des tournois de roulette russe dans le haut Manitoba, sûr, lui aussi, qu'il avait tout perdu. Je me suis ruée sur le téléphone, dans lequel j'ai hurlé : « Reviens, maudit niaiseux ! » et, quelques semaines plus tard, il était là (les poches pleines, youpi !), et j'ai recommencé à vivre, car j'avais regagné le droit de le rendre heureux.

Évidemment, on aura compris qu'il était hors de question de cohabiter à deux dans le cubicule que je viens de quitter. Il est donc allé vivre avec ses meubles en attendant que je remette la main sur l'appartement de mes rêves, que j'avais réussi à sous-louer pour un an et demi à des gens fiables mais pas stables (vous essaierez de dénicher ça, vous autres, pour rire).

Cette fois, vous savez vraiment tout. Patricia nous annonce son départ en raccrochant le combiné du téléphone.

— Mes réfugiés d'Hochelaga-Maisonneuve sont encore sur le trottoir avec leur ménage. Je dois aller les rejoindre avec le camion pour qu'ils entreposent leurs affaires dedans.

Et comme ça, sans aucun rapport, j'ai une révélation :

— Le tournevis ! C'est ça qui brassait dans le frigidaire !

— Super, il doit être encore frais ! s'extasie N'Amour, qui ne se surprend de rien.

On remercie au moins deux cent cinquante fois notre visite qui s'en va. De la fenêtre, on se répand en adieux comme si on n'allait jamais se revoir. C'est alors que, au moment où j'enlace l'homme de ma vie se pourléchant déjà les babines, je pose les yeux sur le comptoir de la cuisine derrière lui. Je lâche un grand cri de mort :

— Y a des coquerelles !!!

Zut. Zut de zut de flûte de zut.

— Jojo-Nana, arrête de paniquer, dit Jean-Marie en s'inquiétant pour son tympan gauche.

Mais c'est inutile : mon horaire vient de se faire hara-kiri et des alarmes en forme de vendredi après-midi se mettent à clignoter devant mes yeux : «réunion, conférence de presse, lancement, interview...» Je gémis.

— Oublie ça..., dit-il en me couchant dans les cartons de livraison. Tu as déjà fait l'amour dans la pizza avec un clown ?

— Non, jamais ! Je pensais que les clowns se reproduisaient dans des œufs.

— Eh non : ils se reproduisent par photocopieur. La bibite, elle monte, elle monte, elle va manger la Joanna..., grogne-t-il en m'embrassant partout partout.

J'éclate de rire. Que voulez-vous que je fasse d'autre ?

Sans joke : je reste avec mon chum !

2 juillet, une heure du matin

    Aussitôt descendue de la moto, j'ai couru vers la douche en répandant autour de moi les quelques vêtements humides que j'avais supportés toute la journée. Je me suis longuement rafraîchie, puis j'ai humecté une camisole propre que j'ai passée, et que je garderai pour dormir. Un vieux truc en usage à Calcutta, qu'un amant de passage m'a refilé jadis.

    Maintenant, j'écris dans le piètre courant d'air qui pénètre par la lucarne de la chambre. Il doit faire plus chaud chez Joanna, mais que de fenêtres ! Ça me donne presque envie de déménager, moi aussi. Peut-être que mon décor sombre aux issues malingres a fait son temps et que j'ai besoin de lumière. Si Marc a réussi à s'installer après des années d'errance, peut-être arriverai-je à me détacher de mon ancre ? Oh ! j'espère que ma vie changera, qu'un homme me sortira d'ici, que ma vie me deviendra plus légère. Car je me sens seule et je m'ennuie.

    Ninon

Chapitre 2

La vie est une pile de boîtes

L'Agenda selon Joanna Limoges
Restes de juillet et débuts doux

- Engueuler le propriétaire.
- Improvisation libre sur les thèmes du Zyploc et du réfrigéré ; me présenter au dépanneur le plus proche et tâter le terrain pour un running bill.
- Détapisser le mur de mon bureau arborant un coucher de soleil automnal qui rappelle étrangement la carte d'assurance-maladie, réclamer la peine de mort pour les abrutis qui peinturent par-dessus de la tapisserie avant d'en recoller, et décréter que des bandes de tissu seront du plus bel effet.
- Libérer, en arrachant le tapis, les milliers de blattes qui squattaient en dessous (blattes qui profitent éhontément de leur nouvelle condition de sans-abri pour se répandre partout ailleurs dans la maison) et découvrir que le sous-tapis a amoureusement adhéré au bois franc — par ailleurs déjà passablement massacré. Me résoudre à refaire les planchers (ce qui signifie que mon agenda peut aller négocier ses préarrangements).
- Accueillir le tueur à gages et assister à un joyeux génocide.
- Prendre mon mal en « patience », faculté que, on le sait, la narratrice n'a pas en quantité illimitée.
- Magasiner frénétiquement et flanquer le total de la facture sur ma carte de crédit asphyxiant déjà dans des hauteurs himalayennes. Mañana !

3 juillet 1995

Dans l'absence de nuit qui régnait en maître sur le cœur de la cité, la foule compacte et colorée s'agglutinait autour des scènes parsemées ici et là. À côté de moi, la tête levée vers l'estrade principale, mes amis écoutaient religieusement la musique en arborant des sourires d'enfants. Coincé entre le complexe Desjardins et la Place-des-Arts, le ciel virait à l'indigo, et le solo langoureux du saxophoniste s'évertuait à allumer les étoiles une à une. J'ai souri d'aise.

Un Américain propret, qui me souriait timidement sous sa moustache démodée, a engagé la conversation d'un «bonjour» incertain. À son air gêné, j'ai deviné qu'il avait déjà atteint les limites de son bilinguisme et j'ai répondu en anglais en cherchant un peu mes mots.

— Have you ever gone to the United States?

— Of course! Especially in the New Jersey and in the Maine, with my parents, when I was a kid. And in Washington too, for a... a prochoice demonstration, a couple of years ago.

— Really? Oh, interesting... I went to Chicago a couple of times, for a similar reason, you know...

Il me sourit de nouveau, découvrant ainsi de grosses dents blanches, dont certaines, manifestement fausses. Heureusement, son regard vert foncé rachetait l'irrégularité de sa grande bouche.

Nous avons échangé ainsi quelques phrases totalement empreintes de banalité. Nul besoin d'être bilingue pour converser avec un Américain. Un pidgin de quelques centaines de mots suffit. Une fois soustraits du discours les «you know», «I mean», «incredible» et «amazing» destinés à ponctuer les phrases, le reste est généralement clair comme le système binaire : pour ou contre, blanc ou noir, right or wrong. En bon Yankee hors frontières, le touriste s'extasiait de tout et tâtait précautionneusement le terrain avant de faire quelque affirmation que ce soit. Vite lassée de prévoir sa prochaine remarque ébahie, je lui fis comprendre d'un air agacé qu'on n'était pas là pour jaser et il se tut avec un respect soudain et hors de proportion.

Aussitôt le spectacle terminé, Joanna, qui avait savamment épluché le programme dans le métro, nous indiqua son prochain choix, indiscu-

table puisque Mme Limoges a un goût très sûr en matière jazzistique. Je m'apprêtais à saluer mon touriste quand elle interrompit mon geste :

— No, come with us ! We'll show you a part of the city after the next show !

Il accepta aussitôt et se présenta avec beaucoup de manières. J'avais envie de flanquer une gifle à mon exaspérante amie. En même temps, ce qui venait de se passer était tellement prévisible que je me suis contentée de soupirer comiquement aux autres, hilares mais compatissants.

Dix minutes plus tard à peine, alors qu'on se frayait un chemin dans la foule compacte, elle avait réussi à savoir qu'il avait quarante ans, qu'il avait fait un baccalauréat en sciences naturelles, qu'il travaillait pour une entreprise de livraison et qu'il avait manifesté contre la conscription pendant la guerre du Viêt Nam aux côtés de ses frères aînés. Tout au long de la soirée, elle nourrit la conversation dans un feu roulant de questions pertinentes, de renseignements touristiques et sociologiques, de blagues et de clichés, lui tendant quelques perches et autant de pièges, tout cela dans un excellent anglais débité avec un horrible accent.

Pour sa part, le pauvre Yankee croulait sous le poids de ce cours accéléré « Québec 101 », gobant pêle-mêle l'essentiel et l'anecdotique, le culturel et le politique, le culinaire et le géographique, en tâchant de ne paraître ni trop con ni trop superficiel, et Joanna a fini par me l'abandonner, apprêté et cuit aux trois quarts, comme si j'étais inapte à séduire un homme (mais de fait, ne le suis-je pas ?). Sylvain et Jean-Marie, plus bilingues que moi, m'aidèrent à converser avec lui, et on passa finalement une chouette soirée à rigoler entre deux shows. D'un spectacle à l'autre, on lui fit voir le Faubourg Saint-Laurent et le Quartier latin (how picturesque !) et quand on l'abandonna au métro Berri-UQAM, il m'embrassa sur les deux joues en me demandant mon adresse pour correspondre avec moi. Pourquoi pas !

Ninon

Miracle à Montréal

Il est là et je suis deux. Oh ! Vous mesurez sans peine, j'en suis certaine, la portée de ces mots. Je sais qu'il peut me quitter, disparaître à jamais dans la foule comme dans un film français, s'autodétruire et retourner dans sa bouteille, être enlevé par les ovnis ou se faire kidnapper par un commando du Village gai, mais, en cet instant, il est là. Il y a quelqu'un *à mes côtés*, un homme que j'aime *auprès de moi*, avec qui je partage désormais un espoir d'avenir.

L'incapacité que j'ai de faire fi de ma maturité et de croire qu'il sera toujours là, l'évidente éphémérité des moments que je suis en train de vivre me les rendent très très précieux. Mais peu importe l'aléatoire futur, puisque la faim de l'aimer et d'en être aimée est trop crue, trop viscérale, trop avide pour que je résiste à l'envie de plonger dans ce miel dont, éternellement, je voudrais sucer le suc.

Stie que je l'aime.

À côté de moi, d'autres parties de moi m'entourent pour célébrer ce que je suis, exactement : moi, mon chum, mes amis, Montréal et la musique.

Mais je deviens lyrique. Vous m'excuserez, c'est que je n'ai qu'une envie : je veux m'en aller CHEZ NOUS et faire l'amour avec Jean-Marie. On va y aller, nous autres, ça sera pas long. On se retrouve demain à la même heure, en dessous du cornet, comme d'habitude.

Conte jazzé
par Dany Lamont

Il était une fois une nuit d'été en ville. Laisse-moi te la raconter. J'étais jeune, belle et amoureuse de ton père. Je me rappelle son bras qui entourait mes épaules bronzées et ses beaux yeux bruns qui lorgnaient les minces bretelles de ma camisole rose. Je me souviens de son regard plein d'appétit et d'infinie tendresse tandis que je songeais à toi, moi et lui dans une maison clôturée et confortable où nous serions à l'abri de tout. Comme il allait être beau, notre amour à trois.

La musique était partout sur la ville, dans nos oreilles et en nous, en moi, pour te bercer dans mon ventre. J'ai eu envie d'avertir mes amis de ton arrivée imminente, de te présenter. Ils nous ont entourés, acclamés, embrassés et j'ai fait semblant de ne pas entendre les silences circonspects de Ninon et de Joanna. Je savais que, quand tu serais là, elles t'aimeraient passionnément. Nous nous sommes prises par la main et j'ai su que je me rappellerais toute ma vie cet instant formidablement heureux : un 3 juillet 1995, au Festival international de jazz de Montréal, tu étais presque là et nous nous apprêtions à te donner un pays.

Où il est prouvé que la planification est une science aussi inexacte que l'astrologie

C'est le propriétaire qui nous réveille, nous informant que les *bibites-busters* passeront aujourd'hui, ce qui n'arrange pas mon humeur. Je déteste l'intrusion des inconnus dans ma maison. Je tente de fuir mes responsabilités dans le sommeil tandis que Jean-Marie se met à ses exercices vocaux. Bientôt excédée par ses « Baguedibofu, beguidobufa, bigodubafe, bogudabefi », je me lève aussi — avec l'envie de tuer qui me caractérise tant que je n'ai pas vidé deux tasses de brun chaud (le brun froid étant le Diet Pepsi) — mais je change d'air quand j'aperçois le silex odorant. N'Amour.

Il est le premier de tous mes chums à accepter ce que bien d'autres ont qualifié de caprice ou de gros défaut — cet état d'ogresse mal engueulée qui s'empare de moi entre le moment où je quitte le lit et celui où j'arrive dans la cuisine — et à comprendre que me préparer le café, c'est acheter la paix. Je n'y peux rien, je suis comme ça. Bien sûr, quand j'ai du monde à la maison, je m'efforce de réfréner ma mauvaise humeur, mais chaque fois que j'ai eu des colocs jasants, notre association s'est terminée en hurlements sauvages, tôt à l'aube.

— Bonjour, ma douce ! dit N'Amour en levant les yeux du journal.

Je l'embrasse, comblée. Jamais un gars n'a osé se servir de ce mot-là à mon égard. Le temps d'avoir lu le journal, voilà, c'est aussi simple que ça, je redeviendrai l'être verbomoteur que l'on connaît.

— On se refait un petit café ? demande Jean-Marie, les mains dans mon t-shirt, quand je finis ma seconde tasse.

— Pourquoi pas…, dis-je en me retournant.

Il prend place entre mes jambes, toujours debout. Je pose un bisou mouillé sur le bout de son gland, à travers le coton ouaté de ses leggings, et ça y est ! Il est bandé ! Pas plus compliqué que ça !

Il me soulève pour me déposer sur la table, me tâte les seins comme un aveugle essayant de reconnaître sa blonde, laisse tomber ses leggings, torture mon short pour s'y glisser, me fait faire trois tours à bout de bras et sort sur la terrasse, la queue au vent, pour jouer à me laisser tomber du deuxième étage.

— Jean-Mariiiiie !

— Tiens, je ne savais pas qu'il y avait une garderie dans la bâtisse d'en face.

J'ai tout juste le temps d'apercevoir une adorable petite Noire aux mille barrettes qui nous pointe du doigt en cachant son rire dans sa main, et je me retrouve dans l'exacte position où j'étais il n'y a pas cinq minutes.

— Une minute, mon gars ! Tu m'as allumée, tu vas m'éteindre !

Ce qui suit ne vous regarde pas, mais je puis vous certifier qu'il a aimé ça.

Je l'aïme, comme ils disent en Beauce.

8 juillet

Mes vieux voisins d'en haut ont « cassé maison » et le sept et demi a été *loué par des jeunes, cégepiens, désœuvrés ou travailleurs. Évidemment, c'est beaucoup moins calme qu'avant, mais ils sont sympathiques, car, dès que nous nous sommes croisés devant la maison, ils m'ont spontanément invitée à faire usage de la petite cour de derrière, ce que les deux malendurants du rez-de-chaussée ne m'avaient jamais officiellement permis.*

Cette nouveauté change bizarrement mon atmosphère. Je me sens moins chez moi qu'avant, mais je trouve bien agréable d'être attendue, quand je rentre, avec une bière fraîche ou une assiette de merguez.

Mes jeunes voisins sont à la fois éveillés et rêveurs ; plus informés, plus réalistes et plus critiques que je ne l'étais à leur âge, et, en même temps, plus contaminés par la pensée magique. Ils sont nés avec une souris dans la main et ils ne partagent pas la même appréhension Big Brotheresque que leurs jeunes aînés, dont je suis, car ils n'ont aucun doute sur la possibilité de dresser « la maudite machine ». Ils sont absolument persuadés, comme on l'est toujours à dix-huit ans, qu'ils sauront constituer une exception et qu'ils pourront infléchir la courbe de leur inquiétant avenir. D'ailleurs, leur débrouillardise et leur art du recyclage sont remarquables.

Cependant, ce qui saute aux yeux aussitôt qu'on les connaît un peu, c'est la désorganisation de leur situation familiale et leur affolante dépossession du monde. À eux quatre, ils représentent tout un éventail de cas particuliers, et leur groupe d'amis est à l'avenant. Ils ont déjà vécu tout un assortiment d'événements et d'émotions graves, et ils portent sans pudeur, comme les étiquettes extérieures de leurs vêtements, le poids lourd des désignations officielles d'une génération qu'on a scrutée à la loupe. Tout a des noms : fugueur prostitué dyslexique pour l'un, enfant de famille reconstituée pour l'autre, ex-polytoxicomane pour la troisième, victime d'inceste pour le dernier. À vingt ans ! Ils paraissent dramatiquement seuls et laissés à eux-mêmes devant l'inhumanité d'un monde en constante révolution technologique et sociale, alors que, paradoxalement, de la garderie à la colocation, ils ont vécu toute leur vie en groupe ;

et à entendre l'abrutissant tapage dont ils s'entourent, on croirait qu'ils ont développé une allergie au silence. On dirait parfois qu'ils s'efforcent d'être les plus dérangeants possible, saccageant les maigres fleurs sans vergogne, hurlant des conneries à la cantonade, s'esclaffant dans de grands rires vides de joie, comme s'ils s'efforçaient, par défi, de s'identifier aux clichés qu'on accole à leur âge. Mais il est vrai que je me rappelle quelques partys de jeunesse pas reposants pour les voisins...

Bien sûr, quand je leur dis qu'il ne faut jamais renoncer, mais qu'on a le droit d'adapter ses rêves à la réalité, ils me regardent avec une condescendance amusée qui me fait sentir comme une grand-mère. « Pas nous ! » disent leurs yeux en s'efforçant de ne pas m'entendre.

Alors je me tais et j'écoute Véronique et Christophe, débarqués récemment, l'une de sa banlieue cossue, l'autre de son Chicoutimi natal, et dont les parents paient l'essentiel des dépenses, discuter inlassablement de leur entrée imminente au cégep, et Tofu parler avec envie de son pauvre petit rêve à elle :

— Je ne mourrai pas caissière dans un dépanneur, disait-elle cet après-midi. Un jour, je finirai mon secondaire et, moi aussi, j'irai au cégep.

Ça me ramène à mon arrivée ici, voilà plus de dix ans, et je dois concéder que cela relativise autant mes anciennes ambitions que mon jugement sur eux. C'est généralement quand on en arrive à ce point de la conversation que je me sens infiniment vieille, et que je quitte la cour mal gazonnée qui s'enfonce dans la brunante inquiétante de la ruelle montréalaise pour retourner dans mon atelier. Là, j'affronte une page intimidante sur laquelle je m'échine à faire fleurir de dérisoires métaphores nourricières qui n'arrivent plus à me faire voler, parce que le réalisme est en train de me brûler les ailes.

Je commence à me demander s'il ne serait pas temps, pour moi aussi, de vivre en colocation. Combien d'années, déjà, qu'il n'y a qu'une brosse à dents dans le support, à côté du miroir ? Au moins, j'échangerais quelque chose de moi contre des parcelles de la vie d'un autre, d'autres façons de voir les choses, de les faire. Mais j'ai déjà tant de difficultés à m'imaginer ailleurs que l'idée de me retrouver, en plus, avec des étrangers dans ma cuisine le matin me paraît totalement saugrenue.

Bah ! J'ai bien le temps d'y penser d'ici l'année prochaine. Pour l'instant, travaillons un peu, ça m'occupera l'esprit.

(C'est étrange, cette absence de première personne du singulier au mode impératif. Il y a tant de choses qui ne se conjuguent pas quand on est seule.)

Ninon

De toutes les couleurs unis

Je ne sais pas si vous êtes comme moi, mais, chaque fois que je rencontre un gars, j'ai des fantasmes de décoration intérieure. J'imagine le logement convenant à nos activités communes et à nos occupations respectives, je magasine mentalement les rideaux, les lampes et les tapis, et j'anticipe les atmosphères. Puis j'observe le prétendant dans son habitat naturel actuel, je le téléporte dans mon décor de rêve et j'essaie de me figurer le quotidien que ça donnerait. C'est généralement là que le gars commence à m'énerver prodigieusement et que je le laisse tomber. Avoir rêvé le voyage rend le départ inutile, comme disait (à peu près) l'autre (ou alors c'est le candidat qui se sent comme un gros bobo scruté à la loupe et qui s'enfuit en courant, c'est selon).

Si, au contraire, l'être aimé le reste après avoir subi tous les psychotests auxquels je l'ai soumis, l'étape suivante consiste à dresser l'inventaire de notre futur patrimoine. Évidemment, on a deux cafetières mais pas de grille-pain, deux magnétoscopes mais pas de télé, deux ordinateurs mais pas de laveuse. Qu'à cela ne tienne : il reste à vérifier s'il aime magasiner…

Chic ! Il déteste ça et il me laisse carte blanche !

Vous aurez donc deviné que cette fois-ci, depuis le temps que j'y pense, j'ai déjà une idée assez juste de la couleur de la peinture et de la beurrée que ça va me coûter ; mais ça n'a aucune importance, car ça va être génial, loufoque, fonctionnel, en un mot : débile-écœurant. Pour l'instant, il est bien difficile de visualiser le chantier actuel en publicité de Pier Import, mais on va y arriver. Je ne sais pas combien d'années on va y mettre, mais on va y arriver.

Ninon m'a d'ailleurs proposé de concevoir quelques textures murales pas piquées des vers. Je n'ai pas très bien compris le principe directeur de son idée, à part que l'élément central du salon sera la lampe-champignon, mais comme elle m'a juré que c'était à la mode dans le genre « esthétique gaie » (c'est-à-dire moitié faux chic, moitié vrai kitsch, avec un zeste bien placé de mauvais goût flamboyant), je lui fais confiance. De toute façon, si ça arrive à la cheville de son propre appartement, ça va déjà être extraordinaire.

Aussi, les gars, évacuez le territoire, on s'en va magasiner. Ça va enfin me permettre de m'enquérir auprès de ma chumesse adorée, aussitôt qu'elle sera montée dans l'auto, de la question la plus importante qui soit, celle que je ne lui ai pas posée depuis des millions d'années, c'est-à-dire au moins deux semaines :

— Pis, comment ça va ?

— Pas pire. Disons qu'il y a de larges pans de ma vie qui vont bien.

— Et ton prochain roman, il avance ?

— Mon éternel prochain roman ? Bof ! Toujours au même point, comme ma vie... Disons qu'ils sont tous deux embourbés dans ma crise de discours !

— Parfait, ne restera plus qu'à changer les noms, comme la première fois ! Et le collègue qui te faisait triper à ta job ?

— Oh, c'est beaucoup dire. C'était un gars sympathique, mais aussi un joyeux paquet de troubles. On a baisé quelques fois, le plus souvent ben gelés. Pour sa part, du moins ; je n'ai plus la santé pour supporter un rythme de vie pareil.

— Tu n'es pas malade, au moins ?

— Non, c'est juste qu'avec les années j'ai le foie plus lent et les lendemains plus vaseux, c'est tout. Et les seins plus bas, aussi...

— Voyons ! Regarde-toi donc les 36 C de beauté !

— Laisse-moi te dire qu'ils s'ennuient en diable ! Tiens, stationne-toi là.

— C'est vrai que les miens ont toujours une bonne raison à proximité pour relever le nez ! Il faut absolument te trouver un chum.

— Aïe, veux-tu arrêter d'essayer de me matcher ? Tu m'énerves avec ça !

— Franchement, si je ne t'avais pas fourni en prospects, aussi hurluberlus soient-ils, tu baiserais probablement une fois par six mois. Te porterais-tu mieux ?

— Non, Joanna, répond Ninon après un silence, et je t'ai souvent remerciée de ces bouffées d'oxygène. Mais... Comment dire à quel point c'est devenu épuisant de plonger dans l'univers d'un autre ? Il n'y a plus de présupposés qui tiennent, plus de normalité, plus de consensus social ni de comportement qui y corresponde : quand tu rencontres quelqu'un, tu dois très vite le soupeser pour tâcher de savoir où — et dans quoi — tu mets les pieds, pour évaluer si c'est une histoire potentiellement viable, un gars valable et, surtout, s'il n'est pas carrément dangereux ! Tant d'années à essayer de m'arrimer à quelqu'un...

Faut dire qu'elle n'a pas eu de chance. Il y a deux ans, elle a rencontré un gars qui avait toutes les apparences du bon parti : emploi prometteur dans un domaine de pointe, comme ils disent dans « Carrières et Professions », look convenable et prêts étudiants à demi remboursés. Tout allait bien quand, au bout de trois mois, il lui a annoncé qu'elle était la femme de sa vie, qu'il l'aimerait toujours, mais qu'il devait partir, parce que « c'était trop ». Pauvre petite nature, va. Et il a épousé son ex deux mois après. Cherchez l'erreur...

Le suivant, c'était un ami de Gros-Taupin dont le signe distinctif était une rutilante moto à la puissance indiscutable. Or, pour un motard, une femme est une destination, n'est-ce pas ? Et comme un motocycliste ne se déplace jamais seul, les soirées s'éternisent et les nuits reculent d'autant... « Amène pas ta gang, si t'es venu pour me voir », dit un vieil air connu...

Quant au troisième, il était chaud lapin et monoparental. Jusque-là, rien de bien grave ; une semaine sur deux, c'étaient les week-ends romantiques à l'extérieur de la ville, et pendant les deux autres, Ninon continuait de vivre sa vie ; mais aussitôt qu'elle a fait connaissance avec les gamins du demi-papa, elle est tombée en plein psychodrame de la garde partagée. Ce qu'il ne faut pas faire pour s'envoyer en l'air avec un amant motivé. Elle s'est enfuie en courant et s'est retrouvée, encore une fois, à épousseter la case départ.

— Écoute, poursuit-elle, un soir, je rencontre un gars dans un café ; ça clique, alors on décide d'aller prendre un verre pour prolonger la soirée.

On n'élaborera pas sur le sens et la portée des mots « ça clique ». Trop souvent, après quelques années de célibat, ça ne signifie qu'une chose : le gars n'est ni absolument monstrueux ni complètement moron, et il ne repousse pas la fille.

— Ça ne faisait pas trois heures qu'on se connaissait qu'il me disait : « Ah, tu verras quand nous irons en Inde » ! Comment veux-tu poursuivre une conversation sur le mode « sincérité » après une phrase comme ça ? Quand je le lui ai fait gentiment remarquer, il s'est rebiffé, a déclaré « qu'on était mieux de laisser faire, puisque je ne savais pas rêver », et m'a plantée là.

— Au secours ! Remarque que le gars n'a pas nécessairement tort d'être méfiant, puisqu'en chaque fille sommeille peut-être une despote en jarretelles ou une fausse blonde déguisée en rousse !...

— J'ai passé la plus grande partie des dix dernières années toute seule. On commence à me regarder comme une bête étrange, et, pire que tout, je me fais traiter de vieille fille par des tas de vieux couples aux relations psychopathologiques complètement épeurantes. Ou encore je me fais dire que je suis difficile, alors qu'à peu près tous les amants qui ont suivi Jean-Jacques dans ma vie étaient des gars sans but, sans colonne vertébrale et sans intérêt. Chaque fois, j'en ressors abasourdie, perplexe, vaguement dégoûtée, je me demande ce que je vaux, et c'est… beaucoup d'émotions à gérer, comme on dit en pop-psycho. Tout va bien, j'ai un bon emploi, des amis, des loisirs. Mais dix ans de sous-sol à Villeray, ça commence à avoir fait son temps. Et là, je vais construire ton nid à toi, alors que je rêve du mien, et ça me rend un peu triste.

— C'est bien ce que je disais : il faut absolument que je te trouve un chum !

— Rhââ ! Merde, Joanna !

— Renoncer, c'est vieillir, ma fille !

— Attendre, c'est pâtir, répond-elle fort à propos en descendant de voiture.

Que voulez-vous répliquer à ça !

— Mais ça me fait plaisir de t'aider ! Ne va pas croire le contraire, rajoute-t-elle.

— Comme si j'en avais jamais douté, réponds-je en lui prenant le bras.

Allons ! Pénétrons dans l'antre du quincaillier et jouons la fable : la consommatrice de ville et la consommatrice de banlieue.

Rien ne ressemble plus à un parc commercial qu'un autre parc commercial. C'est le look boulevard Taschereau *trademark*. Vous vous croyiez au Carrefour Laval ? Eh non, vous êtes au Marché Central. Mais la confusion est normale : les raisons sociales sont les mêmes, les paniers aussi gros, les acheteuses aussi averties et les enfants aussi mal élevés. Accrochez-vous au petit cordon jaune comme à la garderie et préparez-vous à entrer au royaume du champ lexical de la patente, la gogosse, le guidi, le gadget, le bidule, l'affaire, la «pinouche». En un mot : «ça» ! «L'affaire» que le père Untel a bagossée dans le garage pendant vingt ans, qui devait le rendre riche et qui, comme la pierre philosophale ou le gâteau des anges, a eu de la misère à prendre et à lever, mais qu'il a finalement commercialisée en lui sacrifiant tout, avec un succès inégal. Le véritable saint patron du génie québécois, c'est un castor bricoleur, et c'est comme ça depuis l'époque de la Nouvelle-France.

D'ailleurs, la banlieue n'est rien d'autre qu'une éternelle conquête du Nord ; une continuelle tentation de conquérir un terrain vierge (Laval, la Rive-Nord, Mascouche, Joliette, toujours, repoussons les limites du beigne !), de cerner notre territoire et d'en cadastrer les bornes, d'ériger enfin ces maudites frontières et de dire, tel un nouveau propriétaire à la fierté légitime : «Ici, c'est chez nous», tout simplement, sans racisme et sans haine.

Et cette quête du pays à bâtir est généralement symbolisée par la prise de possession d'une « pinouche » qui servira à fabriquer le « cossin » destiné à mettre sur pied la « patente », là. Et là, nommez-la : indépendance, séparation, souveraineté-association, fédéralisme renouvelé… Au bout du compte, si l'on observe les choses dans leur globalité, on pourrait dire que le déménagisme des Québécois est la ponctuelle recherche d'une position endurable entre l'extrême centre aussi typiquement mièvre que le Canada et les gros méchants radicaux de toutes allégeances qui menacent ce cossu équilibre nord-américain.

Des portes s'ouvrent toutes seules, comme au temps de Louis XIV, sur l'immensité vertigineuse de l'entrepôt. S'agit maintenant d'attraper un commis au lasso. Je vous avertis, si jamais on se perd, on se rejoint à l'auto dans une heure (et ça, c'est si jamais on la retrouve !).

9 juillet 1995
23 h 08

À :   Joanna Limoges
      jlimoges@arachophil.qc

De :   PatChaillé
      lelocal@lagrossebibittevamangertouteslespetites.qc

Limoges ! C'est officiel, c'est confirmé, tu peux répandre la rumeur sur toute la planète, si ça te chante, je m'en fous, il faut que je le dise à quelqu'un : j'ai une blonde !

En juin, j'ai rencontré une fille pendant la marche « Du pain et des roses ». Si tu savais comme c'était romantique de traverser ainsi le cœur du Québec à pied, l'espoir au poing, et d'avancer côte à côte en apprenant à nous connaître !

Le soir, nous bivouaquions dans les écoles et les arénas mis à notre disposition (c'était superbement organisé !) et nous discutions jusqu'à très tard, entourées d'autres femmes tout aussi déterminées que nous. Et le jour, il y avait cette joie d'œuvrer pour un monde meilleur ! J'aurais voulu que cela ne finisse jamais !

En bavardant, on a réalisé qu'on avait manifesté au moins deux ou trois fois pour les mêmes causes. Tu te rends compte qu'on aurait pu ne jamais se croiser ? Depuis le début de l'été, nous avons correspondu par courriel, car elle travaille souvent en dehors de la ville. Elle est d'origine française et elle occupe un emploi non traditionnel dans l'ingénierie. Hier, on s'est revues, et je ne m'étais pas trompée : elle est formidable ! Militante, engagée, cohérente, intelligente… La perle rare ! Et elle a l'air de me trouver les mêmes qualités…

Patsy

> *Que des femmes aient été condamnées parce qu'elles avaient osé porter des habits d'homme, c'est déjà aberrant, mais le comble, c'est qu'elles l'aient été par des hommes qui portaient la robe.*
>
> LOUISE LEBLANC
> *L'homme objet*

Jésus sauve aujourd'hui, grande vente finale

C'est pas tout, ça. Il est temps de passer aux choses sérieuses, et justement, c'est lundi. À neuf heures pile (comme dans piles de boîtes, mais tâchons d'en faire abstraction), je sonne définitivement la fin des vacances en actionnant le répondeur que je m'étais fait un devoir de ne pas écouter. Sans blague, ça n'a l'air de rien, comme ça, sauf que pour une petite contractuelle à la situation encore passablement fildeférique, ça reste un acte de courage inouï (quoique mon microclimat économique soit moins venteux qu'il ne l'a déjà été).

Pire que ça : je n'ai pas lu les journaux depuis le 2 juillet ! La montagne de papier sale est là, à côté de moi, ne demandant qu'à se faire éplucher avant d'être récupérée pour revenir bientôt, du moins en partie, se laisser rejeter derechef, et ainsi de suite jusqu'à l'extinction complète de nos belles forêts nordiques. Vous me direz que c'est une honte de gaspiller autant de ressources naturelles pour produire autant de discours vide, et, entre vous et moi, je suis bien d'accord. Mais que voulez-vous : le mal du siècle, c'est la surinformation, et, justement, j'en vis (bien que je m'efforce tous les jours de mon existence, vous l'aurez deviné, de faire du sens et, si possible, de changer le monde grâce à mes articles, dans le but évident de voir, de mon vivant, un pavillon de l'UQAM porter mon nom ; mais forcément, il m'arrive de devoir, moi aussi, pondre des textes complètement tarlais).

Bref. Bloc-notes en main, j'appuie sur play et run en même temps, priant Adon, la déesse des pigistes, de n'avoir pas manqué le père Noël ou de ne pas avoir reçu le ciel sur la tête sans le savoir au cours de la semaine passée.

« Ici Gontran, le répondeur fou. Si vous avez composé comme du monde, vous avez le bon numéro. Sinon, raccrochez et suivez des cours. Mes maîtres sont actuellement à la plage, alors pour laisser un message à Joanna, prenez patience. Pour atteindre la boîte vocale de Jean-Marie, faites le 1 ; ou joignez-le par le biais de son cellulaire. Pour une urgence au journal, achalez Mon Boss. Tourelou ! » (Note : refaire message.)

— Salut, Joanna, c'est Mathieu. Je n'arrive pas à joindre la bonne femme dont tu voulais la photo. Qu'est-ce que je fais ? (Note : On peut sortir le pied d'un photographe de sa bottine, mais on ne peut jamais sortir la bottine d'un photographe pied. Rappeler ce minus — priorité 1.)

— Joanna, c'est Matéo. Je t'ai obtenu l'entrevue exclusive que tu espérais : le 11 août à treize heures. Tu essaies de ploguer mon show, OK ? Merci. (Note : Super ! Renvoyer l'ascenseur à Matéo aussitôt que l'occasion se présente — priorité 2.)

— Jojo, c'est Ton Boss. Super, ton dernier article. Il y a *Montréal ce soir* qui veut t'interviewer à ce sujet. J'ai dit oui pour le 1er, ça te va ? Confirme. (Note : Yeah ! Couler le 1er dans le béton et rappeler Mon Boss.)

— Bonjour, je suis une nullité, j'aimerais beaucoup vous parler du spectacle merdique que je monte dans un obscur trou mondialement reconnu pour son acoustique pourrie et je vous supplie à genoux de me rappeler. (Pour effacer ce message, appuyez sur le 7. Sept.)

— Salut, c'est encore Mathieu. Là, j'ai joint l'assistante du bras droit du beau-frère du concierge. Je te rappelle quand il y aura des développements. (Note : Toi, le prochain contrat de photo que je te refile, c'est une installation conceptuelle à base d'épandage de fumier. Sept.)

— Joanna, c'est Jo (rire gras). Comment ça va, ma petite Joanna en sucre ? (rire vulgaire) Écoute, ma blonde est en vacances jusqu'au 15, et je me disais qu'on pourrait… (rire précambrien), si tu vois ce que je veux dire… SEEEEEXXXE ! (Note : Il est vraiment persuadé que j'ai succombé à son absence de charme, ce psychopathe-là. Envoyer une lettre anonyme à sa blonde le 16. Sept.)

— Falut, f'est Féfile, la grelufe de réfepfionnifte (fond fonore de lime à ongles). Rappelle Carlof. (Note : Je la hais. Rappeler Carlos.)

— Bonjour, Joanna, c'est Maurice. Je viens de recevoir la réponse au devis qu'on a présenté. Désolé, le projet tombe à l'eau. Rappelle-moi si tu veux. (Note : Dommage, mais plus on s'acharnait sur le formulaire de demande, plus je me rendais compte que j'aurais travaillé pour deux dollars de l'heure sur les dialogues de ce téléfilm. Enfin ! J'ai sûrement quelques idées recyclables dans ce matériel-là. Rappeler Maurice — priorité 3.)

— Joanna ! La madame m'a rappelé ! On s'est rencontrés ! J'ai pris la photo ! Je l'ai développée ! Elle est belle ! Purolator l'a livrée ! Tout est beau ! Bye ! (Note : Eh bien ! voilà un homme heureux du travail accompli. Biffer note 1.)

Pendant ce temps-là, Saint-Simonac, le fidèle disque dur, roule toujours dans l'univers à la recherche d'une bite à laquelle se connecter (ce que je ne peux pas lui reprocher) et, en attendant, j'ai le malheur de poser les yeux sur le catalogue de Pilon. Aïe, aïe, aïe ! Oui, je l'avoue, je suis addict de la papeterie (que celle qui n'a jamais eu sa période plume-fontaine et main bleue me lance le premier trombone !). Je suis incapable de résister à une efface en forme de fraise qui sent la fraise quand on efface, à un nouveau concept de Liquid Paper, et manquer de post-it est un *act of God*. (Voulez-vous ben me dire comment on se débrouillait avant que ce soit mis sur le marché ? Dans vingt ans, je raconterai que je suis née avant le post-it à mes nièces *made in China*, qui me répondront : ça alors, Joanna, ce que t'es vieille !)

Bon, je me rincerai l'œil plus tard. Le fax, asteur : « Dépensez de l'argent et économisez-en » (celle-là, c'est la meilleure : si tu n'achètes pas, tu te sens coupable ; si, en plus, c'est un « produit de chez nous », tu regrettes de ne pas avoir encouragé l'économie nationale). Puisqu'on en parle : « Achetez le Canada, obtenez une chaîne de montagnes et un red-neck d'extrême droite en prime, chapeau de cow-boy et accent nasillard inclus » ; « Achetez notre télécopieur ! » J'en ai déjà un, le cave, puisque je reçois ta merde ! « Vous n'avez pas de REER ! ? ! » Non, mais j'ai des prêts étudiants à rembourser, par exemple ! « Vous ne possédez pas d'actions ? ! ? » Non, mais j'ai investi dans un chum et j'ai baisé ce matin, c'est bien mieux.

Quoi ? C'est tout ? Seulement huit feux à éteindre ? L'an passé, la boîte vocale était pleine, Féfile m'attendait au bureau avec soixante-quatorze urgences et le facteur menaçait de faire la grève du zèle.

Remarquez que le phénomène est toujours un peu inquiétant. Quand les accalmies commencent, parfois, elles n'ont plus de fin, au contraire des mois qui rétrécissent proportionnellement comme un lainage au lavage… Mais bon, j'ai amplement de quoi m'occuper le désœuvrement. Internet, maintenant. J'haïs ce machin. Je sais très bien que je finirai par ne plus pouvoir m'en passer, mais pour l'instant je trouve l'inforoute pas-sablement cahoteuse… Un seul e-mail, de Patricia… QUI A UNE BLONDE ! Nolisez-moi un satellite que je le dise à tout le monde !

14 juillet

L'Américain reviendra ce soir. Je l'attendrai à l'aéroport avec la voiture de location qu'il m'a demandé de lui réserver. Il aura dormi dans l'avion et il sera fripé, au propre et au figuré. Nous passerons à son hôtel où nous déposerons ses belles valises voyantes et bon marché, puis je l'emmènerai souper dans un restaurant français chaudement recommandé par le Voir. Il se répandra en « french cuisine, quel délice ! » un peu ridicules et j'échangerai des regards amusés avec le garçon. Après avoir refusé que je paie mon repas, il tressaillira au total de l'addition, mais la réglera sans mot dire.

Histoire de tester les limites de mon valeureux cow-boy, je l'emmènerai successivement aux Foufs, qu'il trouvera original, au Loft, d'où il s'efforcera de ne pas apercevoir le red light et les grandes affiches du peep-show situé en face, et enfin dans un bar martini où je me paierai un cigarillo. Il restera circonspect et constipé dans son jean trop serré, notant toutefois, à chaque endroit, qu'il connaît, quelque part aux États-Unis, some similar place.

Nous discuterons laborieusement des relations entre le Canada et les États-Unis, du nationalisme québécois, des mythes américains, des westerns et du flower power. Il sera parfait, ouvert et intéressé (Really ? I never heard about that !) Il me racontera les émeutes raciales de Detroit, l'implication des membres de sa famille dans la lutte antiségrégationniste pendant les années soixante et quelques aventures de jeunesse, inévitablement épicées de marijuana et de haschich. Nous finirons par rire de bon cœur de nos points de vue divergents sur l'Amérique du Nord et j'entamerai une chanson des Beatles, qu'il fredonnera avec moi, parce que c'est là notre culture commune : la musique de langue anglaise des cinquante dernières années. Et je lui parlerai désormais en textes de chansons populaires, auxquelles il répondra par le même moyen, m'aidant à remplir les blancs en indiquant les mots que je n'avais jamais compris. Je lui parlerai d'un quiz de chez nous, intitulé « Les hallucinations auditives ».

Plus tard, lasse de jouer, je lui demanderai quelles sont ses intentions, sans sous-entendu mais sans subtilité, et il viendra civilement me

reconduire avant de retourner dormir à son hôtel. *Je lui lancerai un der-*
nier sourire mi-amusé, mi-condescendant, et je saurai que le lendemain,
après avoir visité le Vieux-Montréal, le Musée des beaux-arts et le Jardin
botanique, nous ferons l'amour chez moi, d'abord poliment, puis de plus
en plus avidement, et qu'il dira : French Quebecer, hou la la !

Ninon

Coqui la coquine

Salut. Bien dormi ? Eh bien, moi pas. Au centre communautaire d'à côté, il y a un comique qui a passé la nuit à jouer du tam-tam, et j'ai passé la mienne à égorger des dindes de Noël dans un roman de Stanley Péan. Heureusement, Jean-Marie s'est aperçu que je m'agitais dans mon sommeil et m'a fait l'amour pour me rendormir. Quand le réveil a sonné, ma main était délicatement déposée sur le pénis au repos (bien mérité) de mon chum, encore humide de la dernière érection qui m'avait rendu hommage. Pendant un instant, j'ai passionnément aimé la vie ; j'ai souri aux anges, et je leur ai fait des bye-bye. Mais à la verticale, j'ai un de ces mal de bloc...

Mon pilote automatique me conduit à la cafetière. Et c'est là que, juste à côté, je rencontre une rescapée. Elle s'appelle Coqui, elle a six pattes et elle est trop rapide pour que je ne l'écrapoutisse sur-le-champ. J'éclate en sanglots et je hurle :

— Jean-Mariiiiie !

... qui arrive en courant, enroulé dans le drap comme un magistrat romain.

— Qu'est-ce qu'il y a ?

— Une bibite !

— On pourrait peut-être l'apprivoiser ?

— C'est ça, on va contacter Greenpeace pour effectuer une levée de fonds !

— Oui, et je ferai de la promotion en échasses dans le quartier ! « Adoptez une coquerelle ! » « Coquerelles à vendre ! » « Elles sont fraîches, mes coquerelles ! »

— On est rendus au début d'août, dis-je, boudeuse, en me détachant de lui pour starter le café, et on n'a pas encore commencé à peinturer. Et il va falloir rappeler les exterminateurs, et on va devoir poireauter encore trois semaines dans ce chantier, et je ne sais même pas où est la malle de vêtements d'automne, et on n'y arrivera jamais, et...

Et le silex plein d'eau m'échappe pour se suicider sur les carreaux. Il ne manquait plus que ça.

— Bouh hou houh !

N'Amour me prend dans ses bras et je redouble de bruit comme un grand bébé. Je sens qu'il a une folle envie de me flanquer une fessée, mais comme je sais aussi qu'il ne le fera pas, je me complais trois bonnes minutes dans mon grand classique de la petite peste. Y a-t-il quelque chose de plus agréable au monde que de brailler dans les bras de son chum, dites-moi ? Oui, vous avez raison.

— Je pense que je vais être menstruée, réalisé-je enfin.

— Je m'en doutais, murmure N'Amour à part lui. Écoute, ça fait un mois que tu es enfermée ici. Prends congé pour la matinée. Pourquoi tu n'irais pas déjeuner avec Ninon ? Je rappellerai le propriétaire quand je me relèverai. OK ?

— Moui. J't'm.

— Moi aussi.

Rajustant sa toge improvisée, il se saisit du balai et du couvercle de la poubelle, et s'exclame :

— Et que je ne revoie pas une de ces sales bestioles faire pleurer ma Joanna, sans quoi je la pourfendrai de mon sabre, je la ferai griller sur le barbecue, je la livrerai en pâture à ses consœurs et, s'il le faut, je la poursuivrai jusqu'en enfer !

Sur quoi il retourne se coucher illico, digne et fourbu.

Il a raison. D'ailleurs, il y a longtemps que Ninon et moi ne nous sommes pas payé un déjeuner sur l'herbe version Villeray (c'est-à-dire relativement habillées), dans la très bucolique toile de fond des hangars de tôle ondulée. Dans deux ou trois Bodum, je devrais me sentir un peu mieux. Et puis, il faut que je discute avec ma très éclairée amie afin de convenir d'un plan d'attaque, parce que j'aimerais bien avoir une cuisine pour Noël. À plus tard.

MÉMO-FRIGO
« RELIE LES ATTENDU ET LES ENTENDU ET TU AURAS LA CLÉ DU MESSAGE ! »
un autre jeu à la Jean-Marie

— Attendu que Damien a eu un accident de skateboard dans le Labyrinthe hier soir ;
— Attendu que le proprio est averti de nos petits ennuis et que je lui ai enjoint d'agir avec célérité ;
— Attendu que j'ai contacté directement les Pros de la coquerelle et que je leur ai demandé de consoler ma Joanna ;
— Il est entendu que les exterminateurs reviendront samedi prochain à huit heures précises, armés de tout le chlorpyryfos qu'il faudra ;
— Ils m'ont assuré que nous pouvions d'ores et déjà peindre toutes les pièces sauf la cuisine et la salle de bains ;
— Je m'en vais m'entraîner avec Barbara pour remplacer son partenaire ce soir et je rentrerai sûrement tard.

Bonne journée, ma roucoulante !

JM

Qui est cette Barbara ?

Bouh houh hou !

Conte banlieusard
par Dany Lamont

Il était une fois une petite fille perdue en pleine nuit dans une forêt de bungalows. Elle courait comme une cible traquée dans les rues larges, sous la lumière crue des lampadaires, et elle cherchait sa maison. Mais elle ne connaissait pas ce quartier qui ressemblait à tous les autres de la ville d'asphalte où elle habitait. Elle s'enfonçait de plus en plus profondément dans les dédales labyrinthiques et elle avait peur pour son bébé. Son ventre était lourd, comme si elle était enceinte de plusieurs mois. En cherchant en vain une cachette au milieu des arbres maigres, des autos rutilantes rangées le long des rectangles de gazon rasé et des cours arrière sombres et clôturées, elle comprenait confusément qu'une petite fille ne peut pas avoir de bébé, qu'elle n'était pas assez grande pour bien s'en occuper, qu'elle aurait dû se contenter de jouer à la poupée, mais il était trop tard, elle t'avait engendrée. Elle aurait voulu te demander pardon, mais il fallait d'abord retrouver son chemin pour rentrer chez elle, où ton père devait s'inquiéter, et te mettre en sûreté.

Soudain, ses eaux se rompirent, mais, au lieu de couler le long de ses jambes, elles suintèrent de son ventre devenu flasque, et elle ne put rien faire pour retenir le flot gélatineux qui se mit à couler sans fin, se répandant partout dans les rues mortes et blanches, t'emportant avec lui. Elle hurlait à l'aide en tenant son ventre liquéfié, et personne, personne ne sortait des maisons. Quand elle se réveilla de cet horrible cauchemar, ton père n'était pas là.

Que diriez-vous d'un week-end de rêve au...
CAMPING BÉLANGER ?

Venez passer le congé de la fête du Travail (ainsi décrété en l'honneur du dieu du même nom) dans un lieu idyllique en devenir où l'on meublera vos moments libres et atrocement désœuvrés par de saines activités sportives, culturelles et artistiques :

- Créativité : rouleau, pinceau, éponges, etc.
- Histoire de l'art : conférence sur le thème « artiste-peintre », « peintre en bâtiment » ou « artiste en bâtiment » ?
- Discussion philosophique : murs et latex, le yin et le yang de la rénovation.
- Initiation à la peinture sur plafond en échasses.

Le forfait comprend :

- Soirée rustique au coin du charcoal.
- Sculpture sur Polyfila en direct.
- Gastronomie locale : sub, piz, roteux.
- Potins frais.

De plus, nos GO se feront un plaisir de vous fournir les matelas pneumatiques, les ventilateurs et la literie de base en ces temps caniculaires.
Pour réservations, appelez-nous !

LE CAMPING BÉLANGER
un autre jeu à la Jean-Marie

But du jeu : Partant du principe observé chez les « YUQ [1] » ayant envahi votre Beauce natale dans votre prime enfance, selon lequel la rénovation ne doit pas trop s'éterniser, sans quoi le couple, nouvellement propriétaire de la cambuse dénichée au fond d'un rang impraticable en hiver, n'y résistera pas, activer les travaux d'aménagement dans la bonne humeur pendant qu'il en reste encore.

Nombre de joueurs : Le plus possible (cinq dans le cas qui nous occupe).

Matériel requis : Cinq belles grandes pièces spacieuses à peindre, de la couche de fond au blanc des plafonds (voir exceptions plus loin), en passant par les deux à quatre tons de couleurs barbares pour chacune des pièces, parce que coquille d'œuf à la grandeur, ce serait vraiment trop simple.

Longueur de la partie : Trois jours, du samedi matin au lundi soir.

Gagnants : Les maîtres de la maison et la curiosité de votre blonde, dans tous les cas. Les autres joueurs y gagnent aussi de l'amour-propre et beaucoup de reconnaissance (il n'y a de perdants que s'ils se sentent indûment exploités).

Préparation du jeu : Il s'agit d'abord de faire croire que vous n'avez pas chômé pendant les quatre dernières semaines, puisque la petite pièce a été peinte dans quatre tons de lilas différents — le meilleur moyen pour partir dans la lune —, le hamac suspendu et la vieille table à vinyles déballée (bien que les disques soient toujours portés disparus). Quant à l'atelier, il est enduit de quatre couches de noir mat, mais l'équipement n'a pas encore été déballé (du moins le pompon de la maison bénéficie-t-il maintenant d'un espace libre pour se pitcher partout). Tant qu'à être dans ce

---

1. YUQ (*Young Urban Quebecers*) : Surnom donné aux jeunes hippies québécois par les anglophones de l'Estrie lors de la période du retour à la terre des années soixante-dix.

pot-là, le plafond de la chambre a aussi été peint (rien de tel pour combattre les insomnies de votre chérie et pour vous permettre de dormir, vous !) et le reste de la pièce est à peu près achevé.

Comment jouer : À partir de l'équation suivante, calculez où en seront les travaux quand vos amis vous laisseront de nouveau à vous-mêmes : Multipliez le nombre de couches requises par le nombre de pièces divisé par le nombre de joueurs. Soustrayez du total les pauses-cigarette ou oxygène, les séances de rigolade, les mouvements stratégiques de Joanna pour se mêler de ce qui ne la regarde pas, et les vôtres pour lui arracher votre ami. Divisez le tout par les imprévus liquides (dégâts de peinture, coulées ensoleillées irrésistibles et pauses-bière qui s'éternisent).

(Issue probable de la partie à la fin du chapitre.)

Sonnez la cavalerie !

Vagues incessantes de joie

GRAFFITI ANONYME

Il y a quelque chose de formidablement excitant à faire l'amour à son chum quand la maison est pleine d'invités. Oh ! cette étreinte matinale d'abord discrète et silencieuse, puis mes gémissements que je prends un plaisir sensuel à retenir, pour n'être plus qu'un souffle dans la nuque d'un homme, de mon homme. (Oh ! ce sentiment de tendre possessivité ! Comme je ne m'ennuie pas des éternelles premières nuits avec les autres avant !) Oh ! ces sourires espiègles que nous échangeons à mesure que j'ai le chant qui monte, et soudain, cette irrépressible envie que mes amis le sachent ! Qu'ils sachent que mon amant me fait l'amour, que le rythme de nos corps est mélodieux comme celui de nos voix qui s'élèvent ! Oh ! le grand orgasme rieur de mon chum, cette intensité presque insupportable quand je le regarde grimacer pendant qu'il éjacule longuement, nos bouches qui soufflent « je t'aime » ; Jean-Marie love Joanna, et Joanna, c'est moi ! Oh ! Mon N'Amour qui se rendort vidé et repu dans mes bras, mon corps infiniment détendu, mes cuisses humides dans le grand t-shirt que je passe au lever, et mon fou rire de fillette. Oh !

Je sors comme une petite souris dans la maisonnée rendormie. Je ramasse *La Presse*, pars une batch de café et, tout en buvant mon premier dans un silence plein (si l'on excepte le bruit de fond de la rue Bélanger), je m'affaire au déjeuner. Au moment jugé opportun, je mets un disque. Une longue plainte se déplie à plein volume et s'étire comme une danseuse du ventre en accordéon de papier pour exploser bientôt en un apocalyptique réveille-matin. Eh oui, il y a encore du monde qui écoute du Pink Floyd pour déjeuner.

Je m'empresse de vider mon deuxième café en évaluant l'état de la situation. Hier, on est venus à bout de la couche de fond dans la cuisine et la salle de bains, et les gars ont terminé la chambre avant d'entamer mon bureau (si Jean-Marie l'aime, son ami, qu'il l'endure, après tout !). Aujourd'hui, pour les filles, même décor, version première couche de finition, et Jean-Marie va profiter de la présence de François qui l'assurera pour attaquer l'escalier en échasses (mon héros !). Le travail avance, mais, pour tout dire, je commence à trouver que j'ai vu grand. Sauf que, si on abandonne mon rêve maintenant, je le regretterai toute ma vie.

Ninon est la première à me rejoindre et elle hume le parfum de cannelle qui s'échappe du four. Un jus, un café, un cendrier, tiens, ma n'amie.

— Ça sent l'exploitation régime-de-bananiste, proclame Patricia, qui boycotte cette boisson des dieux depuis « Moi je suis né du bon bord », de Larochellière.

— Tiens, M'ma Culpa qui vient de se lever. Un thé, la puriste ? J'ai acheté du Darjeeling juste pour toi. En direct d'une bonne vieille colonie anglaise.

— (Marmonnements désapprobateurs, mais résignés.)

— Bonjour, les amies ! Bien dormi ? lance Jean-Marie en gambadant dans le corridor (pour une fois qu'il peut placoter en se levant, il ne se gênera pas).

— …

Et ça, c'est devinez qui ? Dans le mille.

— Café ?

— Moui, merci.

Yeah ! Il a l'air de bonne humeur, ça va être le fun !

— Et puis, le divan mangeur d'hommes ? m'informé-je en servant les pâtisseries.

— Toujours aussi creux, mais les coussins commencent à perdre de leur moelleux, juge Patricia en s'emparant d'une brioche.

Il y a un moment de silence odorant pendant lequel on se délecte de sucre et de beurre fondu en ne pensant absolument pas à notre taux de cholestérol. Il est quand même plutôt sexy, le François, ce matin, avec son air de tit-cul mal réveillé. En fait, il est beau en pièces détachées : une belle lippe boudeuse, un épi pendant au-dessus de ses grands yeux — heu... gris, je crois ? —, un nez qui, ma foi, lui convient tout à fait et de belles mains d'intellectuel. C'est l'ensemble qui ne dégage pas grand-chose.

— Donnez-moi donc des nouvelles de la banlieue, suggère Pat.

— Dany n'est pas une banlieusarde, c'est une Lavalloise, nuance !

— C'est quoi la différence, selon toi ?

— Une banlieusarde, c'est comme un escargot : ça a pour habitat naturel une fourgonnette familiale et ça passe sa vie sur un pont congestionné ; une Lavalloise, c'est un oiseau migrateur particulièrement timoré : ça vient en ville en métro, une fois par semaine, et ça retourne coucher dans son centre d'achats tous les soirs ! Eh bien, justement, c'est elle qui nous offre le souper, ce soir. On pique-nique sur la terrasse vers six heures. Elle est enceinte, tu le savais ?

— Non, tu me l'apprends. Comme ça, nous voilà matantes ! C'était à prévoir. Dans le cas de Dany, ça coulait de source. En tout cas, si c'est une fille, il va falloir la protéger du Syndrome de la poupoune colonisée !

— Et si c'est un garçon, j'imagine qu'on pourra compter sur toi pour faire un bon conditionnement à la base ? raille Jean-Marie en refaisant un silex de café.

— Je crois que Sylvain sera un bon père, dit Ninon. Et il aime tellement Dany !

— Il aura beau être le meilleur des pères, maugrée Patricia, il ne réussira pas à endiguer l'effet de serre, la montée de la droite et les dangers de la mondialisation à lui tout seul ! Et Dany qui n'a même pas terminé ses études !

— Si, ou peu s'en faut : d'après ses calculs, elle déposera son mémoire entre deux boires et elle attendra sa note entre deux coliques.

— Ce n'est pas la maternité que je conteste, nom d'Athéna ! reprend Pat. C'est l'aliénation.

— Oh ! le vieux mot démodé...

— Moi, je trouve qu'il se porte à merveille, par les temps qui courent ! Oh ! je sais que ça fait gaugauche attardée, que c'est complètement antirectitude politique. Mais excusez-moi, je ne vois pas d'autre mot qu'« aliénation » pour désigner l'anorexie, par exemple, ou la procréation inconséquente !

Nous avons déjà eu cette discussion, il y a longtemps. Ninon, Patricia et moi avions déterminé que nous n'aurions des enfants que quand nous en aurions vraiment envie, que nous serions en mesure d'assurer décemment notre survie, et seulement si nous trouvions le père idéal (entendre par là celui qui serait encore présent pour le kid même quand il ne le serait plus pour nous). Jusqu'à ce jour, ou ce n'était pas le moment... ou ce n'était pas le pôpa.

— Quand je réclamais le droit à l'avortement libre et gratuit et que je clamais «Nous aurons les enfants que nous voulons ! », c'était dans une visée de planning des naissances et de contrôle du corps des femmes par elles-mêmes, et ça impliquait aussi que nous n'aurions pas les enfants dont nous ne voulions pas.

— Celles qui se laissent séduire par les mythes ou qui cèdent aux pressions qui les entourent ont souvent l'excuse d'être innocentes ou démunies, dit Ninon. Mais quand je vois des bonnes femmes de ton âge qui enfantent toutes seules rien que pour ne pas vieillir en solitaire...

— «On n'est jamais autant toute seule que quand on est toute seule avec un enfant», proféré-je.

Ça, c'est Ninon qui me l'avait dit, quand j'étais tombée enceinte, à vingt ans, et que je jouais avec l'idée de garder le bébé en guise de souvenir du père, que j'aimais terriblement. Mon avortement restera toujours une cicatrice cachée dans un repli de ma mémoire, mais je sais que cet enfant sans nom, je ne l'ai pas rejeté mais sauvé; et je me suis sauvée aussi.

— Exact. Je ne dis pas que le choix de refuser l'aliénation est facile, mais simplement que ces femmes sont aliénées par le discours ambiant!

— Il reste qu'il est très difficile de ne pas tomber dans ce piège, émet gravement Ninon. Jean-Jacques rêvait souvent à haute voix d'avoir un bébé. D'ailleurs, après notre rupture, il s'est très vite retrouvé avec une fille qui avait deux enfants, et elle vient d'accoucher du troisième.

— Tu regrettes ton choix? demande Jean-Marie.

— Pas vraiment. Je me suis longtemps demandé si c'était une femme ou un ventre qu'il cherchait. Mais il est très difficile de parler positivement de la stérilité volontaire. La dernière fois que j'ai dit à un gars que je ne voulais pas d'enfant, il m'a répondu que je n'étais pas une vraie femme!

— Les gars aussi sont aliénés, triomphe Patricia.

— Est-ce que ce n'était pas tout simplement un crétin, ton mec? intervient Jean-Marie.

— L'un n'empêche pas l'autre, ironisé-je. C'est le modèle de base. Plus il est vieux, plus c'est du travail de lui faire développer quelques options!

— Et Jean-Marie, alors? demande Ninon.

— C'est mon chum, alors forcément, c'est une exception!

— Y'arriverai bienn à te fairre channger d'idée quand ça me channterra, se moque l'incriminé chéri avec son accent du Balattou.

— Compte là-dessus! Si jamais je désire ardemment un enfant, j'en adopterai un et je rendrai heureux quelqu'un qui existe déjà et qui ne pourra jamais me reprocher de l'avoir mis au monde, même si je suis la pire des mères! Et puis, tu m'imagines avec un kid? Où je le caserais dans mon horaire?

— Il y a sûrement de pires marâtres…, dit Jean-Marie en me mordillant le cou.

— Justement, ce n'est pas un concours! Arrête, ta tatouille! Hihihi! Allons, c'est pas tout, ça, je ne vous nourris pas pour placoter! Au travail!

On se remet au boulot avec un iota d'enthousiasme de moins que la veille. Tout en faisant mine de ne pas être écœurée de peinturer des murs, d'avoir des tremblements dans l'avant-bras et les cuticules à rebrousse-poil, je cuisine Patricia pour en savoir davantage sur ses amours. Les yeux dans le beurre, elle nous apprend que sa nouvelle blonde est follement élégante dans le genre *lipsic lesbian*, et je me demande ce que cette femme peut trouver au sac de patates qui se tient à côté de moi. Elle poursuit en nous informant que l'êtrE aiméE (oui, Patricia, je vais les mettre, tes « e » muets, je vais même les prononcer en les écrivant, êtrE aiméE, voilà, oui, ça a un effet follement romantique, continue !) a travaillé longtemps à la baie James (tiens, François Paradis version femme en cuir, c'est rigolo — alerte, j'ai le fou rire !) et qu'il faut absolument que je la rencontre.

Là, j'en échappe mon pinceau, parce que Patricia ne nous a JAMAIS présenté ses blondes ; et si elle savait à quel point je préférerais passer une nuit au sauna l'Oasis dans l'indifférence générale plutôt que de me sentir comme une Tweety Bird entourée de grosses minettes dans un meeting radical, elle n'aurait aucune inquiétude quant à mon potentiel de rivalité.

Ninon, vêtue d'une jolie salopette où apparaissent ici et là quelques minusculissimes gouttelettes de peinture (alors que je ne me donne pas une heure pour avoir l'air de sortir d'une performance de body painting), dit qu'elle est bien contente et je le pense aussi, d'autant plus que je n'ai pas vu Patricia de bonne humeur comme ça depuis… que je la connais, je pense.

— Ah ! Vous, les lesbiennes, vous avez toutes les chances ! Vous avez un incroyable bassin potentiel de wonderwomen dotées de toutes les qualités requises, et en plus, maintenant, vous avez des lieux privilégiés pour vous reconnaître entre filles intéressantes. Alors que nous, il paraît qu'on a statistiquement plus de chances de gagner le gros lot ou de mourir dans un accident d'avion que de passer dix ans de notre vie avec le même homme. C'est la revanche des gais !

— Il était bien temps, fait-elle en recouvrant sa surface avec une application toute sensuelle, attentive au « schmout-schmout » onctueux du rouleau imbibé.

Plus pâmée que ça, tu as besoin de Ventolin. Hihi !

— Et maintenant, la suite ?

— Pour l'instant, on discute beaucoup par courriel.

— Si j'étais toi, je n'abuserais pas de la correspondance instantanée. Ça noie tout dans le discours, cette affaire-là.

— Que de sagesse de ta part ! s'étonne Patricia.

— Les médias, ma fille, c'est mon médium ! Je suis bien placée pour savoir que la rapidité avec laquelle on produit du discours peut en changer l'essence ! À mon travail, je suis toujours déchirée entre la facilité de battre le fer de l'actualité pendant qu'il est chaud et mon professionnalisme, qui me conseille d'attendre que l'événement refroidisse pour pouvoir en parler avec un peu de distance. En amour, c'est la même chose. Il faut te donner le temps de rêver à l'autre entre les moments où vous êtes ensemble. Déjà, avec l'avènement des répondeurs, les relations débutantes ont raccourci comme une peau de chagrin. Avant que tout le monde en ait, un gars pouvait toujours essayer de te faire croire qu'il ne comprenait pas — quel mystère ! — comment tu avais pu ne pas le joindre puisqu'il avait été là toute la soirée : tu avais dû te tromper de numéro (alors que tu lui avais téléphoné deux cent cinquante fois, ce qu'évidemment tu ne pouvais pas lui avouer) ! Ou bien il prétendait qu'il avait essayé de t'appeler — et là tu enrageais parce qu'en effet tu avais quitté la maison dix minutes pour aller au dépanneur — quel dommage ! Là, si tu y tenais vraiment, tu faisais semblant de le croire. Et peut-être que c'était vrai, après tout !

Mais désormais, même s'il s'absente, il va nécessairement prendre ses messages. Il ne peut plus frimer. Or, si ce qui le fait essentiellement triper, c'est le marivaudage et tous les maudits va-et-vient inutiles du genre, ben ça lui échappe, et alors il trouve ça sans défi. Évidemment, ça ne t'avance pas à grand-chose, sinon à te désengager plus vite d'une histoire inutilement complexe avec un casse-pieds ; mais c'est une piètre consolation...

— Les filles ne sont pas aussi futiles ! proteste notre suffragette effarouchée.

— Peut-être pas, mais tu ne me feras pas croire que les relations gaies sont si différentes des amours hétérosexuelles. La séduction, c'est animal — et on est si bibites ! Lancer le rugissement du mâle en rut, s'ouvrir la queue en éventail grand comme ça pour faire son paon, s'agiter la crinoline ou la casquette sur une piste de danse par coquetterie, à la base, ce sont des représentations différentes du grand but de la vie : se mettre le papa dans la maman pour perpétuer l'espèce. C'est trivial, mais c'est comme ça. Et comme Dame Nature s'est arrangée pour que ce soit le fun, histoire qu'on ait envie de passer « à l'acte », ces pulsions existent même sans le besoin de se reproduire.

— C'était Anthropologie 101 selon Joanna Limoges, se tord Ninon.

— Je ne suis pas sûre d'être d'accord, s'interroge Patricia, faussement perplexe. Je vais y penser !

— Je ne l'invente pas, c'est Gotlib qui avait dessiné ça !

Jean-Marie vient rincer son pinceau et je lui demande si son boute-en-train d'ami a changé d'air. Il me chuchote à l'oreille que le sympathique luron a des problèmes de couple par les temps qui courent. En notant que, de toute façon, je ne comprends pas comment une sainte peut endurer un tel rabat-joie, je m'informe, en passant, de la santé de la dénommée Barbara, mais il ne comprend pas la question. Je lui demande s'il m'a trompée avec elle et il se roule par terre, hilare. Je bougonne que d'accord, disons que cette fois-ci, j'ai paranoïé, mais que s'il pense que je vais le laisser se contorsionner avec n'importe qui, il se trompe lourdement. Il me fait un air « pis quoi encore », et en fait je n'en attendais pas moins de lui, parce qu'il est clair depuis le début que nos occupations professionnelles ne regardent pas l'autre. Je suggère qu'il est l'heure de commander des sous-marins et je délègue la tâche à Ninon.

Après dîner, changement d'équipe : j'envoie Patricia en pénitence dans la salle de bains (ça lui apprendra à être heureuse sans nous), je matche Ninon et N'Amour pour la seconde couche du bureau et je m'acoquine avec François pour le flat du salon. Je laisse s'écouler un silence d'un bon trois quarts de seconde avant d'attaquer le vif du sujet :

— À quoi tu penses ?

Moi, personnellement, me faire poser cette question-là par une quasi-inconnue, je lui répondrais : « De quoi tu te mêles ? » Mais comme le python hypnotise son futur repas, j'ai un certain don pour l'écoute active.

— (Idée principale énoncée :) À mes cours.

— C'est si prenant que ça ?

— (Idée principale expliquée :) Quand on est enseignant temporaire, on reçoit les restes à la dernière minute, et, la plupart du temps, la masse de travail que ça représente n'a aucun bon sens. Surtout depuis la Réforme de la formation générale, l'an passé, car la nouvelle séquence des cours de français est si surchargée… (Première idée secondaire énoncée, expliquée et illustrée :) Pour l'instant, je n'ai que deux groupes assignés, à qui je dispense un cours que j'ai déjà donné. Ça va. (Deuxième idée secondaire énoncée, expliquée et illustrée :) Cependant, je peux m'attendre, d'ici à la fin du mois, à être appelé par l'enseignement continu, sans compter que d'autres cégeps peuvent me faire des offres supplémentaires. (Conclusion du paragraphe :) Mais bon, si on veut être rappelé, il faut accepter ce qu'on veut bien nous donner.

— C'est intéressant, quand même ?

— (Transition vers le paragraphe suivant :) Ça peut même être passionnant, mais pour ça, c'est toute une job, et le perfectionnisme devient bien vite un piège.

— Est-ce que ta blonde est enseignante ?

— Non.

Et le voilà qui rentre dans sa coquille comme un bernard-l'ermite rétractable. Bon, passons à un autre appel…

— Il y a longtemps que tu fais ça ?

— (Deuxième paragraphe : idée principale énoncée :) C'est la deuxième année que je suis à temps partiel.

— C'est payé décemment, au moins ?

— (Première idée secondaire illustrée puis expliquée :) Quatre charges, ça représente soixante heures de préparation, de réunions, d'enseignement et de correction par semaine. Ça doit revenir à sept dollars de l'heure.

Joyeux, je vous dis. Si on laissait tomber toute cette futile opération et qu'on organisait plutôt un suicide collectif, pour en finir une bonne fois ?

— Qu'est-ce que tu faisais avant ?

— (Deuxième idée secondaire expliquée :) Bof. (Illustration :) De la recherche, de la correction d'épreuves… J'ai été archiviste, aussi, pendant mes études.

Plus poussiéreux que ça, tu donnes des allergies aux gens autour de toi.

— (Troisième idée principale énoncée :) J'aime les livres. (Explication :) Tu es une intervenante culturelle ; moi, je suis un consommateur de culture. Et un transmetteur, aussi. Je ne choisis pas le contenu de ce que j'enseigne, mais je crois que le plus important, c'est la perspective qu'on donne aux œuvres.

— Vachement postmoderne, comme point de vue.

— (Conclusion de paragraphe :) Comme tu dis.

Je sors du salon pour déloger Patricia des bécosses, dont j'ai un urgent besoin.

— Et alors, ton enquête ? murmure-t-elle en me laissant le territoire.

— Il ne sera jamais humoriste, que je chuchote, mais ce n'est pas un con.

Dany arrive sur ces entrefaites avec — ô bonheur ! — une salade-repas on ne peut plus santé qu'on sort déguster au soleil, et on finit tous la soirée dans le passage, avant de décréter que c'est beau pour aujour-d'hui.

Issue probable de la partie : Bref, à la fin du week-end, il ne reste plus qu'à terminer le découpage dans la salle de bains, le bureau et la cuisine, toutes les couleurs du passage et de l'escalier, et le salon dans sa quasi-totalité. Autrement dit, on est toujours autant dans la merde.

5 septembre

Je n'avais pas vraiment envie d'aller encore aider Joanna, mais ça me donnait un prétexte pour refuser l'invitation de John au Festival de jazz de Detroit qui se tenait ces jours-ci, même s'il m'avait déniché un rabais à ne pas manquer pour le billet d'avion. À part un peu d'exotisme et quelques baises sans grande originalité, je ne vois pas ce que j'aurais pu en retirer.

Dimanche, Dany est arrivée, resplendissante avec ses seins déjà pleins, ses belles mains posées sur son ventre encore plat et son sourire ébahi, comme si elle avait peur de croire à son bonheur. Nous avons papoté comme des fillettes qui jouent à la mère, parlant puériculture et régime alimentaire, puis nous avons discuté sérieusement d'équilibre budgétaire et du plus important : l'achat d'une maison. C'est que Sylvain a un emploi permanent aux Postes où il bénéficie d'une prime de nuit, ce qui l'assure d'une bonne solvabilité, mais Dany terminera ses études criblée de dettes, ce qui relativise les rêves.

— J'aimerais avoir votre avis à ce sujet-là, a avoué Dany.

— Me demander des conseils budgétaires ? s'est esclaffée Joanna. Tu veux savoir comment faire banqueroute en aussi peu de coups que possible ?

— Non, c'est juste que... C'est le genre de choses dont on discute habituellement avec ses parents, pour avoir différents avis. On en a parlé un peu avec le père de Sylvain, mais moi, je n'ai pas de famille.

— Faux, a tranché Joanna sans appel. C'est nous, ta famille. Et tu es la nôtre.

Comme chaque fois que le mot « famille » est prononcé entre nous, une foison d'anges noirs a passé au-dessus de nos têtes, porteurs de folie malsaine et de vraie haine déguisée en faux amour. En effet : nous sommes notre seule vraie famille. Moi, parce que j'ai fui les restes de la mienne, éclatée en mille tessons menaçants, à part les deux grands-parents qu'il me reste, engoncés dans leur début du siècle comme des statues dans leur niche rurale ; Joanna, dont les proches sont dispersés ici et là pour son plus grand soulagement ; Patricia, que ses parents ont reniée quand elle leur a appris son homosexualité ; et la mère de Dany, coupable de connivence tacite envers son défunt mari abuseur.

— *C'est pour ça que je vous en parle, a souri Dany, même si je suis au courant que tu ne sais pas compter ! De toute façon, ce n'est pas ce qui m'angoisse le plus.*

— *C'est à propos de ta mère que tu t'en fais ? ai-je doucement demandé.*

— *Il faudra bien que je l'avertisse que j'ai eu un bébé, à tout le moins, et alors elle voudra le voir... Et je ne veux plus jamais d'elle dans ma vie !*

Elle a essuyé une larme et cette image m'a révoltée. Elle aurait dû exulter, mais les vieilles blessures lui refusaient la paix. J'ai songé que c'était ça, l'hérédité : un maudit amas de souvenirs rances. Au bout de la table, les gars, vaguement interloqués, observaient la scène avec circonspection. Jean-Marie a finalement formulé la question que nous n'aurions jamais osé poser :

— *Crains-tu que ton chum abuse de ton enfant ?*

— *Sylvain ? T'es malade ? Mais moi, s'il fallait que je ressemble à ma mère ? Quelle horreur !*

Patricia, la tête basse, lui a pris la main.

— *Tu n'es pas responsable de ce qu'on t'a fait, a-t-elle chevroté. L'abus sexuel ou la violence faite à un enfant est une amputation : l'innocence arrachée ne repoussera jamais. Mais tu as le droit de faire ta vie, d'espérer le bonheur, et même de faire des erreurs. Dis-toi juste que nous, on est là.*

Et parce que les liens du sang ne représentent pour nous que des chaînes contraignantes, nous avons tout de suite réclamé notre position de marraines-fées et nous avons convenu avec Dany d'un beau baptême païen au cours duquel nous ferions chacune un vœu et donnerions à notre filleule (car ce sera une fille !) une étrenne et un don : Patricia, celui de la conscience sociale, Joanna, celui de l'élocution et moi, celui des talents manuels. Quand Sylvain est venu la chercher, je n'ai vu entre eux que de l'amour très tendre.

Évidemment, lundi matin, Joanna a coordonné son programme de manière à ce que François et moi nous retrouvions seuls dans la même pièce pour quelques heures. Il m'a fallu bon nombre de moulinets avant qu'il n'accroche à la conversation. Je commençais à me dire qu'il pouvait bien mourir dans son malaise et que je n'en avais rien à foutre quand il a demandé :

— *Ça ne t'emmerde pas trop de te retrouver attelée à des tâches aussi triviales ?*

— *Non, la peinture est une texture que j'aime.*

Et je ne sais comment, nous nous sommes mis à parler d'artisanat et d'expositions. Quand Jean-Marie est venu nous ravitailler en eau embouteillée, nous discutions d'histoire de l'art comme deux compères, et de manière tout aussi imprévisible, il s'est renfrogné à l'heure du poulet frit.

Après dîner, Jean-Marie a organisé un concours de sculpture en Polyfila, dont j'ai remporté le premier prix (une bière de plus) grâce à un bas-relief digne de l'époque Stucco. Quant à François, il a soigneusement évité de se retrouver seul avec moi pendant tout l'après-midi et j'ai observé ses déplacements stratégiques avec une indifférence intriguée. Mais en fin de journée, alors qu'on peignait les portes d'armoires appuyées aux murs du salon, il a paru abandonner la lutte intérieure qui le tenaillait. Au bout d'une délicate joute de généralités, j'ai appris qu'il habitait un petit condo à Verdun, que ça n'allait pas du tout avec sa blonde dont il n'avait plus de nouvelles que par la messagerie... Et c'est tout. Après qu'il m'ait eu exposé la situation initiale d'un ton laconique entrecoupé de lourds silences, on s'est retrouvés à l'orée du vif du sujet et il est retourné à son mutisme. Troublée, j'ai changé de pièce avant qu'il ne le fasse.

Voilà, l'été est fini ! Qu'est-ce que je vais faire de John ?

Ninon

Chapitre 3

We Love You

L'agenda selon Joanna Limoges
Un automne avant l'hiver

• **Octobre**

M'éveiller chaque matin dans la joie d'un corps contre le mien, au son des chansons du pays comme autant de mots remémorés exprimant pêle-mêle une culture commune. Observer les hommes et les femmes de mon peuple qui redressent les épaules et évaluent posément les possibilités de réalisation du rêve, écouter les vieux qui élèvent la voix et deviner chez les plus jeunes l'envie de partager une foi intangible avec les habitants de ces quelques arpents de neige abandonnés il y a si longtemps. Me souvenir d'un ancien futur oublié, sentir l'espoir d'un vrai pays enfin nommé et prendre la parole pour le retransmettre.

Continuer ma vie comme si de rien n'était, seulement voilà, tout pourrait y être ; comprendre que ce nid personnel minutieusement réalisé à force de travail et de rénovations est l'exacte allégorie de l'espace à habiter et à construire. Sentir vibrer l'espoir comme les feuilles mûres bruissent au vent de ce bel automne doux, parfaire le décor du rêve et croire que, si l'on y croit, ce qui doit arriver arrivera. Et le dire. L'écrire. Le clamer. L'annoncer.

• **Novembre**

Entendre l'hiver retomber et attendre la prochaine fois. Encore une fois.

27 octobre 1995

*L'été a été superbe et s'est somptueusement étiré jusqu'à tard en sep-
tembre. Les rues ne désemplissent pas de passants affairés aux airs de
promeneurs parce qu'il fait bon être dehors sous le ciel sans nuages. Est-
ce le beau temps qui donne à Montréal la tentation du courage, l'envie de
parler fort ? Une chose est sûre, il se passe quelque chose en ville, comme
si tout le monde se rendait compte qu'il n'en tient qu'à nous de gagner ce
deuxième référendum mal engagé. Plus il approche et plus les tenants du
Oui semblent déterminés, nombreux et contagieux, alors que leurs oppo-
sants apparaissent rares et pâles, et que le néocapitalisme nord-
américain dont on essaie de se distinguer paraît de plus en plus insupportable et menaçant. Notre différence est si difficile à définir, alors qu'elle
s'illustre si bien d'elle-même ! Je crois que le Québec rêve de naissance,
de détachement et de maturité.*

*Je n'ai vu personne depuis septembre, à part Joanna, qui ne cesse
d'enfoncer le clou dans chacune de ses chroniques. Elle m'a dit que
Patricia avait étonnamment joint un groupe de militants prosouverai-
nistes antipéquistes, que sa blonde s'activait au sein de son syndicat et
que Dany ne manquait pas une assemblée de cuisine malgré les nausées
qui continuent de la secouer. Et il paraît qu'on risque bien de voir débarquer Marc le soir du référendum.*

Ninon

Le Contrat du Siècle

Permettez-moi de sauter l'introduction, les filles, parce que l'heure est trop grave. Et puis c'est ma Ninon à moi qui a droit au scoop. Est-ce qu'elle va répondre, à la fin ?

— Ninon, m'écrié-je, le cœur battant, en nous introduisant chez elle, le six-pack des bonnes nouvelles et moi, Ninon, ça y est, je suis RICHE ET CÉLÈBRE !

— Joanna ! Ôte-toi du tapis !

— Ninon, je ne te savais pas si matérialiste.

— Si tu étais pleine de sang, je m'en foutrais, mais là, tu es couverte de peinture !

— Ninon, dis-je en réintégrant le petit coin de bois franc qui longe la porte, je viens de me faire offrir LE CONTRAT DU SIÈCLE !

Et je m'arrête soudain. Du seuil, je plonge le regard dans le décor turquoise où j'ai vécu certains des plus beaux moments de ma vie. Sans transition, je me mets à brailler comme un veau.

— Mais voyons, qu'est-ce que tu as ? s'inquiète Ninon tandis que je m'effondre.

— Dix ans. Dix ans de précarité, soixante et onze emplois, sans compter les dizaines de réalisations bénévoles, les montagnes de projets mort-nés, les caisses de curriculum vitæ, les millions d'appels téléphoniques, de poignées de mains, de sourires phoney… J'ai l'impression d'avoir quatre-vingt-dix ans.

— Allons, redresse-toi, puisque les nouvelles sont bonnes !

— Oui, mais c'est un défi si énorme qui m'attend ! Encore une fois, tout le reste de ma vie va y passer ! Je suis fatiguée des sommets à escalader.

— Qu'est-ce que j'entends ? C'est Joanna Limoges, qui ne peut endurer plus de trois mois de calme plat sans tout revirer à l'envers, en train de se plaindre d'avoir un nouveau projet sur lequel se jeter ?

— Oui, mais là, j'ai un chum ! Tu sais comme moi que les relations amoureuses, c'est comme les bazous : si on ne les entretient pas jalousement, ils se retrouvent vite à la cœur à scrap ! Oups ! Le lapsus métaphorique, toi !

— Viens vite te nettoyer pendant que j'appelle les autres. Dany devait justement passer ; je laisse un message à Pat.

— D'accord, reniflé-je en riant nerveusement. Il faut aussi que j'avertisse Jean-Marie, mais je ne peux pas les attendre pour tout te raconter, je vais exploser !

Je retrouve mon entrain en même temps que mes couleurs originelles.

— La chance de ma vie, ma fille ! dis-je en me décapant. La manne en belles grosses caisses de douze préemballées qui ne passe qu'une fois ! Tu sais, le scénario du téléfilm auquel j'avais collaboré avec Maurice Latendresse ? Eh bien, il l'a envoyé à un producteur qui a rejeté son devis mais qui a été intéressé par la verve des dialogues. Et cette verve-là, c'est la mienne ! En clair, on me commande une « bible » — les lieux, les thèmes, les personnages, quelques dialogues — pour un téléroman de trois saisons de trente-neuf demi-heures.

— Mais c'est formidable ! s'écrie Ninon.

— Je ne sais pas encore le pouvoir que j'aurai sur les décisions, mais si j'ai une chance, je te promets de proposer ton nom pour les décors. Tu t'imagines ? Après, j'aurai sans doute des tas d'offres et j'envahirai le monde ! À moi les six mois dans le Sud ! Et tous les meubles que je veux ! Et peut-être qu'on pourra s'acheter une propriété ? Une chose est sûre, je vais changer de voiture. Je l'aime bien, Rossinante, mais je suis parfois fatiguée de rouler en chaloupe. Et j'irai en France, aussi, depuis le temps que je rêve d'y retourner… Et puis…

— Terminus ! Le total est atteint. Tu viens de dépenser trois ans de cachets en quatre-vingt-dix secondes !

— Tu as raison, m'énervé-je. Je dois garder les pieds sur terre, dis-je en sautant partout. Comme si j'en avais la moindre envie ! Quand je ferme les yeux, je vois la robe que je porterai à la remise de mes trois gémeaux ! Hihi !

— On va les avoir, les Anglais ! dit Ninon en choquant ma bière.

— Yeah ! trinque-t-on en usant d'un anglicisme tout à fait inconséquent dans le cadre de notre montée de lait nationaliste.

C'est là qu'on sonne. Les jambes qui apparaissent dans la fenêtre sont à Patricia, qui n'attend pas qu'on lui ouvre pour jaillir dans le salon, haletant comme si elle venait de voir le diable.

— La ville est rouge, la ville est rouge ! sanglote-t-elle d'une voix étouffée.

— Pat, qu'est-ce qu'il y a ? Patricia, respire !

— Rouge ! halète-t-elle en retirant maladroitement son manteau. Ils avançaient comme une avant-garde militaire, les véhicules bardés d'unifoliés ! J'ai vu les camions de l'armée arriver, j'ai entendu le martèlement des troupes…

— L'armée a débarqué ? ! ? s'étouffe Ninon.

— Non, je veux dire que c'est comme si je les avais vus. Comme le char d'assaut qui était passé devant moi quand j'étais petite !

Elle prend une gorgée de la bière que je lui ai décapsulée.

— Je me souviens de tout : j'avais neuf ans et ça faisait déjà quelques jours qu'il se passait quelque chose d'anormal. Contrairement à leur habitude, mes parents fermaient la porte du salon pour écouter les nouvelles. Mon frère et moi, on les entendait discuter à voix basse jusqu'à très tard le soir. Puis un jour, le curé et le directeur ont visité toutes les classes de l'école pour nous dire qu'on devait rentrer directement chez nous et qu'on ne pouvait plus aller jouer chez nos amis parce que personne ne savait qui étaient les méchants. Quand je suis arrivée à la maison, il y a eu un bulletin spécial avant *Bobino*, puis le plan fixe de Pierre Laporte. J'entends encore maman dans mon dos égrainer des Mon Dieu Mon Dieu comme deux guillemets vides ! Et le lendemain, j'ai vu un vrai char d'assaut dans la rue D'Iberville. Après ça, j'en ai perdu des bouts, mais il n'y a plus eu quoi que ce soit de normal pendant cet hiver-là. On parle toujours d'Octobre 1970, mais ça a pris des mois pour que les choses reprennent leur cours… Il y avait tant de haine dans leur *We love you*, pleure-t-elle, rétrospectivement terrorisée, tant de menaces, si vous les aviez entendus !

Que Patricia pleure, c'est concevable : sa sensibilité est souvent touchée par les misères qu'elle côtoie quotidiennement. Mais c'est la première fois que je la vois avoir peur et ça me donne froid dans le dos.

— Ils sont venus nous narguer jusqu'au cœur de nous-mêmes, en plein Quartier latin ! J'étais juste en face du Carré Saint-Louis quand une femme m'a regardée dans les yeux et m'a crié *We love you!* d'une voix déchirante. Peut-être souhaitait-elle sincèrement qu'on reste dans le Canada pour en faire la spécificité. Mais qui dit qu'elle ne se retournerait pas contre nous si nous ne lui renvoyions pas son amour ? Et moi, Patricia Chaillé, je me suis mise à vociférer *Go home! Go home!* avec tant de haine que je ne me suis pas reconnue.

— On dirait que tu viens de voir un fantôme, énoncé-je d'une voix blanche.

— J'AI VU UN FANTÔME ! J'ai vu la Loi sur les mesures de guerre, j'ai vu Bourassa chier dans ses culottes et Trudeau bander dans les siennes !

— Calme-toi, supplié-je, calme-toi…

Mais elle continue sa longue litanie de souvenirs pêle-mêle, que je connais, bien que je ne les aie jamais entendus, comme s'ils étaient miens. La seule image que j'ai de cet hiver-là, moi, petite fille à peine en âge d'aller à la prématernelle, c'est le froid de la maison et la peur de mes parents qui ne nous faisaient plus garder pour aller danser. Je devine que les récits qu'ils m'en ont faits se mêlent aux films d'archives pour devenir ma mémoire atavique. Mes propres souvenirs nationaux, ils commencent un 15 novembre 1976, devant l'écran bleu et blanc de la télé. Je me revois beugler « Québécois, nous sommes Québécois » dans le téléphone à ma copine de l'époque à côté de mes parents, abasourdis par le balayage péquiste auquel ils avaient contribué.

— Je ne comprenais plus rien, raconte-t-elle encore tandis que je me berce dans le vide : il y avait les Canadiens français et les Canadiennes françaises qui avaient peur du Canada, alors qu'on m'avait toujours inculqué qu'il fallait être fière de notre pays ; l'armée, qui était censée nous protéger et dont tout le monde se méfiait ; mon père, qui sacrait contre les Juifs, les syndicats et les curés, indifféremment ! Et surtout, il fallait à tout prix s'éloigner des boîtes aux lettres rouges. J'ai associé cette couleur au danger : à partir de là, la feuille d'érable de l'unifolié m'est apparue comme la tête de mort sur les fioles de poison.

» Puis, dès l'année suivante, les choses se sont mises à changer. En cinquième année, le cours d'histoire était au programme et, dans certaines classes de mon école, on chantait parfois le *Ô Canada*, dont le texte était écrit dans notre manuel. Mais ma prof à moi était nationaliste — évidemment, je ne connaissais pas encore le mot — et elle nous enseignait l'histoire de l'oppression du peuple canadien-français par les Anglais et les Anglaises, et aussi celle des Amérindiens et Amérindiennes, d'une façon totalement partisane. Quand je suis arrivée au secondaire, on ne parlait plus que des Québécois et Québécoises. Par la suite, je n'ai jamais pu comprendre qu'on puisse voir notre histoire en faisant abstraction de l'angle de cette domination. C'est ça, le fantôme que j'ai vu tantôt rue Saint-Denis, au cœur de la francophonie montréalaise, comme s'ils voulaient nous pénétrer par le milieu ! Au P'tit Bar où j'ai pris mes messages, des habitués se « réfugiaient » là pour dominer leur rage… IL FAUT voter oui ! lâche-t-elle impérieusement. C'est notre seule chance de survie !

— Nous voterons oui, dit Ninon d'une voix métallique.

— Ha ! Qui ça, « nous » ? Voilà des semaines que je tente par tous les moyens de rassurer et de convaincre les néo-Québécois et néo-Québécoises réfractaires de se joindre à un « Nous » restreint pour arriver enfin à un « Nous » plein de sens, « Nous », les citoyens et citoyennes du pays de Québec, tout simplement. Et voilà qu'on vient les apeurer !

Elle conclut en s'essuyant les joues.

— Je crois que le Canada vient de nous donner beaucoup d'armes pour gagner ce second référendum. J'ai peur, mais peu importe. Nous avons survécu aux famines du printemps, à l'hiver, aux Iroquois, nous survivrons à leur amour.

Nous gardons le silence un moment. Dehors, tout semble normal, mais nous avons le réflexe de tendre l'oreille. Moi aussi, j'ai peur, parce que je suis journaliste. Si jamais il y a de la pagaille, je sais très bien que ma grande gueule sera plus forte que mes appréhensions, même si cela devait me mettre en danger.

C'est dans cette atmosphère hydro-québécienne que Dany débarque, le sourire las et le teint vert, insensible à notre tension.

— Excusez-moi, je vais commencer par aller vomir.

Quand elle revient, c'est Jean-Marie qui se tient sur le pas de la porte, un nez de clown au visage et un petit bouquet de ballons à la main.

— On m'a fait savoir qu'il y avait un événement heureux ?

Ouf ! Il y a de l'action dans le bout aujourd'hui ! J'en ai les émotions mélangées !

— Tu parles d'une façon d'arriver chez les gens, toi ! dis-je à Dany qui se pose précautionneusement sur le divan, l'équilibre incertain. Ça va, Choupette ?

— Bofjevoui…

— Mmh ! Mmh ! Très convaincant !

— Ne t'en fais pas, sourit-elle avec lassitude, je ne suis pas la première à qui ça arrive, quand même… Annonce-nous ta bonne nouvelle.

On s'installe autour de moi et je m'exécute. Mais pendant que je parle, mes yeux font le tour de la scène que ma mémoire prend beaucoup de soin à immortaliser. Je ne sais pourquoi j'ai cette impression de dernière fois, mais il me semble m'élever dans la pièce soulevée par la ville fébrile qui vibre et, en achevant mon récit, je saisis les mains de Ninon et de Jean-Marie, qui ont le réflexe impromptu de prendre celles des filles. Sans nous concerter, nous bondissons de concert et, dans un grand « fuck you » révolté, nous crions d'une seule voix :

— SALUT, QUÉBEC !

On se revoit chez nous dans trois jours.

Nominingue, 27-28 octobre

Très chère Ninon,

    Je t'écris dans l'urgence d'une nuit insomniaque, au cœur des vents agitant les arbres qui cernent mon grand lac, que j'observe de mon perron. Ce paysage dont je suis partie prenante me renvoie à l'évidence que le lieu transcende le temps. Combien d'yeux, depuis la formation de ce continent, ont observé la silhouette des montagnes se dessinant à l'horizon dans la noirceur, de l'autre côté de cette étendue d'eau aux mille angles, comme une ombre noire sur l'infini noir ? On dirait un soir d'Halloween et je m'attends sans cesse à voir voler une sorcière dans le ciel immense et fermé de nuages épais. Les impressions magiques sont nombreuses au fond des bois : il y grouille tant de vies ! Tant de modes d'existence parallèles, audibles mais invisibles, s'y côtoient, qu'il est difficile de ne pas inventer des images à accoler aux sons émanant de ce silencieux brouhaha. Pour tout dire, je n'ai jamais autant rêvé et si peu dormi.

    J'arrive de chez une voisine qui a la télévision, où j'ai écouté le bulletin d'informations et d'où je suis revenu la mémoire en rage.

    Il m'a fallu cinq ans d'errance à travers le monde pour décider à jamais que j'étais d'ici. Et moi qui avais tant couru après un point de vue auquel m'identifier, j'en arrive ce soir à la réflexion qu'on n'a peut-être de nom que par rapport aux autres, mais qu'il est infiniment important de se nommer soi-même, de décider ce qu'ils doivent penser de nous.

    Tantôt, je regardais les unifoliés rouges et j'avais des flash-back de 1970 et de 1980. En octobre 1970, il pleuvait des feuilles sur Pointe-aux-Trembles et ça sentait le pourri encore plus que d'habitude. Mon père avait la chienne de sauter avec la raffinerie où il jouait les Yes Sir ! *en exploitant ses semblables francophones. C'est de là que m'est venu l'héritage que j'ai dilapidé avec tant de joie malsaine, comme on brûle la maison du tyran quand le coup d'État nous mène au pouvoir. Mais en réalité, quand je suis parti, on venait de perdre le Premier Référendum, pour lequel j'avais tout juste atteint l'âge de voter, et ça a été la première de mes fuites en pointillé, jusqu'à ce que je revienne avec la chauvine évi-*

dence que, où que je sois, je suis d'ici, et que le Canada n'est pas mon
pays. Ce territoire aux divisions verticales qui persiste à s'étaler coast to
côte, a mari usque ad nauseam, ce pays du Pacifique, qui essaie tant de
ressembler à la Californie, cette étendue plate où des cow-boys armés de
pétards mouillés rêvent de faire de Montréal un autre Oklahoma City,
parce que «ça nous apprendra», n'est pas le mien. Ces anciens
Canadiens français, à Saint-Boniface la résistante, à Sudbury la morte,
ce Canada qui a toujours porté le nom d'Ontario dans ses fantasmes, ne
me ressemblent pas. You love us ? We absolutely don't care...

J'espère être revenu au Québec juste à temps pour le voir devenir un
adulte. Je descends chez Joanna tout de suite après avoir voté. Bien sûr,
tu seras là ? Parce que si on l'emporte, il faut qu'on ait le même souvenir
de ce jour, Ninon.

Marc

Cantica

Mes amis sont tous là, dans mon chez-nous auquel il manque toujours des dents. Tirez-vous une bûche : pour ce soir, ce n'est pas ça l'important.

Le *love-in* a eu le même effet galvanisant sur tout le monde et l'atmosphère a la fébrilité d'un soir de match final des éliminatoires de hockey. Après tout, les Québécois ont toujours aimé « voter du bon bord », aberration politique qui consiste à agir en fonction de leur emblème national, le mouton. Mais si le syndrome Hygrade — plus les citoyens affirment qu'ils voteront oui, plus le monde se laisse convaincre, et plus le monde est convaincu, plus l'on votera oui — a joué en notre faveur cette fois-ci, je veux bien manger des hot-dogs tous les vendredis jusqu'à la fin de ma vie. Bien sûr, on écoute Radio-Canada — comment pourrait-on vivre ce moment sans Bernard Derome — en rêvant que demain, on nationalise le Chiffon J.

— Ça me fait penser à quelques partys des fêtes gâchés par des chicanes politiques, se remémore Marc avec un rictus.

— Moi, dis-je, ça me rappelle mes mononcles prolétaires qui, tous, ont viré séparatistes entre 68 et 76. Je me demande ce qu'ils font ce soir, où ils sont.

L'indicatif musical de l'émission spéciale, dramatique et tonitruant, nous interrompt momentanément. L'animateur au ton grave y va d'un petit laïus et relit la question.

« Les internautes — c'est comme ça qu'on les appelle — peuvent suivre le cours du décompte à l'adresse suivante… », précise Derome.

— La mémoire culturelle existe-t-elle vraiment ? réfléchit Dany. Je n'ai aucun souvenir de 1970, j'étais un bébé à cette date-là ; mais j'ai vu *Les ordres*, *Les années de rêve*, j'ai lu des livres, et j'ai tellement assimilé les événements d'Octobre, la Révolution tranquille, les Patriotes, la Conquête, tout ça, comme MON histoire, que je la sens couler dans mes veines. Quand je ferme les yeux, je sens se glacer mon sang d'abandonnée sur la banquise, je vois les derniers bateaux qui partent et j'entends une voix dire près de moi : « Que deviendrons-nous ? »

— Dit comme ça, ça a l'air d'un beau brainwash culturel, critique François.

Sale casse-pieds, va.

— Rationnellement, répond Patricia, je ne devrais pas y croire ; mais, d'un autre côté, j'ai la viscérale conviction que mon corps de femme se rappelle les millénaires d'oppression, au point que ma morphologie est anthropologiquement conditionnée. Par ailleurs, mon passé de pro-marxiste m'amène aussi à voir les choses de façon terre à terre : le peuple québécois répond à la définition qu'en avait donnée Lénine… avant que Staline n'extermine des nations entières pour asseoir son pouvoir. Ma conclusion est triviale : je crois que le Canada n'est rien qu'un territoire borné par des traités et des lois de gestion des ressources.

— C'est pour ça que nos cours d'histoire sont si plates, marmonne Sylvain. Les anglophones l'ont déjà admis : si ce n'était du Québec pour mettre un peu de pep dans notre politique continentale, ça serait plate en ostie.

— Mais c'est aussi pour ça que le Canada est un exemple d'État pacifique, note François.

— Fais-moi rire, rétorque Patricia. On est en paix parce qu'on est un pays riche entouré de voisins riches.

« 50,5, % Oui, 49,5 % Non dans le premier pool dépouillé, en Ungava », annonce Derome.

On tourne la tête vers la télé, centrés intérieurement sur nos propres pensées. De nous huit, seuls Patricia et Marc ont pu voter au référendum de 80, de justesse. Nous, nous avions dû nous contenter de chanter *Gens du pays*.

— Mais tout cela se change, se réécrit, reprend Dany. Les racines, même si on les coupe, ça continue de pousser.

— Et ça se transplante, soutient Patricia. Je fréquente des anglopho-nes, des allophones et des autochtones, farouchement attachés et atta-chées aux valeurs québécoises, qui ont voté oui aujourd'hui.

— Mais plusieurs sont inquiets, dit Ninon.

— Ça se comprend, quand on sait que certains et certaines viennent de pays où les élections libres sont une aspiration chimérique.

— En tout cas, ça part en grand ! l'interrompt Jean-Marie. Saguenay : 93 % Oui !

Notre espoir sursaute.

— Hé ! 100 % Oui dans Duplessis, s'exclame N'Amour, la bouche pleine de Sunchips.

— Ce sont des comtés vides, ça ne veut rien dire, modère François, toujours au fait des règles du jeu. C'est pour ça que ces résultats-là sor-tent en premier.

« … 70 % Oui chez les femmes, qui sont traditionnellement plus indécises… 60,5 % Oui dans le comté de Mario Dumont, un revirement dans Rivière-du-Loup par rapport à 1980… »

— Je parie un million de cacahuètes que ce gars-là est notre futur premier ministre, croustille N'Amour.

— Je ne suis pas sûre que ce soit une bonne nouvelle, grimace Dany.

— En tout cas, il est dans le paysage politique pour looongtemps, prédit François.

« … j'ai défendu le Cananada… », bafouille à l'écran une militante du Non.

— Inquiète, ma belle ? ricane Sylvain.

« … Il est temps que ça aboutisse, poursuit-elle, le gouvernement n'a pas gouverné en 1995 ! »

— Là, elle n'a pas tort…

— Saint-Hyacinthe, 73,7 %, Abitibi, 56,3 %, récite Jean-Marie.

— Il faudra se rappeler qu'à un moment dans la soirée, le compte a été à 70 % dans le camp du Oui, dit François.

Je note le futur antérieur de cette phrase en jetant un regard à mes amis qui écoutent attentivement le décompte. Et soudain, tout va très vite : les chiffres encourageants défilent à l'écran et les commentaires affluent de part et d'autre :

« … J'ai peur que le Oui soit au seuil de la victoire », admet Marc-Yvan Côté, l'invité du clan du Non. » « … On a chanté l'*Ô Canada* cet après-midi au Parlement qui siégeait pour la première fois de son histoire en l'absence de l'opposition », commente Derome.

— 55,2 % Oui, insiste Jean-Marie.

« … Je suis actuellement en compagnie de Richard Séguin, des Artistes pour la souveraineté qui sont réunis au Medley où les Colocs lancent leur deuxième compact… "Ça a été une longue quête", chantonne Séguin, "à travers la chanson, que je pense à Félix du *Tour de l'île*, à Vigneault avec *Il me reste un pays*, avec Paul Piché, avec Beau Dommage, les chanteurs, les Colocs à soir… Ça a été une longue quête, une longue marche…" »

« Jonquière : 83,3 % Oui. »

— Si on le gagnait ! dit à ce moment Ninon.

Et soudain, je réalise que ce n'est pas un match de hockey, même si j'ai le sport national ancré dans les gènes et que je ne méprise pas le jeu. C'est le référendum pour gagner mon pays, pour avoir le droit d'en avoir un. J'ai une vision de ligne d'arrivée, et j'y crois, je veux y croire !

— Oh ! j'ai peur ! gémit Dany. Peur qu'on le perde de trop juste !

— Ce serait moins pire que le gagner de trop juste, note Sylvain.

— Non, non ! Nous avons respecté tout le processus démocratique, rugit Jean-Marie. Si on l'emporte, même à 50 % plus un, on aura obéi aux règles du jeu, on aura gagné. Il faudra faire respecter cela.

Saguenay : 70,2 % ; Lac-Saint-Jean : 83,3 % ; 72,9 % ; 67,2 %...

« C'est bleu de partout ! » note Derome.

— En tout cas, comme c'est là, chevrote Patricia, si on perd, ce sera de très peu !

— Si on gagne, on fout le camp au Medley pour aller rejoindre les Colocs ! Ce sera l'endroit où il faudra être, fais-je, palpitante.

— Je vois soudain défiler toutes les Saint-Jean-Baptiste que j'ai fêtées, rit Ninon en tremblant : sur le mont Royal — ma première fugue !

— Et puis sur la place Jacques-Cartier, au parc Maisonneuve, au Centre de la Nature... Dany, tu te rappelles cette année-là ?

— Montréal, ah, Montréal ! incante Sylvain. C'est là que tout se décidera.

— C'est possible que ça marche, dit Ninon. Il y avait tant de fièvre, cette semaine !

— On n'est encore que dans le nord, émet François, restons calmes.

Il est drôle, lui !

— Au fait, où est ta blonde, toi ?

— À la télé, à une autre chaîne.

— Tu veux qu'on zappe, pour voir ?

— Non, non. Elle n'est pas supposée prendre la parole.

Je ne réponds pas, mais si Jean-Marie n'était pas attelé au magnétoscope chaque fois que je passe au petit écran, il en serait quitte pour coucher sur la terrasse une couple de soirs. D'un autre côté, si elle est dans le camp du Non...

Les interviews et les commentaires se succèdent, ponctués de tableaux statistiques. On interroge des petits vieux apeurés, des allophones, un gros bébé fédéraliste, deux blokes pour et contre. Je me lève, au bord de l'explosion, pour rapporter de la bière, le sac de pretzels et les chips ondulées.

— Dany, tu veux quelque chose ?

— Oui, un sac à vomir.

— Oh fuck ! proteste François, dégoûté, tandis que Jean-Marie, toujours serviable, tend à Dany l'emballage de chips vide.

— Beurk ! Juste d'imaginer l'odeur qui sort de là, ça me lève le cœur encore plus.

— Justement, je n'avais pas trouvé de nouvelle raison de ne pas avoir d'enfants, cette semaine, dis-je en lui flanquant la bouteille de Perrier dans les mains.

Les tableaux refont leur apparition, rouges. J'ai le cœur qui craque.

« L'est : c'est rouge. Montréal-Ouest : c'est rouge. Westmount : 93,8 % Non. »

— Ben là, concède Patricia, il ne fallait quand même pas rêver.

— Voilà Laval, dit Dany en se redressant.

— Chomedey : 50, 7 % Oui ! Ououaiaiais ! hurlent nos lavalistes.

— 60,1 ; 56,0 ; 60,4 ; 54,8 Oui, lit frénétiquement Jean-Marie.

— Ah, voici Québec.

— 54, 54, 57, 55, 53…, lit N'Amour sans se soucier davantage des décimales.

— Ce n'est pas assez, ce n'est pas assez ! trépignons-nous.

— Alors qu'ils auraient tout intérêt à devenir une capitale internationale ! s'insurge Marc. Vous voyez ça, les ambassades, les sièges sociaux, les investissements de capitaux ?

— Après Québec, qu'est-ce qu'il y a ? demande Ninon d'une voix blanche.

— L'ouest et les comtés anglophones…, récapitule Patricia à voix basse, les Cantons-de-l'Est, Montréal, la Rive-Sud, le sud du Québec…

— Les États-Unis, achève Marc.

Le silence se fait. Je pense à la ville autour de nous, aux bars du Plateau, aux sous-sols de banlieue, aux brasseries de village, tous bondés de gens réunis pour apprendre ensemble qui ils sont, qui ils seront à partir de demain. C'est comme une messe étrange où la télé fait office d'autel, comme une cérémonie politique antédiluvienne : un vote contre un vote, une main levée contre d'autres, une lutte au plus fort, et j'ai peur que nous ne le soyons pas.

On entre dans Montréal, comme les *lovers* d'il y a trois jours.

— Si on gagne de justesse, il faudra s'attendre à de la casse, dit Marc.

Je frissonne, parce que cette possibilité est devenue palpable. Je sais que les Canadiens ont peur, eux aussi, et j'ai une pensée pour ceux qui ont chanté le *Ô Canada* avec ferveur au Parlement cet après-midi, et qui ont une foi patriotique aussi forte que la mienne.

— Qui veut d'autres bières ? demandé-je à la cantonade. J'ai acheté assez d'alcool et de cochonneries pour soutenir un siège, au cas où une guerre civile forcerait les dépanneurs à fermer avant l'heure, dis-je, mi-figue, mi-raisin. Ce n'était qu'une boutade, mais, tout d'un coup, j'ai un coup de vent froid dans le dos.

— C'est sûr que personne ne souhaite la guerre, dit Jean-Marie, mais défendre sa terre est un droit.

— Dont il ne faut pas abuser, comme des autres, complète Patricia. Sauf que, quand je pense au *love-in* d'il y a trois jours…

— Sans blague, renchérit Sylvain, il y en a vraiment pour croire que ça a poussé qui que ce soit à voter Non, alors que c'est exactement le contraire !

— En Montérégie, c'est Oui, énumère toujours Jean-Marie. Y a pas à dire, le beigne vote du bon bord... Merde ! Par chez nous, en Beauce, c'est Non.

Et ça repart pour une ronde d'entrevues. On soupire, crispés au maximum. Au bas de l'image, les chiffres en sont à 51,2 % pour le Oui. Pour le Non, c'est 49,1 %. Au cinéma, dans un film où on serait les bons, l'image s'arrêterait là, et un narrateur pathétique conclurait que le peuple québécois a arraché son indépendance par un peu plus d'un point. J'allume une cigarette sur laquelle je tire comme une déchaînée. Dany et Sylvain encadrent sa petite bedaine comme deux appui-livres, Ninon est contre moi et, assis par terre, N'Amour m'enserre le mollet. Marc fixe Ninon sans la voir. En bas, c'est 50,8 %.

« La tendance, ce n'est pas pour tout de suite ! »

50,7 %.

Landry apparaît à l'écran, sobre et tendu, pour en appeler au pacifisme.

« ... À l'étranger, on est ébahis de respect... Et on ne doit, encore une fois, avoir aucun blâme, aucun ressentiment... Le Québec n'est pas une société basée sur la loi du sang mais sur la géographie. On est présents au Québec, et on est québécois et québécoises, mais ça ne donne pas un poids aux votes... Tout sera à reprendre... » « ... Une élection référendaire ? » « Je viens de vous parler des hauts standards démocratiques du Québec. »

— Mais de quoi il parle ? s'écrie Sylvain.

— De demain, explique François. Il livre son discours de défaite.

En bas, c'est 50,6 %

— 50,39 ; 50,41 ; 42-35-37-38-41-42, ça remonte ! lit Jean-Marie. 50,36, ça redescend. 50,31-35-36, ça remonte !

— Quelle horreur ! pleure Ninon. Quelle horreur !

Devant le Métropolis, là où le clan du Non est rassemblé, des tenants du Oui se dressent, des pancartes à la main. Je réalise brusquement que ma maison est sise dans une rue au silence incongru, dans une ville aux aguets survolée par les hélicoptères des médias, de la Sûreté du Québec et peut-être de l'armée canadienne. À l'écran, les chiffres virevoltent toujours : 50,17-12-14-11-12-14... Nadia Assimopoulos apparaît, son éternel sourire conciliant aux lèvres. C'est pendant qu'on parle de vote ethnique que le score va passer de 50,00 à 49,99.

— Non ! Nooonnn ! Non, non, non... pleurons-nous en chœur.

« Ils viennent pour améliorer leur sort. Toute instabilité politique les inquiète... »

Comme si les chiffres l'entendaient, ils tressautent : 50,16.

— Oh, je vous en prie, supplie Dany, je vous en prie ! Au nom de l'avenir !

49,87.

— Non, gémit Sylvain. Pas si près du but, c'est impossible ! C'est trop cruel !

50,25 !

L'écran se fige et, en très gros, apparaissent les chiffres Oui : 50,15 % Non : 49,85 %, comme si le réalisateur de l'émission voulait saisir, une ultime fois, des chiffres victorieux. Une pauvre affichette, en direct du Colisée de Québec, arbore les mots « Pour toi, René ». Parizeau est montré de dos, derrière des stores horizontaux qui sont brusquement fermés. Nous en sommes à 50,07 %. 50,02. 50,08. 50,03. 50,07. 50,08. 50,09. 50,02. Voilà Raymond Saint-Pierre qui discute avec des anglophones. 49,99. 49,94.

— Ça y est. On l'a perdu.

— Non, attends ! 92-90-94-95-96-97-50,01..., lit rapidement Jean-Marie, comme pour encourager les chiffres incroyables qui défilent, alors que les fédéralistes, dont l'un arbore une étiquette Non sur le front, scandent NON ! NON ! NON !

50-50.

« C'est la vague, vraiment !... Je pense aux jeunes et à la déprime postréférendaire, prêche Landry ; il n'y a aucune raison de déprimer ! Un petit délai nous sera imposé par la démocratie... »

49,86.

« Ne cherchons pas le blâme. On peut blâmer l'histoire mais pas les gens. »

Derrière le store entrouvert, Parizeau salue d'un geste, un verre dans l'autre main.

49,87.

« Je me sens aussi inquiète que si je regardais l'électrocardiogramme d'un bébé nouveau-né, et je me dis : pourtant, mon Dieu, ce n'était pas prématuré », dit l'écrivaine Marie Laberge.

49,76.

« Ce n'est pas fini », dit Derome.

Si c'est lui qui le dit... On interviewe quelqu'un de la Bourse.

— Regarde-moi ça, dit Marc, dégoûté, en se débouchant une autre bière. Le pire, c'est que les riches souverainistes ont sûrement acheté des dollars à la pelle pour en soutenir la valeur dans les derniers jours et que, si on perd, ils feront une fortune parce que le taux de change remontera...

— 49,65, et toujours pas d'annonce officielle...

« ... Le comité qui doit annoncer la tendance doit être fatigué... » « Il n'est pas fatigué, répond comiquement Derome, il fatigue ! » « Chrétien devra livrer la marchandise... »

— Oh yes ! Je le croirai quand je le verrai ! crache François.

— Voilà l'annonce officielle.

Il est vingt-deux heures vingt. Et voilà.

Autour de moi, tous ont des masques figés de tragédie grecque.

— C'est fini.

— Non, ce n'est pas fini, soupiré-je en allant chercher mon cartable dans le bureau. Il reste encore plein de mots à prononcer.

«… grande dignité, insiste Landry…» «… le dollar a gagné deux cents…»

On se transporte au Centre d'accueil pour personnes âgées, où la journaliste chargée de recueillir des réactions avoue qu'elle a «perdu quelques joueurs».

— Elle, elle a dû passer une soirée plate, dis-je, compatissante.

Ensuite c'est Mario Dumont qui prend la parole, emphatique comme un curé. Puis Parizeau gagne sa tribune et attaque avec hargne.

«Mes amis, c'est raté mais pas de beaucoup. C'est réussi sur un plan : on va arrêter de parler des francophones et on va parler de nous. À 60 %, on a voté pour.»

— Il était temps que quelqu'un le dise ! approuve Marc.

— Qui ça, «nous»? tique immédiatement Patricia.

«Dans un cas comme ça, qu'est-ce qu'on fait ? On se crache dans les mains et on recommence !»

— C'est pas vrai, gémit François. Il a sauté l'introduction sur la démocratie ! Si on continue à se battre dans le même sens pour cette idée-là, ça vire à l'obsession !

«On était si proches. Bon bien, c'est retardé un peu. Pas longtemps. On n'attendra pas trop longtemps, cette fois-là !… C'est vrai qu'on a été battus par quoi… Par l'argent…»

— Ouais ! éructe-t-on de nouveau, à la recherche d'une direction, d'une voie où canaliser notre peine.

«… et les votes ethniques.»

— Quoi ? glapit Patricia.

— Là, c'est quasiment raciste, murmure Ninon.

«Restons calmes. Résistons aux provocations, dit-il encore d'un ton attiseur… Comme le disait le gouvernement du Canada, on va en manger une bonne.»

— À quelle déclaration il fait allusion, exactement ? demande Jean-Marie.

— Oh, une quelconque connerie de Chrétien de la semaine passée, j'imagine.

«Les trois quarts de ce que nous sommes ont voté Oui…»

— Ça va faire, arrête de chercher la chicane ! s'écrie Sylvain, outré.

On est écrasés de honte dans le salon. La caméra nous transporte rue Sainte-Catherine où on tente de nous faire croire à un début d'émeute, et, honnêtement, on ne détesterait peut-être pas ça, mais le journaliste qui couvre ce secteur n'a pas grand-chose à dire. Le travelling aérien qui suit me ramène à l'idée que je suis dans une ville qui souffre. Je mets le nez à la fenêtre.

— Il y a quelque chose ? demande Jean-Marie.

— Rien. Pas un chat. C'est carrément épeurant.

— J'irai te reconduire, annonce François à Ninon.

— Je me demande de quoi auraient l'air les rues si on avait gagné, dis-je tristement.

— Ça fait mal d'y penser, murmure Patricia.

Mais c'est si facile à imaginer : je nous vois ouvrir les fenêtres sur cette fin d'automne et crier notre joie, allumer la radio qui diffuserait du québécois, pleurer et hurler de rire, trinquer et trinquer encore, sortir et serrer dans nos bras les Haïtiens du quartier qui se joindraient à nous, NOUS ! Puis nous bourrerions nos sacoches de bières, les gars décroche-raient les fleurdelisés des fenêtres et on se dirigerait vers le Medley en chantant, sans cesse plus nombreux. Des heures plus tard, on arriverait au centre-ville, où on serait des centaines de milliers à danser dans les rues, fiers d'avoir bravé la peur et de l'avoir vaincue, et les caméras diffuse-raient notre joie sur les écrans du monde entier. On marcherait toute la nuit en criant : « Venez ! Joignez-vous à nous et construisons un pays ! » à ceux qui montreraient de la rancœur ou de la déception. Le pays de Québec prendrait une méchante brosse pleine de joie, pour une fois, et le 30 octobre serait à jamais le Jour de notre Indépendance. On serait Québec, Amérique. On serait un pays.

Après Johnson, inodore, incolore et sans saveur, c'est au tour de Man-ning d'articuler laborieusement quelques mots de français qui nous don-nent des frissons. Puis Charest, arborant ses deux petits drapeaux incom-patibles, livre un discours affligeant de mièvrerie, dans lequel il tourne la page au moment où il dit qu'il faut tourner la page, alors que pas une fois il n'a regardé sa feuille.

— Pitoyable, se désole François... Joanna, me prêterais-tu du pa-pier ? Je vais essayer d'y jeter quelques idées pour mon cours de demain.

— Tu n'enseignes pas la littérature française, cette session-ci ?

— Tu crois que j'aurai le cœur de parler de Molière, demain matin ? Quand je pense au visage de mes étudiants quand ils vont entrer dans la classe, sûrs de me trouver là comme une référence ! Quand je pense aux petits cons baveux et sûrs d'eux qui croiront avoir gagné quelque chose, et aux néo-Québécois qui seront tous absents ou muets, comme par hasard...

— Tu m'en donnes quelques-unes ? demande Ninon.

— J'en prendrais bien aussi, dit Patricia.

Je retourne au bureau d'où je reviens avec plusieurs blocs de papier ligné. Même Sylvain, pour qui l'écriture est un mal nécessaire, en accepte un. Seul Marc refuse celui que je lui tends.

— Vous n'avez pas compris ? Ce qu'on vient de se faire dire, c'est *shut up ! speak white !* Encore une fois ! « On n'est pas tannés de vous tuer, bande de caves, par le silence ! » Ben, on continuera de vous envoyer chier en joual !

À l'écran, Bernard Derome apparaît, déçu et fatigué, et Claude Ryan y va d'une analyse où il note que « l'idée souverainiste a connu une grande évolution ».

— Bel exemple de discours vide, je note ! fait François.

« La ville n'est pas en émeute », dit un commentateur pendant qu'on essaie de faire un événement d'une affiche jetée par terre et d'un feu de poubelle.

— Tiens, si tu cherchais un exemple de surinformation, fais-je, blasée.

Les premiers ministres des Provinces maritimes sont ensuite inter-viewés.

— Si on avait gagné, c'est Bill Clinton et le président de la France qu'on aurait eus en ondes, note cruellement Marc.

On en est à interviewer les Inuits de Sept-Îles. On devrait aller se coucher. Adolphe Dubuc, l'éditorialiste, conclut par cette désinformation indécente :

— Ce vote n'est pas si souverainiste qu'on le croit, dit-il.

— De qu'est-cé ? ! ?

On annonce enfin qu'on a mis le feu aux locaux de Daniel Johnson et l'émission spéciale se termine, mais personne n'éteint la télé, et le bulletin de nouvelles nous informe qu'ailleurs la terre ne s'est pas arrêtée de tourner.

49-51. Le trou que j'ai au cœur me sidère. *We love you !* Mais nous n'avons que faire en cet instant de votre amour. Nous sommes déchirés. Montréal est mal, Montréal a mal, comprenez-vous ?

La prochaine fois. Depuis 1837. Mais plus jamais le silence.

ÉVÉNEMENT
SURVENU DANS LA NUIT DU 10 AU 11 NOVEMBRE 1995
ENTRE QUINZE HEURES ET HUIT HEURES DU MATIN.

Lieu de l'événement

Vers trois heures, Squeedjee, mon jeune voisin sur le BS, est descendu « à cause » qu'il organisait un party rave, *« style », que ça allait blaster, « genre », pis que tant qu'à appeler « les cochons », j'étais aussi ben de me joindre à eux, « comme », ça fait qu'il sonnait « pour ». J'ai accepté, « yo man », et j'ai dit que je préparerais une trempette — en songeant très maternellement que des légumes ne feraient pas de mal à son teint — « stie que t'es cool, man ».*

Personnes impliquées

J'ai entendu les Doc Martin des premiers invités en fin d'après-midi et je suis montée après avoir soupé, vers vingt-deux heures. Véronique (alias Véro), Christophe (connu sous le sobriquet de « Pink »), Squeedjee (dont je ne connaissais que le surnom) et Tofu (c'est-à-dire Mélanie) m'ont fait la fête « all right, man ! », m'ont présentée à tout le monde comme étant « flyée au boutte », et j'ai accepté de jouer le jeu de l'artiste « écœurante » qui fait des « affaires pétées ben raides ». J'avais envie de savoir ce qui se cachait derrière ces armures de cuir, de métal et de guenilles, de dépasser le cliché qu'ils s'imposaient eux-mêmes par leurs surnoms, leur code langagier et leur magma vestimentaire plein d'étiquettes et de marques déposées. Une bière à la main, j'ai pris place entre Véro, au corps de déesse perdu dans ses « beaux vieux habits neus » délibérément mal coupés, et Tofu, percée de partout. Je me suis entendue dans leurs grandes ambitions, je me suis revue dans mes robes brodées et j'ai plongé dans la soirée comme à l'époque où les lundis n'existaient pas.

Au plus fort du party, nous avons été une dizaine tout au plus : Saphir Thibault (alias Saph), Katarina Tranchemontagne (alias Kat), Tina

Taraborelli, Frédéric Guilbault (Fred, la victime), Mathew Kaliankotis (dit Mat), Christophe, qui est allé coucher chez son ami Ronald (dit Ron), les trois personnes susnommées et moi... Plus Magalie, la sœur de Véro, qui est arrivée tard et n'est pas restée longtemps, Jehan Tanguay et un certain Peanut, qui sont passés à l'heure du souper (je n'ai aucune idée du vrai nom de celui-ci). Ces derniers partaient dans la soirée pour l'Ouest et comptaient coucher à Toronto cette nuit. Le party se tenait d'ailleurs en l'honneur de leur départ pour la Conquête de l'Ouest, de Vancouver et des Rocheuses que nous n'avons pas perdues, quel bonheur !

Paroles prononcées

J'ai passé la nuit à bavarder, à rire et à triper sur certaines chansons, même si le rythme furieux du trash metal alternant avec le techno répétitif m'agressait par moments. J'ai eu beaucoup de plaisir à parler de littérature avec Magalie, qui étudie à l'UQAM. J'ai rencontré le nouveau chum de Pink, à cause duquel il est en train d'échouer sa session d'aplomb. Je les ai regardés nous quitter tôt pour aller baiser en paix chez Ronald, quitte, pour cela, à affronter la tourmente humide, et je les ai trouvés beaux.

Combien de partys de ce type ai-je vécus avant que la fin de mes études ne sonne la mort du trip ? Combien de centaines de personnes y ai-je rencontrées pour ne plus jamais les revoir ? De ces veillées folles me sont restés Marc, Joanna, Patricia et Dany, mes chumesses (le féminin englobait le minoritaire !) mais maintenant que les gars et les couples sont au nombre de trois, je ne sais plus comment nommer le groupe que nous ne formons peut-être plus, de toute façon.

Comportement suspect

Quand je suis redescendue chez moi, vers trois heures du matin, il ne restait plus que Véro, Tofu et Squeedjee, et je me suis endormie immédiatement, gorgée de bière. Oui, j'ai bien vu ce dénommé Frédéric Guilbault, un garçon de race blanche, âgé de dix-sept ou dix-huit ans, pesant plus ou moins cent trente livres et mesurant environ cinq pieds six, aux cheveux noirs et jaunes tondus inégalement. Il était vêtu d'une culotte informe kaki et d'un chandail sale (bourgogne, je crois). Oui, j'ai remarqué qu'il avait passé sa soirée à griller des cartons d'allumettes, car je me rappelle lui avoir dit à quelques reprises d'arrêter ça. Non, je ne l'ai pas vu aller se coucher dans la chambre de Christophe pendant la soirée. Non, je ne savais pas qu'il était pyromane ; je ne l'avais jamais vu avant hier soir. Peut-être. Je pourrais peut-être identifier le suspect.

Narration

Je rêve que je me lève et que je me dirige vers les toilettes, prise d'une envie incontrôlable. Mais voilà que je n'arrive pas à descendre le zip de mon pantalon. Je me bats contre la fermeture éclair récalcitrante en pestant, les genoux serrés. Je me réveille en sursaut, agressée par une pressante et bien réelle envie d'uriner. Je me souviens que je m'étais jetée tout habillée sur mon lit en arrivant. Je me lève. Tout est brumeux autour de moi, j'ai l'impression de me mouvoir dans un univers ouateux. Mon sens de l'équilibre doit être altéré par les litres de bière que j'ai ingurgités plus tôt.

Le silence règne dans l'immeuble. En marchant vers l'arrière de la maison, je crois vaguement comprendre que les nuages ne sont pas dans ma tête, mais je n'en suis pas certaine. Pourtant non, ça sent vraiment le brûlé, me dis-je en m'assoyant sur le bol de toilettes. J'allume alors la lumière. Je suis en enfer. Partout, au ras du plafond bas, la fumée encore pâle et molle flotte dans l'air et le tue. C'est là que mon esprit se rend compte que je n'ai vraiment pas le temps de pisser parce que...

— Le feu est pris !

Je relève précipitamment mon jean. J'ai vaguement conscience de l'urine qui coule le long de mes cuisses. Le corridor enfumé me semble avoir cent mètres de long, comme dans un film de Stephen King. Mais ce n'est pas un film. C'est un état d'urgence. Allume, Ninon, opère, redeviens un être pensant, réponds à la question : « Qu'est-ce qu'on fait quand le feu est pris ? »

Le détecteur se déclenche à cet instant et sa sonnerie salvatrice me secoue. Sur mon chemin, mon manteau. Ma sacoche. La poignée à tourner. Le seuil à franchir. Mes bottes. Les marches à monter. La porte qui donne sur le côté de la maison à ouvrir et à refermer pour prévenir les appels d'air.

Je suis dehors. Intacte.

Je me heurte à la pluie verglaçante qui a transformé toute la ville en patinoire. Je cogne en hurlant à la porte du premier.

— Le feu est pris ! Réveillez-vous ! Y a le feu dans la bâtisse !

Un cri a-t-il jamais été entendu aussi loin dans le sommeil que celui-là ? Trois secondes plus tard, dix portes s'ouvrent sur la rue. J'aboie :

— Y a le feu ! Y a le feu !

À cet instant, Tofu arrache pratiquement la porte et bondit hors de la maison, un pantalon passé sur sa jaquette fleurie, son manteau et ses bottes à la main. Elle me regarde, se retourne vers l'intérieur où la fumée gonfle, me regarde de nouveau, me lance ses effets et retourne sur ses pas.

— Ma sacoche !

— Penche-toi !

La fumée, noire et épaisse, l'engouffre et je crie. Elle en ressort une minute plus tard avec son sac à main et ses cigarettes. Elle regarde le paquet et un fou rire incontrôlable la prend.

Derrière elle, Véro court vers la sortie à grandes enjambées, son sac d'école à l'épaule et des livres sous le bras, pendant que je me casse la gueule dans l'escalier pour réveiller les voisins des étages supérieurs ; mais les voilà qui sortent. Je rate cinq marches en redescendant et je me blesse aux mollets.

— Squeedjee, réveille-toi ! hurle toujours Véronique.

Il apparaît à poil, le visage ensommeillé.

— Va vite mettre des culottes ! lui enjoint Tofu en sortant elle-même ses bottes du portique.

Les secondes s'égrainent, interminables. Squeedjee ressurgit enfin, enfilant son pantalon en sautillant. Nous dévalons les quatre marches et nous nous retrouvons sur le trottoir.

Je tourne la tête. Dans toutes les portes entrebâillées sur l'hiver, il y a des visages contrits et des yeux où brillent une peur ancestrale et une compassion pathétique qui me sont destinées. C'est moi qui suis en train de passer au feu. Cette incroyable détresse qu'ils nous renvoient, à mes copains à demi habillés et à moi, debout sur le trottoir *sale recouvert par endroits de glace grise, à quatre heures du matin, dans un quartier populaire de Montréal, je dois la faire mienne.*

Un homme arrive derrière nous, un vieux manteau à la main, et le tend à Simon. Cela semble décider la voisine d'en face, affublée d'un épouvantable peignoir molletonné, que je n'ai jamais saluée, que je n'aurais jamais reconnue si je l'avais rencontrée ailleurs qu'à l'épicerie, à nous faire signe.

— Venez, entrez en attendant les pompiers.

Nous nous retrouvons dans le corridor de sa maison, devant cette femme dont la laideur de la robe de chambre me fascine. Pourquoi accrocher à ce détail dans un moment aussi tragique ? Vais-je enfin comprendre que je n'ai plus rien, que tous mes livres, toutes mes œuvres, tous mes vêtements, tous mes souvenirs, toute ma vie sont en train de disparaître ?

— Je vais vous faire du café, dit-elle en trottinant vers la cuisine d'un blanc lustré, dont les tuiles aux motifs orange et brun sont aussi laids que ce qu'elle porte, et pas assortis, de surcroît.

Je jette un regard aux portes fermées sur les chambres, dont une s'entrouvre justement. Un petit garçon laid, un enfant de pauvre, mal bâti, vêtu d'un pyjama sale et trop court, sort la tête.

— Maman, maman.

— Va te coucher, dit doucement la femme. C'est pas pour les enfants.

Il doit y avoir un mari, derrière une de ces portes, et d'autres enfants. Non, ce n'est pas pour les enfants, cette histoire horrible en train de m'arriver, et justement, je me sens tellement comme une fillette démunie ! Tout est laid, ici, je veux m'en aller chez nous, dans la beauté des objets que j'ai passé ma vie à choisir ou à créer, ceux-là mêmes qui sont en train de se flétrir et de carboniser, dans mon monde souterrain que je croyais à l'abri de tout, je veux retourner dans ma personnalité, je veux retourner chez nous. Je veux me recoucher, me rendormir et me réveiller dans mon lit, demain matin.

Démunie. C'est exactement le mot.

Dispositions prises et à prendre

À ma droite, Véro pleure dans les bras de Simon qui s'énerve, inconscient que cinq minutes à peine doivent s'être écoulées depuis le début de notre fin.

— *Y arrivent-tu, les crisses de pompiers ?*

Mélanie, quant à elle, a toujours le fou rire. La dame nous sert de grosses tasses de café instantané bouillant. Nous la remercions. Elle me regarde en silence. Elle, elle me connaît. Elle m'a vue louer le sous-sol des vieux airs bêtes du rez-de-chaussée, il y a onze ans et quelques, jeune fille sérieuse aux vêtements si théâtraux. Elle a vu mes amies arriver dans de grands éclats de rire pleins de folie, un six-pack à la main. Elle sait sûrement que je travaillais à l'hôpital, dans le temps. Peut-être a-t-elle compté mes amants et m'en a-t-elle envié quelques-uns. Peut-être a-t-elle déjà parlé aux voisines ou à son mari de la fille d'en face, celle qui mène une drôle de vie. Si je ne l'ai jamais vue, c'est qu'elle a toujours été là, cette femme sans goût à peine plus âgée que moi, cantonnée dans le rôle de la grosse voisine aux enfants ordinaires, et je sens que si je croise son regard une fraction de seconde, l'instant d'après, je traverserai la rue pour me barricader chez moi et mourir étouffée avec mon passé, parce qu'elle est exactement ce que j'ai toujours refusé de devenir, mais ça ne me donnait pas le droit de la juger.

On entend la voiture de patrouille arriver dans un grand fracas de sirène. Quelqu'un cogne à la porte. Simon se jette sous l'ondée de glace fine et s'engouffre à l'arrière du véhicule balisé après un imperceptible recul dégoûté. Mais voilà, Squeedjee, la police existe aussi pour ce genre de situation. Nous l'imitons.

— *Est-ce qu'il reste du monde ?*

— *Non, disent les autres.*

— *Il y en a qui sont sur l'aide sociale ?*

Simon lève la main et je vois briller dans ses yeux le mobilier de chambre décent qui remplacera son vieux divan-lit crevé et sa commode crasseuse, ses premières fringues neuves, ses prochaines bottines. Squeedjee vient d'avoir la chance de sa vie et je sais qu'il va changer de style, mais je ne le juge pas. Oh non, Simon, je ne juge pas la manière dont tu t'en sortiras.

Véronique et Mélanie baissent la tête. Elles doivent songer à leurs vêtements préférés, à leurs disques, aux précieux souvenirs de leur courte vie.

— *La plupart de mes affaires sont encore chez mes parents, dit Véronique. Et j'ai sauvé mes notes de cours.*

— *Et toi, fillette ? Tu as de la famille à Montréal ?*

— *Non, répond Mélanie. Moi, je n'ai pas de famille.*

Et enfin, son sourire niais s'affaisse. Elle se jette dans mes bras en sanglotant.

— *Ne t'inquiète pas, dit le policier, on ne te laissera pas coucher dans la rue. Et vous, madame ?*

Ce passage de « fillette » à « madame » me mortifie. Il signe au bas d'une page la fin de ma jeunesse. Je ne serai plus jamais cette jeune femme belle et triste que j'étais hier après-midi. DE QUOI JE ME PLAIGNAIS ? ! ?

— *Je suis assurée, articulé-je d'une voix blanche.*

Assurée de quoi, déjà ?

Type d'introduction

Les pompiers arrivent et nous descendons de la voiture de patrouille. Ils sont suivis de l'autobus du Service d'aide aux citoyens victimes de sinistres de la Ville de Montréal, où l'on nous invite à nous réfugier, mais je reste sur le trottoir, le pantalon plein de pisse en train de refroidir entre mes jambes. Quelqu'un me met un parapluie dans la main. La foule grossit sans cesse. J'ai envie de leur intimer l'ordre de retourner se coucher, de se mêler de leurs affaires, de cesser d'assister impudiquement à la destruction de mon existence. Mais je reste sous la pluie pinçante, dans le battement des gyrophares qui donnent un aspect infernal à cette nuit luisante de novembre, à suivre comme les autres les manœuvres du camion, enregistrant les images comme on assiste à la mort de soi. Les pompiers s'emparent d'espèces de crochets aux manches de pelle garnis de pics, avec lesquels ils vont saccager les appartements à la recherche du feu dans les murs, et ils s'engouffrent dans le trou du premier. Ils vont bientôt se jeter par terre en ouvrant leur lance, dont le jet va gicler le long des murs du sous-sol en épais rideaux d'eau sale noyant de suie tout ce que j'ai fait, tout ce que j'étais. Je veux mourir. Je suis morte.

Indices sur les lieux

Mais soudain les pompiers ressortent en traînant un objet lourd et noirci. Aussitôt, les policiers s'agitent et mon esprit s'affole. C'est un corps, c'est un mort qu'ils glissent dans une poche, et je me rétracte, je suis vivante, moi, je suis en vie!

Informations supplémentaires

Dans l'autobus où nous retournons, nous sommes accueillis par l'agent de l'aide économique. Deux des occupants du rez-de-chaussée n'ayant aucun recours pour l'instant, le véhicule fera un détour par le Motel Idéal, rue Lajeunesse, où ils pourront passer les vingt-quatre prochaines heures et où les parents de Véro viendront chercher leur fille. Puis on va me reconduire chez mon amie Joanna Limoges, dans l'aube grise et tardive qui commence à se lever.

Ninon Lafontaine
Sans abri

Classement : enquête à poursuivre

Étant donné qu'il y a eu mort d'homme, une enquête doit être ouverte et transférée au Service des incendies criminels de la CUM. Un avis de recherche a été lancé en Ontario pour retrouver les témoins «Tanguay» et «Peanut». Leur véhicule, une camionnette de type Volkswagen Westphalie assez vieille, jaune et orange, appartient à un certain Didier Duguay, revendeur de drogue, recherché par la brigade des stupéfiants.

Rédigé par (nom, prénom et matricule)

Sergent T. V. (11 novembre 1995)

Chapitre 4

Sans abri

L'Agenda selon Joanna Limoges

6 h 16 : Rêver que je suis une Cherry Blossom dans laquelle s'enfoncent deux doigts à la recherche de ma cerise sucrée et juteuse.

6 h 18 : Ouvrir un œil et le refermer paisiblement en constatant qu'il n'est pas l'heure.

6 h 19 : Desserrer les jambes pour être bien à la portée de la main qui se glisse entre elles.

6 h 22 : Appuyer une main sur la table de chevet, agripper de l'autre la base du lit et soulever la croupe.

6 h 23 : Sentir le sexe de l'homme que j'aime ! que j'aime ! m'ouvrir par le milieu comme on fend une noix.

6 h 24 : Noter, à la lumière de mes pensées, que j'ai faim.

6 h 25 : Le sentir ! Le sentir de tous les pores de tout mon corps !

6 h 38 : Ployer la nuque et me retrouver le corps en angle, la tête dans le vide et l'équilibre précaire.

6 h 41 : Tomber en pleine face et émettre un gémissement qui serait probablement bien mal interprété par un auditeur hors murs.

6 h 42 : Entraîner mon conjoint dans ma chute, le retourner sur le dos et l'enjamber pour qu'il me paie ça.

6 h 46 : Chevaucher des monts et des vallées sur son corps, lui faire part des couleurs que je vois sous mes paupières, tout le vert de cette steppe qui s'étend à perte de vue, la teinte du petit cheval au poil long sur lequel je galope. Vois-tu ce que je vois, Jean-Marie, vas-tu où je vais, es-tu là en ce moment au même endroit que moi, nue et brune dans l'air glacial de la toundra, le clitoris battu par le cuir de la selle, Jean-Marie, es-tu avec moi ? Viens, Jean-Marie, tapisse-moi les parois de toi, mets-m'en partout, Jean-Marie, je t'aime.

6 h 58 : Jouir de te connaître, d'être aimée de toi, d'être tombée sur toi, d'être autour de toi. Jouir d'être celle qui te fait jouir, jouir de t'aimer, de te regarder rire et grimacer en jouissant de moi, et lâcher un hurlement vainqueur : OUAIS ! Nous avons traversé la steppe et, au bout, dans un travelling de gigantisme russe, nous avons abouti au pied du Kremlin ; regarde comme c'est beau, Jean-Marie, ces coupoles d'or et de couleur qui évoquent des cornets du Dairy Queen ! Tiens, je t'invite à déjeuner !

6 h 59 : Chavirer et accueillir son poids sur moi, dans la flaque de sperme qui macule mon pubis, y plonger ma main qu'il lèche. Croiser nos regards qui s'accrochent, prononcer sans son des mots délicieusement prévisibles, se sourire. Entendre le radio-réveil se déclencher et la sonnette tinter en même temps, et savoir que derrière la porte d'entrée m'attend une mauvaise nouvelle.

Lettre que je ne posterai pas
27 décembre 1995

Très chère Joanna,

 Ici, à Detroit, ça va pas mal. Mon voyage s'est bien passé, à part la surprise de n'avoir pas été attendue par John à l'arrivée, parce qu'il n'avait pu se libérer. Je me suis donc retrouvée ce soir-là chez son frère et l'épouse de celui-ci, Clara, une femme charmante et accueillante. À la fin de cette première soirée d'immersion américaine, John est venu me rejoindre et nous sommes rapidement rentrés chez lui où il s'est couché immédiatement, rompu par son interminable journée de travail. Le lendemain, reposé, il m'a gentiment souhaité la bienvenue en me disant que j'étais ici chez moi, avant de m'expliquer en détails très pointilleux the rules of the house. *Ah oui : il m'a aussi vaguement demandée en mariage et je lui ai très précisément ri au nez.*

 À vrai dire, il est plutôt paternaliste, mais il se dit ouvert à un certain nombre de concessions : par exemple, nous préparons le souper en alternance tous les jours sauf le vendredi, soir où nous mangeons de la pizza en parlant de our relationship. *Je ne saisis pas toujours les nuances sémantiques de son discours sur le couple et ça cause parfois de petites situations conflictuelles, dont nous rions de bon cœur par la suite.*

 L'américain (et quand je parle d'américain, je veux dire cette langue simpliste pleine d'abréviations, d'expressions figées comme des slogans applicables à toutes sortes de sauces, de vocabulaire limité à la réalité de ce pays mercantile jusque dans ses échanges amoureux et winner *jusqu'à ne rien connaître du monde au delà de ses frontières), l'américain, donc, est une langue très efficace, quoique pour une francophone, le* would you ? *succédant à chaque ordre est un peu agressant... Mais une chose est sûre : je rentrerai à Montréal parfaitement bilingue !*

 Pour le reste, à part mon insomnie qui l'agace, je suis traitée comme une princesse et mes moindres besoins sont pris en considération, à condition que j'agisse de même. Je n'aurais jamais cru pouvoir écrire au son d'une partie de football (ou de handball, ou de hockey, ou de golf), mais on s'habitue. On continue d'haïr ça, mais on s'habitue.

Il est midi. À cette heure, la maison dégage un tel cachet « nord des États-Unis » qu'il serait impossible d'être nulle part ailleurs sur la planète (à moins d'être chez des Américains). Les meubles néocoloniaux hérités de son père côtoient un thermomètre-baromètre en plastique, une étagère moderne esthétique mais sévèrement démodée, une petite chaîne stéréo qui griche déposée sur une étagère de métal doré branlante, et un horrible rideau de tissu synthétique décoloré. Les couleurs alternent entre le rouge lustré, le vert olive mat, le doré passé et le bleu « jaquette d'hôpital » ; on dirait un salon de grands-parents ayant accumulé au fil des ans des montagnes de souvenirs dépareillés.

Fatalement, en rôdant des yeux dans cet étalage d'objets practicals *et hideux, je repense au décor que je m'étais fabriqué, à mon univers à moi, à tous les visages qu'avait pris le trois et demi que j'ai habité pendant toute ma vie d'adulte, et quand je les ferme pour me rappeler les teintes et les angles, je ne revois qu'une nuit verglacée où j'ai tout perdu.*

Joanna, je ne sais même plus si je t'ai dit merci.

Merci d'avoir absorbé l'image de femme défaite qui se tenait sous ton porche, une aube de novembre, sans avoir refermé la porte d'horreur. Merci de m'avoir secouée quand je me suis mise à ânonner comme une débile en te montrant mes mains dérisoires et dépouillées, comme si cela pouvait traduire le vide que je tentais d'exprimer, et d'avoir compris ce geste. Merci de m'avoir écrasée contre toi quand j'ai éclaté en sanglots compulsifs, de m'avoir assurée que j'étais chez moi dans ta maison et de m'avoir dit que tout allait s'arranger, même si nous savions toutes deux que ce n'était pas vrai, que tout était fini, derrière.

Pardon d'avoir bouleversé ta vie débordée, ton amour encore neuf et ton intimité. Merci de m'avoir fait couler un bain parfumé et de m'avoir abreuvée de bière, à huit heures du matin, pendant que tu buvais tes cafés assise sur le bol de toilettes. Merci d'avoir comblé toi-même les trous de mon récit incohérent, d'avoir pris la journée pour t'occuper de mes responsabilités, d'avoir appelé les filles pour qu'elles me veillent quand tu as absolument dû t'absenter. Merci pour la petite pièce convertie en chambre d'amie, merci d'être mon amie. Oh oui ! Remercie aussi Jean-Marie pour les conversations nocturnes, quand il me trouvait réveillée en rentrant, et pour les fois où il m'a bercée quand le cœur me levait au rappel de l'odeur du feu.

Qu'est-ce que je fais ici, à part fuir mes souvenirs carbonisés ? Peux-tu me le dire, Joanna ? Que suis-je venue chercher dans cet ailleurs sans intérêt ? Qu'est-ce que j'espérais trouver de l'autre côté de mes fron-

tières, dans cette ville sale et dangereuse cernée de Canada par le sud[1] *?*
Qu'est-ce que cette histoire d'exil avec ce vieux garçon de quarante ans
à peine séduisant, cet amant mièvre aux discours inquiétants, ce Yankee
sans esprit critique ni autre perspective que la sienne, ce babyboomer
nostalgique et imbu de satisfaction résignée, ce looser à la culture bon
marché ?

Qui suis-je devenue, qui est cette Ninon sans terre aux abords de la
trentaine, cette Évangéline bannie de son foyer, errant en contrées étran-
gères ? Je voudrais retourner dans mon semblant de pays, là où rien ni
personne ne m'attend, où je n'ai plus de maison, et pourtant je reste ici,
réfugiée loin de moi et de tout ce qui le fut, qui jamais ne sera plus.

Au milieu de la noirceur de mes décombres, j'ai peur de mon avenir
blanc.

Ninon

---

1. À cet endroit de la frontière canado-américaine, le territoire canadien avance en
péninsule de sorte que le Canada se trouve au sud et les États-Unis au nord.

Et bonne année grand-mère

Ah, je vous jure qu'on n'est pas fâchés qu'elle finisse, 1995. Il y a de ces années, comme ça, qui ratent si lamentablement leur sortie qu'on a bien hâte de les enterrer sous le boulevard des Rêves brisés.

Remarquez que, pour ma part, je nagerais plutôt dans la joie comme une sirène de carte postale kitsch. Ma vie correspond (presque) à la vision que je m'étais fabriquée, avec juste ce qu'il faut d'aventures et de quotidien ravissant. Six mois aujourd'hui que Jean-Marie et moi cohabitons, et je l'aime toujours. Et il ne s'est pas enfui en courant un matin de pénurie de café ou une nuit de pleine lune particulièrement bestiale.

J'aime sa mine boudeuse de gros bébé de lait quand mon réveil sonne, son corps qui me cherche dans un demi-sommeil confortable. J'aime notre baise matinale quotidienne, souvent sans paroles ni préambule, nos mains rivées à nos chairs comme des naufragés du sommeil. J'adore tomber sur une araignée en plastique sur le dessus des céréales, sur des confettis dans ma serviette de cuir quand j'arrive chez un client guindé, sur des cubes Boggle formant un message sur la table (« JM love Nana », « Tu goûtes bon » ou tout simplement « Bonjour ») ou un post-it sur le frigo avec un petit bonhomme dessiné au crayon feutre, qui me tend des fleurs ou un bouquet de cœurs rouges.

J'aime trouver mon chum jonglant en unicycle dans le passage, concentré et silencieux, ou grimaçant dans la grande glace de son studio. J'aime mes soirées de travail dans la tranquillité de la maison vide de tout sauf de jazz, certaine qu'il rentrera coucher, tôt ou tard, et qu'il enlacera mon corps à la fois détendu et en attente, branché sur le souvenir du sien. J'aime ses bras forts qui me retournent parfois comme une crêpe pour me baiser farouchement en me racontant des films surréalistes allemands truffés de personnages inquiétants et de plans de caméra barbares. J'aime les bateleurs loufoques qui envahissent la maison de temps à autre et les pique-niques dans le parc LaFontaine le midi.

Bien sûr, je déteste qu'il boive à même la pinte de jus, qu'il laisse mourir les plantes ou qu'il me dise qu'il va rentrer et qu'il ne rentre pas. J'ai tout aussi horreur de son envahissement sonore que de ses départs imprévus pour un contrat à l'extérieur de la ville, qui me rendent triste et démunie quand je les apprends par le répondeur, trop tard pour que je puisse lui dire au revoir. J'ai peur de ces absences impromptues qui me rappellent trop tout le temps que j'ai passé à l'attendre, avant et après l'avoir connu, de ces abandons nonchalants qui entachent nos retrouvailles d'un agacement boudeur, d'un reproche tacite. Et par-dessus tout, j'abhorre, j'exècre, j'haguis les tomates crues, et il adore ça.

Mais bon : personne n'est parfait et, de son côté, il fait sa part pour passer par-dessus mes grandes crises d'angoisse existentielles, professionnelles ou pécuniaires, mes colères démesurées contre les objets qui me résistent et ma voracité sexuelle qui le ravale parfois au rang de banque de sperme.

Aussi, si l'on compte les points, si l'on comptabilise les concessions et les compromis, si l'on divise nos tolérances réciproques par le respect de chacun envers les zones sacrées de l'autre, si l'on calcule le nombre de sacrifices multiplié par la somme des avantages d'être ensemble divisée par la racine carrée de la bonne volonté, je crois que ni lui ni moi ne perdons au change. Je sais, je sais : tout ça est romantique comme un cours de comptabilité. Mais que voulez-vous que je vous dise : le féminisme est passé et il y a eu deux mortes : l'innocence et l'abnégation. Après ça, les psychologues sont arrivés pour rachever les illusions et la pensée magique. Heureusement, pendant tout ce temps-là, Janette était là pour nous dire qu'au delà de tout, l'amour était encore possible. Alors, nous allons être heureux, qu'il le veuille ou pas, et je peux lui garantir qu'en plus il va aimer ça. D'ailleurs, regardez-lui l'air : est-ce que ça a l'air de souffrir, ce petit gars-là ? Bon, ben alors, ta gueule et jouis !

Hélas, je ne peux en dire autant de tous ceux que j'aime, et c'est pourquoi il était bien temps qu'il y ait un party dans cette histoire, nom d'Épicure ! Aussi, envoyons d'l'avant nos gens, tâchons de nous mettre dans l'atmosphère, ah-oui-ghan-ha, et de retrouver le sens de la fête qui nous caractérise, dondaine-laridaine, car pour la première fois de ma vie, matante-Alimatou, je reçois au jour de l'An et je suis tout énervée, ma-tante-à-Lou-la-ridée.

Remarquez que je m'étais préparée à l'idée ; mais je ne m'attendais tout de même pas à ce que Ninon me laisse tomber comme un chaudron de patates pilées avec mes tourtières et mes jokes éculées. Oh, je la comprends bien d'avoir voulu prendre congé de sa propre vie. Moi-même, parfois, il me vient l'idée d'aller m'acheter des cigarettes et de ne revenir que dans dix ans, surtout quand je m'engueule avec mon chum à propos de choses aussi éminemment importantes que l'ostie de bol de toilettes (bien que j'aie fini par régler ce tracas quotidien en achetant une housse en peluche tellement épaisse qu'elle fait retomber le siège tout seul ; essayez ça, les filles).

Et puis, Jean-Marie et moi lui avions rappelé quarante-deux mille fois qu'elle ne nous dérangeait pas, vous pensez bien. Sauf qu'avec cette histoire d'enquête criminelle, déjà que c'était un cauchemar, c'est devenu un scénario kafkaïen typiquement fin-de-millénariste. Aussi, quand tout a été à peu près réglé jusqu'à nouvel ordre, elle m'a annoncé qu'elle partait le 15 décembre pour Detroit et m'a demandé de la reconduire à Mirabel. Au bar de l'aéroport, où je lui ai payé un verre, elle a refusé toute allusion à son départ, son avenir et son passé (si bien qu'on a fini par parler d'aéronautique) et elle s'est enfuie au premier appel, me laissant tout juste les coordonnées de son cow-boy. Depuis, une seule lettre cliché au point d'en être standard.

Quoi qu'il en soit, c'est la raison pour laquelle vous me surprenez, moi, Joanna Limoges, l'adepte de la trinité Stoffer, Campbell et compagnie, les deux mains dans la pâte à tarte à beugler des chants de Noël pendant que N'Amour garnit la bûche. Car fichtre, il ne sera pas dit que Joanna ne respecte pas les usages ! Et puis, si j'ai réussi tant de choses dans ma vie, je ne vois pas pourquoi je ne serais pas capable de farcir une dinde, n'est-ce pas ?

J'ai même invité mon frère, rendez-vous compte, dans un élan d'esprit de famille qui me sidère encore (et dont il n'est pas revenu non plus, d'ailleurs, notre dernière conversation remontant à cinq ans et s'étant terminée, si ma mémoire est bonne, par un « oh pis va donc chier » réciproque). Par chance, il avait d'autres projets du côté des beaux-frères. Quant à nos vieux, ils sont toujours en Floride (et ils ne manqueront certainement pas une semaine de golf pour le plaisir de venir manger de la dinde aux atocas chez leur fifille si fofolle, celle qui a mal tourné dans le secteur des arts et de la culture alors qu'elle aurait pu être secrétaire et épouser un comptable drabe avec qui son père serait allé à la pêche, si elle avait voulu, cette ratée !), alors de ce côté, je n'ai rien à craindre. En outre, comme on a fêté Noël en Beauce dans la famille de N'Amour (randonnée me prouvant une fois de plus qu'il est encore le plus normal de sa famille, ce qui vous donne une idée de la gang de caractériels rigolos qui constitue son ascendance), on a convenu de passer le Nouvel An à Port-au-Prince-en-Montréal, malgré le salon en bataille. Ça n'a pas été de la tarte de convaincre sieur Marc de sortir du fond de son rang pour affronter la Grand-Ville bilingue où logent cent mille personnes ayant voté du mauvais bord en octobre ; mais je lui ai dit de se calmer le nationalisme et de venir remplacer Ninon au bout de la table, parce que les coutumes, c'est comme les cheveux : il n'est pas bon de les perdre… Il l'a pris un peu personnel, mais c'est finalement cette dernière remarque qui l'a décidé.

Je vérifie pour la millième fois l'état de mon volatile qui bronze dans le four, puis j'admire le père Noël psychédélique que Jean-Marie trace sur la bûche.

— Grand fou !

— Donne-moi ta main.

Il y dessine un cœur sucré qu'il lèche dans ma paume toute chatouillée. J'ai un regard attendri pour ma cuisine enfarinée comme un backstore de Dunkin' Donuts à la fin d'un rush, les arbres nus ployant sous la neige dans les fenêtres, la lampe-champignon temporairement transformée en sapin de Noël dans le salon, nous deux en tablier, et cette scène m'emplit d'une joie puissante.

— J'aimerais que Ninon soit là ; mais cette année, je t'ai, toi ! dis-je en l'enlaçant.

C'est là que Patricia fait son entrée EN JUPE, suivie de… de sa blonde ! Ma douée, quelle pièce de femme ! Et pas mal, avec son look androgyne à la k.d. lang ; mais disons que je ne m'obstinerais pas avec cette fille-là au sujet des cordes à linge, si vous voyez ce que je veux dire… Ce n'est pas mêlant, à côté d'elle, Patricia, pas particulièrement frêle non plus avec ses cinq pieds six et ses cent cinquante livres bien réparties, a l'air toute menue. Fière et cérémonieuse, elle nous présente officiellement sa Charlotte avant de déclarer :

— Je l'ai avertie que tu n'étais pas normale et qu'il lui fallait s'attendre à tout.

— Eh bien, puisque tu me donnes ta bénédiction, on commence par le questionnaire initiatique, et après, on la bombarde de tartes à la crème, OK ?

Si Charlotte sourit, elle gagne cinq points. Elle sourit.

— Enchantée, ajouté-je en me laissant serrer la main vigoureusement. Voici Jean-Marie. Tu es obligée de l'aimer si tu veux être mon amie !

Elle le soupèse comme un poisson vaguement dégueulasse chez le marchand et, ne le jugeant sans doute pas dangereux, le secoue à son tour.

— Est-ce que le souper est prêt ? lance une voix dans l'escalier.

— Marc ! J'ai la permission de t'embrasser, c'est le jour de l'An !

Derrière lui, quelle ponctualité renversante, voilà Sylvain, Dany et sa bedaine.

— Bonjou' le beau bébé dans le bedon, ânonné-je à l'attention de l'effrayante circonférence de ma chumesse. Elle a-t-y faim, la pitoune à matante Joanna ?

— Et comment ! gémit Dany. Elle a toujours faim ! J'ai déjà pris QUARANTE LIVRES !

Quand même, quelle abnégation. Ça me sidère toujours de voir des filles se foutre complètement des restants de corps dont elles devront se contenter jusqu'à la fin de leurs jours pour mettre au monde un petit monstre qui, en plus, leur donnera des cernes, des rides et des cheveux blancs. Des saintes.

— Eh bien, puisque tout le monde arrive en même temps, C'EST LE PARTY ! Jean-Marie, sers-nous à boire, le temps que je rende ma cuisine habitable. En attendant, installez-vous dans mon futur salon. Tâchez de vous visualiser dans un fond de piscine aux murs bleu chloré, rose gomme et vert pomme, et imaginez le fauteuil mangeur d'hommes dans des tons de fuchsia et d'orange...

— Ça fait penser aux minijupes des années soixante, ton affaire, ironise Patricia.

— Ou aux pains-sandwichs multicolores des anciens buffets, note Dany. Oh non, je pense encore à manger !

— Que dirais-tu d'une orange-grenadine avec des fruits ?

— Alors on dit une orange-grenadine pour la petite grosse, énonce N'Amour à la manière d'un waiter français familier, deux bières pour les dames au TRÈS mauvais *genre* et une autre pour le farmer. Un petit remontant pour la dame ?

— Si, si, si !

— Et un Cinzano sur glace, un !

Il remplit sa commande en exécutant sa cascade du cabaret périlleux, à laquelle tout le monde applaudit. Vingt minutes plus tard, la cuisine a retrouvé son look d'enfer, le rock francophone a envahi le salon et je rejoins ma visite.

— Les filles, on lève notre verre à l'absente !

— Tu en as des nouvelles ? demande Dany après le toast.

— Il est weird, son trip, soupire Patricia.

— Que s'est-il passé, exactement ? dit Marc. Elle a été très vague au téléphone.

Histoire de fuir un récit dont il connaît déjà toutes les péripéties par le détail, Jean-Marie invite aussitôt Sylvain à aller jouer avec ses nouvelles étrennes, j'ai nommé : tous les pitons de son studio de travail.

— En bref, un ami des voisins d'en haut (assez mésadapté socio-affectif, à ce que j'ai pu comprendre) est allé se coucher dans une chambre pendant un party, sauf que personne ne l'a vu faire. Et il a mis le feu avec l'huile à briquet du gars qui se donnait un genre « fif de grande classe » avec son Zippo. En langage juridique, on appelle ça « des traces d'accélérant ». Et la cerise sur le sundae, c'est que deux des témoins ont disparu. Ça peut traîner trois mois avant que les assurances ferment le dossier.

— Ma pauvre amie ! se désole Marc. Comment elle a pris ça ?

— Si tu l'avais vue quand elle a débarqué ici ! Elle a passé la première journée dans ma robe de chambre, à carburer à la bière et à pleurer, refusant de manger. Quand Dany et Patricia sont arrivées, vers l'heure du souper, elle venait de s'endormir. Elle a dormi dix-sept heures d'affilée.

— Le lendemain, dit Pat, on est allées voir les décombres.

— Ça avait l'air de quoi ?

— De ce que c'était : un « sinistre » ! répond-elle. Mais même si son ordinateur est mort, elle conservait toujours des copies de sûreté récentes dans sa sacoche. Pour ce qui est du reste, la firme de nettoyage a réellement fait des miracles, mais ça lui a coûté presque six mille dollars de sa poche et sa police ne couvre pas la restauration des œuvres d'art. Tu sais, elle travaille souvent avec du matériel fragile comme du papier, des tissus...

— Après le nettoyage de ses affaires, sa marge de crédit était étirée au maximum, poursuis-je. C'est là qu'elle a appelé son Amerloque pour l'aviser de son changement d'adresse, et il l'a aussitôt invitée.

— Elle n'a jamais parlé de ce gars-là, proteste Dany.

— Il est un peu straight, mais apparemment c'est un gars correct.

— Tu le dis toi-même, dit Pat : apparemment.

— OK, arrête de l'imaginer en Barbe-Bleue, je suis assez inquiète comme ça !

— On pourrait aller la chercher ! s'exclame Patricia.

— Six cents milles, approuve Charlotte. Douze heures d'auto, ce n'est rien.

— Pas de panique ! dis-je. On n'a pas le droit de faire irruption dans son trip comme ça.

— Tu te dis inquiète et tu ne cesses de minimiser la situation ! s'écrie Patricia.

— Elle est aux États-Unis, à cinq kilomètres de l'Ontario ; pas à l'autre bout du monde ! Écoutez : elle sait qu'on va l'appeler à minuit. On verra bien comment elle va.

Le ding de la minuterie du four m'interrompt et je précipite le nez dans mes chaudrons. C'est dodu, juteux, croustillant et ça sent la grand-mère. Ce sera prêt dans deux dongs.

— N'Amour, roule donc un joint. Venez, les filles, on va papoter dans notre habitat naturel, autour du poêle ! Pat, si tu me lances ces chips, je te mets dehors ! Ah non, voilà qu'elles s'y mettent à deux, maintenant. Au secours !

Lettre que je ne posterai pas
1er janvier 1996

Très très chère Joanna,
    Nous avons passé la veillée chez le frère et la belle-sœur de John,
avec leur fille Sheila, une cousine et son ami. Le début de la soirée a été
assez agréable, quoiqu'un peu éprouvant, plein de questions gentiment
curieuses auxquelles je répondais vaille que vaille en m'enfargeant par-
fois à cause de mon manque de vocabulaire. Sheila, qui apprend le fran-
çais à l'école, me fut d'un grand secours. De temps en temps, je consul-
tais mon petit Harrap's, *ce qui faisait rire mes hôtes, qui m'assuraient que*
mon anglais was not so bad. *Ce à quoi John, attentif à ma tenue, opinait*
du bonnet, gluant de fierté condescendante.
    À l'heure de desservir, la cousine de John est allée jouer avec Sheila
et j'ai proposé mon aide à Clara, alléguant qu'il valait mieux laisser les
autres discuter between men. *Dans ma tête bourdonnait l'analyse acerbe*
que Patricia aurait faite de cette canonique division des tâches, mais
j'éprouvais un sérieux besoin de fuir le regard omniprésent de John.
    C'est au-dessus du lave-vaisselle que j'ai ressenti pour la première
fois de ma vie le soulagement immense du gynécée, de la zone des conni-
vences femelles. J'ai songé que j'aurais pu être chez toi à parler de cul et
à fumer du hasch, et je me suis sentie étrangement détachée, comme sor-
tie de mon axe.
    Clara m'a demandé à mots à peine choisis what I was doing here,
exactly, and what were my intentions, *et, encore une fois, je fus soufflée par*
la violence de cette langue directe et cruelle comme un éclairage électrique.
    — Oh well, I think I'm trying something. We'll see.
    — You know, John is a good guy, but he has been single for a long
time. I think it's not easy to live with him… If you get bored, sometime,
if you're tired of just being alone with John, come over for a coffee. We
could talk a little more [1].

---

1. « Que fais-tu ici, exactement, et quelles sont tes intentions ? » « Eh bien, je crois que
j'essaie quelque chose. Nous verrons. » « Tu sais, John est un bon gars, mais il est

À ces mots, elle a levé les yeux et j'ai senti qu'elle me donnait un terrible avertissement. Je l'ai remerciée en lui faisant sentir que j'avais compris et nous sommes allées rejoindre les hommes, dont la discussion avait refroidi l'atmosphère. Comme deux bonnes Américaines bien stylées, Clara et moi avons parlé mode et recettes en faisant mine d'ignorer le malaise qui s'installait à l'autre bout de la table. J'avais l'impression d'être prisonnière d'un movie of the week *traitant des signes avant-coureurs de la violence conjugale, et j'ai eu une féroce envie de m'enfuir à pied jusqu'à l'*Ambassador Bridge *qui mène directement à Windsor, Ontario, Canada, mon pays de gré ou de force...*

---

célibataire depuis longtemps. Je ne crois pas que ce soit facile de vivre avec lui. Si tu t'ennuies, parfois, si tu es fatiguée d'être seule avec John, viens prendre un café. Nous pourrions parler un peu plus. »

Le morceau de noirceur

Il est neuf heures passées quand je sors l'oiseau du four dans un grand « ah ! » collectif de satisfaction. Jean-Marie me photographie avec la dinde et Marc décrète qu'il serait mieux de bien identifier le nom des personnages au dos de la photo pour ne pas nous confondre dans un lointain futur Alzheimer. Patricia lui court après avec la fourchette de service pour le pourfendre en effigie de tous les machos de la terre, pendant que Sylvain joue au chasseur Cro-Magnon pour voler un morceau de volaille à Dany qui, n'en pouvant plus, imite les vagissements de son futur bébé, et que Charlotte, ébahie, nous regarde faire les zouaves en équipe, comme seule peut le faire une vraie gang de vieux chums.

C'est là qu'on sent un gros morceau de noirceur entrer dans la cuisine et qu'on se retourne tous en même temps.

— Euh… J'ai sonné mais vous n'avez pas entendu, et comme c'était ouvert…, dit François, tout gêné. Ben, euh… Bonne année.

Oh non, pas le neurasthénique ! Il est si sombre et si replié sur lui-même qu'il a l'air au bord de l'implosion. J'aurais envie d'aller à lui et de le bercer en chantant *Frères Jacques* tant il a l'air d'un kid malheureux (il est vrai que s'il se ramasse ici, c'est qu'il est seul pour le réveillon et que, donc, il a toutes les raisons de broyer du noir). Mais justement, c't'aujourd'hui jour de l'An, oh Joe Malurette, et il est hors de question qu'on me gâche mon réveillon. Alors, accroche ta déprime avec de la broche, mon gars, parce que je vais te la dépeigner solidement.

— Bonne année ! que je hurle en lui flanquant deux becs sonores sur les joues. Comme ça, on arrive juste à l'heure du souper, comme par hasard ? Quelles manières ! Jean-Marie, sers-lui du vin. OK, gang, cessez-le-feu, on mange !

Jean-Marie obtempère pendant que les autres, qui ont compris que je laissais l'atmosphère à high malgré l'interruption, embarquent dans mon jeu. Le pauvre François se retrouve assis à table et servi comme un pacha. Dany lui noue sa serviette autour du cou, Jean-Marie lui prépare des portions gargantuesques en ponctuant ses gestes de « Hop ! Hop ! Hop ! » empressés, Marc lui tourne autour en mimant un violoniste jouant une complainte éplorée, Charlotte se laisse aller à l'atmosphère en lui enroulant une guirlande autour du cou, Sylvain déblatère sur la dinde du jour de l'An à travers les temps, Patricia fait circuler les assiettes en bécotant sa Charlotte au passage (ose me traiter de quétaine stéréotypée après ça, Patricia Chaillé !) et je chante du vieux Piché à pleine tête. On s'installe bientôt à table et, après avoir porté un toast à l'hôtesse de la soirée, votre humble serviteur, on se met à parler ouvertement de François comme une bande de psychanalystes préoccupés par son cas. S'il résiste à ce traitement-là, il est déclaré *persona non grata* sur-le-champ. Et il est vraiment mûr pour quelques séances de divan.

— Moi, dit Dany, je pense que le mieux pour lui, c'est encore d'être ici à se changer les idées.

— Moi, dis-je, je pense qu'il ferait mieux d'en parler. Allez, François, crache le motton, raconte-nous tout.

— Oh oh ! Attention, les filles, il devient vert ! s'écrie Patricia, cruelle et irrésistible. On change de sujet !

— On change de sujet.

— On change-tu de sujet ?

— Il était une fois une fille qui avait les cheveux verts…, commence Dany.

— Oui, et elle avait des dreds de cette longueur-là, hein ? poursuit Marc.

Bref, on le niaise ben raide et je ne quitte pas le spécimen de l'œil, bien déterminée à ce qu'il change d'air. Et de fait, peu à peu, j'ai l'impression que son attitude se transforme, qu'il exagère son personnage de gars déprimé au point de se moquer un peu de lui-même, et je sens que j'ai gagné la partie : on s'amuse tous. Jean-Marie observe affectueusement son ami, évaluant sa tolérance, soupesant la portée de nos jeux de mots, encourageant ou freinant mes ardeurs humoristiques d'un discret geste du doigt ; et comme je l'aime, dans cette joute verbale, d'être aussi intimement avec moi au cœur des blagues, des rires et des conversations croisées. Je t'aime d'être là, Jean-Marie.

Zut, pourquoi Ninon n'y est pas ?

... J'avais indiqué à John que je ne voulais par rentrer trop tard parce que vous me téléphoneriez sûrement à minuit, et il a profité de ce prétexte pour partir tôt. Quand j'ai embrassé Clara, elle a répété son invitation.

Dans la voiture, John s'est empressé de m'expliquer que sa belle-sœur était hysterical *et qu'il valait mieux que je ne la fréquente pas. Ensuite, il m'a longuement présenté ses récriminations contre son frère, et j'ai ponctué son monologue de* Really? Are you serious? *et de* Shocking *approbateurs en bouillant intérieurement de m'être mise dans cette situation de femme servile et craintive, moi, Ninon Lafontaine, née dans un des pays les plus féministes du monde. Une fois chez lui, il m'a proposé un dernier verre et il a recommencé son discours fielleux, heureusement interrompu par le téléphone.*

— Hello?

— Comment, hello? *T'es pas déjà assimilée? Salut, c'est Joanna!*

J'ai entendu en arrière-plan un grand « Bonne année! » beuglé par mes amis ivres et hilares, et je les ai imaginés dans le salon de la rue Bélanger, pour le premier Nouvel An sans moi depuis des années. John a souri avec un civisme crémeux, a vidé son verre, m'a embrassée et est allé se coucher. J'ai ri en essuyant une larme sur ma joue. J'aurais voulu pouvoir me téléporter immédiatement loin d'ici et me retrouver là-bas, en sécurité dans le giron des lois de mon pays (mais je n'ai plus de pays), chez moi (mais je n'ai plus de chez-moi), fuir cette maison grotesque et cet homme dominant, effacer tout de suite cette erreur dont j'avais honte. J'ai forcé la note de l'humour pour ne pas vous inquiéter outre mesure.

*— Les premiers jours ont été assez ardus, mais passé cette période d'adaptation, nous avons trouvé une position pas trop inconfortable. Mais vous devriez voir la maison! Tout est rangé et étiqueté militairement. Dans le garde-robe, TOUTES les boîtes sont marquées (*baseball kit, badminton kit, shoes kit, laundromat kit — *il va lui-même au lavoir, parce que je ne saurais pas comment, vous savez, séparer les couleurs, mettre certains vêtements à cycle délicat...). J'ai même une colonne dans son budget, indiquée « Ninon :* investment ».

— Tu ne manges pas trop de cochonneries, j'espère?

— *Contrairement à ce que l'on pourrait croire, j'ai une alimentation de sainte. Aucun ingrédient n'entre dans la maison sans la mention* cholesterol-free, no sugar added... *Le problème, c'est que le bœuf haché est rose fluo ! Mais il adore ma cuisine. Ce que je prépare est toujours* the best he ever ate. *Ici, de toute façon, c'est toujours le* best, *le* most, *le* greatest.

— *Et la vie sexuelle ?*

— *Nous baisons le jeudi et le dimanche... L'autre soir, je lui ai demandé s'il avait des fantasmes. Il m'a répondu qu'il rêvait d'être* submissive. *Vous savez ce que c'est, pour lui, être soumis ?*

— *Se faire attacher et traiter d'*ass hole *?*

— *Non : être en dessous quand on fait l'amour !*

Je les ai entendus hurler de rire et j'ai réussi à me trouver drôle, moi aussi ; mais tout de suite, Marc a remarqué :

— *D'habitude, quand tu fais de l'humour à la Joanna, c'est que ça ne va pas.*

— *Si tu en as ton voyage, Ninon, je peux t'envoyer de l'argent pour que tu reviennes, m'as-tu dit d'une voix soudain inquiète.*

— *Non, non, je vais faire le trip jusqu'au bout. Le séjour chez l'habitant est parfois très drôle, et dans tous les cas, fort instructif. L'autre jour, il m'a expliqué qu'il ne fallait pas plonger le blender dans l'eau savonneuse,* because it's electric, honey. *Je lui ai alors rappelé que je venais du pays qui lui fournissait l'électricité et que j'étais au courant, mais en anglais, c'est moins drôle.*

— *As-tu un peu visité la ville ?*

— *Imagine des parkings surélevés entre chaque building et un fantastique réseau d'autoroutes qui vide la ville à cinq heures. Les deux tiers de la population vivotent grâce à la maigre sécurité sociale, la banlieue est essentiellement blanche et, entre les heures de pointe, les rues de Detroit sont désertes.*

— *Il faudrait obliger tous les Montréalais et toutes les Montréalaises à aller voir ce qui les attend si nous nous obstinons à privilégier les villes-dortoirs au détriment du trou de beigne, a bougonné Patricia.*

— *Tu as l'intention de rester longtemps ? a demandé Dany.*

— *Oh non ! J'ai beau tâcher de m'ouvrir à cette nation somme toute bien proche de la mienne, je ne comprends pas comment toute cette bonne volonté peut tourner au petit exploité fier de ses cinquante étoiles que j'ai découvert ici.*

— *Oh, ça c'est facile, a bâillé Patricia : il suffit d'imaginer un Fernand à la bedaine débordant de ses culottes en train de roter « Salut Kébek, stie ! »*

— *Et de votre côté, ai-je chevroté, ça va ?*

— Je t'avoue que si j'avais un tricot à finir, je le sortirais : tout le monde parle d'informatique ! Alors, tant qu'à m'ennuyer, j'ai décidé de bavarder avec François. Dis bonjour, toi. Et surtout, ne souris pas, tu vas craquer.

— Bonjour, a-t-il chuchoté d'un ton morne, et malgré moi, j'ai ri de la scène.

— Bonjour, François. Bonne année.

— Tu savais qu'il collectionnait les modèles d'avions à coller ? Il est même membre de l'Association des aviateurs d'avions de papier. Passionnant, n'est-ce pas ? Hé, pendant qu'on t'a en ligne, il faut passer aux résolutions pour 1996 !

Après, tout le monde m'a envoyé ses salutations, et j'ai raccroché. Je me suis servi un triple verre de mauvais cognac que j'ai vidé d'un coup, puis un autre que j'ai étiré en écrivant ceci. Je vais me rincer les yeux et aller me coucher dans le lit mou. Puisque c'est fête, John va se tourner sur moi après trois ou quatre caresses vite expédiées. Comme chaque fois, je l'arrêterai d'une main pour imposer le condom de l'autre, puis je gémirai de faux plaisir dans l'emprise serrée de cet homme dont j'ai de plus en plus peur.

Ninon

Le collier de perles

un conte de Dany Lamont

Je ne reconnais pas ce salon, mais je sais que nous sommes dans notre nouvelle maison. Un sapin chargé de boules, de lumières multicolores et de cheveux d'ange trône près d'une fenêtre à carreaux, par laquelle on aperçoit de gros flocons ciselés comme des cristaux découpés dans le papier. La petite fille enceinte en robe à froufrous qui déballe un cadeau au pied de l'arbre, c'est moi. Sylvain, assis dans un gros lazy-boy de cuir, ne touche pas à terre. Il ressemble aux photos d'enfant qu'il m'a déjà montrées, mais il a une cigarette et une bière dans les mains.

La boîte contient un écrin de velours dont j'ai soudain très peur. J'y découvre trois rangs de perles blanches, qui prennent des milliers de tons laiteux à cause des lumières du sapin. Soudain, je me rappelle que donner des perles porte malheur. Alors, le collier se casse et toutes les perles se désenfilent et roulent par terre. Sylvain se précipite pour les ramasser, mais il heurte au passage le sapin qui tombe et écrase sous un poids impossible mon ventre où tu suffoques. Je ne vois plus qu'un coin de la fenêtre où je discerne que le blizzard s'est levé et que la maison sera bientôt ensevelie sous des tonnes de bombes, car nous avons été mystérieusement transportés dans Sarajevo assiégée. Quand je m'éveille en sursaut, Sylvain m'a prise dans ses bras et répète :

— C'est rien qu'un rêve, Dany, rien qu'un rêve.

Le Moyen Âge, le roman courtois et mon couple

présenté par François Tourangeau, chargé de cours

(Je stationne la voiture. Je rajuste ma cravate aux motifs géométriques, je m'empare de ma mallette et je parviens à sortir de mon véhicule. Je pénètre dans le collège en esquivant le plus de regards possible. Je réponds de la tête à ceux que je ne peux éviter. Je ne pousse pas de soupir faussement éploré en passant devant la secrétaire lesbienne du département, avec qui je joue habituellement à être pâmé, et qui va s'empresser de poser à mes collègues d'indiscrètes questions pleines de sincère sollicitude sur mon état de santé, lesquelles me reviendront, bourrées de fausse inquiétude puante de curiosité. Je plonge le nez dans mon courrier en montant à mon bureau et je ne souris pas à Gaby-les-boules, l'étudiante aux bustiers affolants qui passe sa vie à rôder dans le corridor des bureaux de profs. Je marmonne de vagues bonjours taciturnes en déverrouillant mon cubicule, et Gaétan, à ma droite, me jette un œil interloqué au-dessus de l'étudiant affairé à lui téter deux points. Je referme la tablette de mon pupitre et je sors rapidement. Je croise successivement la petite comique, la maudite folle, l'ancien ML, la vieille gribiche, le vieux débris, le dictateur, le patriarche radoteux, l'étoile montante, et je suis totalement incapable d'articuler un mot, dis bonjour, sale con, sauve les apparences, mais je suis figé dans mon silence anormal comme un noyé sous la glace. Je franchis l'espace comme un cowboy de western spaghetti qui sent dans son dos dix paires d'yeux inquisiteurs, vingt langues sales frétillant d'avidité, cent rumeurs courant déjà dans les dédales du cégep, mille interprétations du cancan du jour, et je veux m'enfuir, quitter ces murs pour toujours, ne jamais revenir sur les lieux de mon travail.

J'entre dans la classe où quelques élèves désœuvrés attendent le début du cours. Je dépose mon sac sur la table et je le vide, méthodiquement, en m'appliquant à bien placer ma pile de livres, les photocopies à distribuer, mes notes, mon coffre à crayons, mon feutre à pointe fine, mon cadran de poche et ma bouteille d'eau en pestant contre les fermetures éclair, les pochettes trop nombreuses et trop petites. Je m'apprête à déposer le sac quand je me souviens que c'est un cadeau d'elle, et qu'on ne donne jamais un sac d'école à un prof, parce qu'il s'agit d'un outil de travail extrêmement personnel, qui peut faciliter la vie autant qu'il peut faire chier, et j'ai ce geste incohérent de prendre le sac, d'aller à la poubelle et de le jeter avec un geste aussi retenu que définitif.

En revenant sur mes pas, je note qu'il est plus que l'heure. Il va falloir que je lève la tête, que je regarde des yeux, que je parle à des visages, que je pense à autre chose qu'à l'haïr, elle, et s'il y avait une fenêtre dans ce maudit local sans air, je me lancerais au travers.

Je prends la craie dans ma main droite, j'inscris quelques mots au tableau et je redeviens un prof. J'oublie que ma blonde m'a appris hier qu'elle me trompait depuis six mois avec un homme que j'ai reçu à ma table et qu'elle m'a demandé de partir comme on congédie un employé. J'écarte mentalement le fait que je me sens comme un con, que tout le monde saura bientôt que j'en suis un, et je me retourne en disant à haute voix) :

— 601-101 ou Mille ans de littérature en quinze leçons faciles
Contexte :
Pour bien comprendre le contexte du **Moyen Âge**, il faut remonter à la décadence de Rome, qui, à la fin de l'Antiquité, ploie sous la corruption, et dont les frontières sont dégarnies au profit des possessions conquises. Rome est alors attaquée de tous côtés. Le barbarisme s'impose sur le territoire de la France actuelle et, toute agglomération devenant une cible tentante, la population se disperse.

Le concept de disparition des villes peut nous sembler inimaginable, mais il est possible d'établir un parallèle entre la fin de l'Antiquité et notre époque : de la même façon, la montée de la droite et la polarisation des richesses mondiales pourraient amener les populations pauvres à se révolter contre l'Amérique du Nord, par exemple.

Quoi qu'il en soit, trois civilisations en viennent à cohabiter sur le territoire de la Gaule : celle du Moyen Âge naissant, de l'Antiquité en décrépitude et même de la Préhistoire, puisque les conditions de vie de certains rappelleront l'âge des cavernes ; un peu comme, en 1996, des communautés en sont au deuxième âge du village global alors que d'autres n'ont pas encore accès à la télévision. L'écriture n'étant encore que très peu en usage, la mémoire est faussée de partout et l'histoire réinterprétée pour servir les dogmes religieux. Cette mythification du passé pourrait nous arriver si, par exemple, le cinéma américain, avec ses superhéros et ses effets spéciaux d'un « réalisme magique », continue à biaiser la réalité en authentifiant des situations héroïques absolument hors de proportion.

Toutes ces analogies peuvent vous sembler abstraites pour l'instant, mais l'important, dans le cadre de ce cours, c'est que nous entrons dans une période « historique » où les « preuves » ne consistent qu'en des récits largement basés sur des légendes, desquelles la réalité est inextricable. Par exemple, pour expliquer la disparition de Morgane du récit des chevaliers de la Table ronde — puisqu'elle ne pouvait pas vivre quatre cents ans, quand même — on disait qu'elle s'était réfugiée dans l'île d'Avallon, qui elle-même existe toujours, au moment où on se parle, mais a matériellement disparu.

— C'est là qu'Elvis s'est réfugié, dit Valérie, goguenarde.

— Et Marilyn Monroe, John Lennon, John F. Kennedy… Exactement ! Quand on parlait de mythes américains… Évidemment, nous avons un avantage sur nos ancêtres : nous savons lire et écrire, nous pouvons nous instruire et nous avons à notre portée de formidables outils de communication, dont le plus essentiel reste encore l'écriture… Car l'écriture laisse sa trace. Brûler un livre est un acte matériel et sacrilège alors que détruire un fichier informatique en le flanquant dans une poubelle iconique est un geste virtuel et machinal. Des questions ?

(Je passe la brosse à effacer sur le tableau et ma main ne tremble pas plus que ma voix ne l'a fait. Je fonctionne, je suis vivant, j'ai oublié un instant que je n'étais qu'un homme à cornes dont on rit peut-être déjà partout ailleurs qu'ici. Je ne veux plus jamais sortir de cette classe. Pendant trois heures, je déroule mon cours, que je connais sur le bout de mes doigts, et comme cela arrive parfois, les étudiants jouent leur rôle avec une perfection magique, s'intéressant à mes propos, posant des questions pertinentes, coopérant aux exercices que je propose. À la fin de la période, je distribue les photocopies, j'efface le tableau et je ressors dans le corridor avec ma pile de livres sur le bras sans retourner à mon bureau. Je remonte dans ma voiture, je m'allume une cigarette que je fume avant de démarrer et je prends la route pour aller ne rien dire chez Jean-Marie, qui ne m'interrogera pas.)

JEU : MINI-PUTT INTÉRIEUR
un autre loisir à la Jean-Marie

But du jeu : Divertir votre grand chum de ses idées noires en lui offrant par ricochet l'occasion d'une bonne talk, si c'est de ça qu'il a besoin. Le gagnant du mini-putt est celui qui aura mené la balle à son point d'arrivée dans le moins de coups possible. Quant à la conversation, il pourrait y avoir aussi deux gagnants ou deux perdants, selon que l'écouteur réussit à amener l'écouté aux mots : « solution à envisager », ou ne parvient qu'à froisser sa susceptibilité par une phrase indélicate.

Nombre de joueurs : Deux adolescents attardés, profitant de l'absence de femme en la demeure — celle-ci ayant évacué le territoire jusqu'à très tard pour cause de réunion — pour retomber en enfance et faire des mauvais coups.

Matériel requis : Un salon assez vaste encombré d'un nombre d'obstacles propre à stimuler la créativité du gosseux de la maison ; une caisse de douze et deux sacs de chips ; de vieux disques de vinyle égratignés lors d'anciennes saouleries communes ; un bâton de golf piqué à un vieil oncle que par ailleurs vous aimiez beaucoup, et une balle de caoutchouc mou (la balle idéale aurait longuement été mâchée par un gros chien que vous aimiez encore plus).

Longueur de la partie : Trois périodes de durée variable et deux intermissions musicales. L'important consiste seulement à ne pas oublier d'aller chercher Ninon à l'aéroport. Il y a prolongement de la partie dans le cas où Joanna serait rentrée quand les joueurs arriveront à la maison et qu'ils lui annonceront qu'à partir de ce soir, ils sont quatre à partager le beau grand six et demi, n'est-ce pas charmant et passablement économique ?

FORMULAIRE DES PERTES : INVENTAIRE (1ER FÉVRIER 1996)

• *Dans la cuisine, une table et quatre chaises en noyer aux coussins garnis d'appliques brodées.*

• *Une étagère à épices du même bois munie d'une ardoise noire, de crochets où suspendre des tasses et d'un distributeur à essuie-tout, mon premier assemblage, qui donnait à ce coin de la cuisine un petit cachet vieille France.*

• *Trois lampes suspendues aux tuyaux traversant l'espace, à la base grillagée amovible, indescriptibles, dont j'avais conçu le modèle pour une boutique.*

• *Des rideaux cousus à la main. Un store peint dont je n'arriverai jamais à reproduire le motif.*

• *Quatre électroménagers achetés au Foyer du chômeur, finis depuis longtemps, mais personne n'est obligé de le savoir. Et puis trois cafetières : la petite pour le quotidien, le percolateur pour les soupers en gang et la Bodum pour les tête-à-tête. Un grille-pain et un robot culinaire. Tout cela se rachète.*

Mais tout le reste, tous les accessoires que j'ai dénichés, à l'époque où la mode était folle, où les boutiques d'exclusivités pullulaient, où les couleurs vives triomphaient dans les vitrines, où Saint-Laurent avait des airs de Manhattan ; tous les pots à confiture que j'ai laqués, les napperons que j'ai tissés, les plats de service que j'ai tournés, tout le reste est irremplaçable.

• *Dans la chambre, le futon imbibé sur la plate-forme de pin gondolée, les tables de chevet assorties dont le bois s'est fendillé, les lampes de vitrail suspendues de chaque côté de la tête de lit et la commode aux portes de verre enfumées, le cadre de mes amours trop anciennes, de mes premiers orgasmes, de nombre de mes mélancolies.*

• *Mes robes et mes tricots noircis, tous ces vêtements dont j'avais conçu la coupe en me tenant soigneusement à côté de la mode, quinze ans de loisirs solitaires, des milliers d'heures à m'activer les mains, la tête ailleurs, cousant comme on récite un mantra, sublimant mes désirs sur une matière.*

• *À l'autre bout, dans l'atelier isolé par un muret de cubes de verre, de multiples tablettes ; mon tour, dont je ne me servais plus qu'en guise de vide-poche ; la table à dessin orientée de manière à capter le soleil de fin d'après-midi ; la machine à coudre et deux ou trois mille dollars de matériel, dont quelques pinceaux rares que je n'arriverai pas à remplacer. Quelques esquisses récentes au fusain, devenues aquarelles délavées. L'ordinateur, amnésique. Le manuscrit d'un roman que je n'ai plus envie d'écrire, récupérable en partie.*

Le bulldozer est passé, mon passé est rasé, je n'ai plus d'adresse, de chez-moi.

• *Dans le salon, deux causeuses aux coussins profonds, aux délicats appuis de pin, au tissu variant selon mes humeurs et mon budget.*

• *Le tapis de soie, aux fleurs de différentes épaisseurs, sur lequel il était charmant de rouler, enlacée par un homme, Jean-Jacques, Fabrice ou un autre selon les saisons, quand le fauteuil limitait trop les préliminaires. Je rajoute à sa valeur la peau de mes mains usée et amincie qui m'obligea, quatre mois durant, à m'enrubanner les doigts de diachylons pour aller pester quarante heures par semaine sur une machine à écrire, mon gagne-pain de cette année-là.*

• *Deux tables de tailles différentes, construites de mes mains comme le reste, sablées avec patience et délicatesse, carbone quatorze de mes amours, sur lesquelles Jean-Jacques m'a tant fait jouir quand il faisait partie de ma vie, lui dont le souvenir hante aujourd'hui les lieux comme un fantôme brûlé.*

• *Un excellent tourne-disque à vinyles qu'il ne sera pas facile de remplacer, un lecteur laser de qualité moyenne et une télé moyenâgeuse.*

• *Une lampe de papier de riz plissé et encollé de pétales naturels, conservée au delà de toutes les tendances, qui éclairait cet angle d'une lueur laiteuse. Deux autres en céramique chamarrée.*

• *Une bibliothèque aux multiples recoins. Mes premières argiles. Trois ou quatre bibelots de broche et de matériaux divers, invendables ou attachants. Un vieux pêcheur de Saint-Jean-Port-Joli que Joanna m'avait rapporté de voyage pour se moquer de mes ambitions de sculpteure. Des centaines de livres de poche gorgés d'eau et quelques beaux livres de photo, de peinture et de géographie. Ailleurs, un album de photos sec et croustillant qui s'effrite un peu sous les doigts, comme mon corps se flétrira au cours des prochaines années, jusqu'à ce que vieillesse s'ensuive et change les textures.*

Partout des souvenirs, où que ma mémoire se tourne pour me rappeler ma vie rasée. Partout, un instant des onze dernières années et demie, un moment de joie ou de peine, un sourire, une soirée, un amant, une amie, un morceau de moi, une seconde imprimée dans mon cerveau comme une photo qui ne sera plus jamais. Me voilà coupée en deux. Il y aura toujours celle que j'étais avant cet incendie, et l'autre moi d'après, celle que je viens de devenir. Car moi aussi j'ai brûlé dans le feu (du moins mes ailes). Mais je suis en vie, et j'ai le reste de ma vie pour la reconstruire, «I'm still alive», et seize mille dollars d'assurance-habitation. Je reviens donc à Montréal.

À cette annonce, la réaction de John a été aussi brusque qu'étonnante, comme si tout avait été merveilleux entre nous et que ma présence dans sa vie n'allait plus jamais être remise en cause. Ces mots menaçants quand il m'a plaquée au mur du salon : «Oh no, you won't leave this place, it's out of the question, Honey !» Ce maudit surnom « so sweet » et si édulcorant dans lequel doit se dissoudre la personnalité de tant de conjointes américaines, qui m'a levé le cœur sans que je ressente la moindre crainte devant sa main levée sur moi ! Ces gifles assommoirs qui me blessaient moins que ne le molestait mon regard navré et chargé de mépris ! C'est lui qui a eu peur de l'image que je lui renvoyais quand Clara a fait irruption dans la maison :

— OK, stop it NOW, and leave this place for a few minutes, WOULD YOU ?

J'ai essuyé ma figure ensanglantée et j'ai savouré la prononciation de chacune des syllabes que je crachais au visage de ce lamentable pantin, désarticulé par son impuissance à me retenir :

— Fuck you, tabarnack !

Il a pris sur lui quand j'ai déposé entre nous un chèque couvrant le total de ce que je lui avais coûté plus une pension raisonnable pour mon hébergement, et je l'ai laissé à ses croyances sans faille pour sauter dans la voiture de Clara avec mes bagages.

C'est dans la salle d'attente de l'aéroport que j'ai eu peur, peur que mon vol soit annulé, que quelque chose ou quelqu'un m'empêche de monter dans le Boeing de la British Airways. Mais deux heures plus tard, j'atterrissais à Mirabel où j'étais attendue, j'oubliais mon nez douloureux, et deux incidents de ma vie étaient clos.

• Un autre morceau des vestiges de mon innocence, égaré en voyage à l'étranger.

Le questionnaire des pertes sentimentales est rempli.

Et maintenant, Ninon, en avant. Trouve où c'est, chez vous.

Ninon Lafontaine

Chapitre 5

Le « nous » rêvé

L'Agenda selon Joanna Limoges
Mémo-frigo : Le week-end off

Les hôtes de la maison, étant atteints d'écœurite aiguë, vous convient à une fin de semaine sans cadran. Cochez les activités qui vous intéressent. Au programme :

- **Cinq à sept «mou» au Boudoir :** (celui de l'avenue du Mont-Royal, l'ancien de Villeray étant passé de trou minable et sympathique à trou tout court). ☑
- **Après ça :** bouffe mexicaine et billard. ☑
- **Samedi matin :** compétition amicale : c'est à qui se lèvera le plus tard. ☑
- **Samedi après-midi :** popote élaborée. ☑
- **En soirée :** cinéma-maison, bière, chips et autres plaisirs. ☑
- **Dimanche :** partie de Monopoly en pyjama. ☑

Ça vous dit ?

Lettre que je ne posterai pas
3 février 1996

Je suis arrivée la première à notre « rendez-vous mou » et je me suis assise près de la fenêtre comme on prend place dans une loge de théâtre. Tout en sirotant ma première bière, j'ai observé Montréal qui se déroulait en vidéoclip devant moi au rythme des passants traversant l'écran de la vitrine et j'ai essayé de cerner la mode du moment. J'en repérais tant qu'il n'y en avait plus. Certaines femmes, d'une maigreur inquiétante, avaient l'air de sortir tout droit d'Elle Québec, alors que d'autres, bizarrement attifées, couraient vraisemblablement les friperies. Quant aux gars, qu'ils soient mièvres ou beaux, ils me rappelaient tous comme une faim soudaine qu'il y a longtemps que je ne me suis pas partagée.

J'en étais à ce stade de mes pensées quand une punk sans âge a longé la devanture du bar, arborant de magnifiques tons de violet, de rouge et de vert lime dans les cheveux, me donnant envie de l'entraîner sur-le-champ à la quincaillerie pour choisir les couleurs de mon prochain salon. J'ai essayé de mémoriser les teintes, de m'y plonger comme dans un bonbon, de sentir le parfum du décor que cela donnerait.

Et de nouveau, j'ai senti l'odeur de l'incendie.

J'ai soupiré et détourné les yeux vers l'intérieur sombre et chaleureux du café-bar qui s'emplissait peu à peu.

En emménageant chez Joanna, j'avais pris la ferme résolution de changer d'air, malgré toutes les cases de mon avenir qui restent vides — à cause d'elles, peut-être. Mais j'ai le sourire laborieux. Rien n'est doux, et il me semble grelotter depuis des mois sous le ciel blanc et bas.

Heureusement, François est arrivé à ce moment-là (ah, Joanna! mon incorrigible entremetteuse!) et j'ai tâché de chasser mon malaise. Il m'a saluée d'un « bonjour » aussi neutre que la couleur de son veston. Je l'ai complimenté sur sa cravate colorée qu'il s'est empressé de retirer.

— Je me force à en porter, parce que ça crée une distance entre les étudiants et moi, m'a-t-il expliqué, mais j'essaie de les choisir les plus distrayantes possible, pour qu'ils aient au moins une raison de regarder en avant.

Il a secoué la tête.

— *Mais quand les profs commencent à parler de leur travail, ils n'arrêtent plus. OK : c'est vendredi. Décroche, François.*

— *Tu aimes ça, enseigner ?*

— *Oh ! On ne va pas tomber dans le discours de la « vocation », j'espère ? En tout cas, j'essaie d'être un bon prof. C'est tout ce que je puis dire.*

— *À part enseigner, que fais-tu dans la vie ?*

— *J'enseigne. Les profs de français sont en train de devenir une espèce plate. Neuf mois par année, je donne mes cours, j'assiste à des réunions, j'encadre mes étudiants et je corrige. Pendant deux autres mois, je lis, je prépare mes plans de cours et je me remets de mon épuisement. Le douzième, je me cherche une autre job.*

— *Tu ne fais rien d'autre, tu ne sors pas, tu ne vois pas de shows ?*

— *Bien sûr : de grands classiques obligatoires dans mes cours. Et toi, ton travail te plaît ?*

— *En tout cas, j'ai déjà aimé ça passionnément ! J'espère que ça me reviendra, car pour l'instant, j'ai la créativité qui vole pas mal au ras du sol.*

— *C'est normal, après le déracinement que tu viens de vivre.*

Avais-je bien senti, très loin dans le fond de sa voix, un changement de niveau, un imperceptible glissement vers l'empathie ? Si j'étais très attentive, peut-être parviendrais-je à lire les rares traces d'émotion que laissait transparaître la gangue de glace dont il s'entourait le plus souvent ? Et d'ailleurs, en avais-je envie ? La séduction comme jeu ne m'a jamais intéressée, mais après tout, j'ai le cœur vide et rien d'autre à faire.

— *Quels sont tes projets ?* a-t-il demandé.

— *Je ne sais pas trop... Une chose est sûre, j'aimerais bien dénicher une piaule avant juillet, parce que Joanna et Jean-Marie sont bien gentils de nous héberger, mais parfois, j'en ai un peu marre du camping de la rue Bélanger !*

— *Le régime y est un peu militaire, mais quand même, on y est bien traités !*

— *Pour ça, l'organisation du camp n'a pas traîné !...*

Pour Joanna, l'arrivée impromptue de François dans le décor n'avait rien changé à son invitation : le six et demi semblait extensible à l'infini.

— *Et toi, qu'est-ce que tu comptes faire ?*

— *Recherché : salon-double sur le Plateau avec colocataire fumeur tout équipé, pour recevoir enseignant débordé, casanier et propre de sa personne. Change sa litière lui-même.*

— *Ça devrait pouvoir se trouver !*

— *Oui, je tomberai sûrement sur un vieux retraité que ça intéressera !*

— *Toi aussi, tu viens de subir un gros chambardement.*

— *Évidemment, Joanna doit t'avoir tout raconté ? Ta chumesse, quelle mémère !*

— *Ne profère pas un mot contre mon amie !*

— *Je n'en aurai qu'un : c'est une adorable petite peste.*

J'ai convenu que ça décrivait tout à fait notre hôtesse et j'ai noté intérieurement qu'il observait tout de même ce qui se passait autour de lui.

— *Tu es très différente d'elle, a-t-il ajouté.*

— *Ton amitié avec Jean-Marie est tout aussi improbable.*

— *Il y a des tas de couples, comme ça, a-t-il lâché comme un sac de lest en se levant pour saluer Joanna qui arrivait, aussi exaltée que d'habitude, bouleversant le mince courant d'intimité qui s'établissait entre François et moi. Le pire, c'est que j'étais persuadée qu'elle l'avait fait exprès.*

— *Guillaume, une Black ! Ouf, gang, quelle journée ! a-t-elle soupiré en se laissant tomber sur une chaise. Un topo à la télé (m'avez-vous vu le maquillage, vous autres ? J'ai l'air d'une mouffette héroïnomane sur un lendemain !), une entrevue avec une bonne femme qui a pris toute mon heure de lunch pour me raconter sa vie, son nombril, ses motivations les plus intimes, ses convictions les plus intrinsèques, ses certitudes les plus estime-de-soitistes, son complexe d'Œdipe non résolu... Je suis repartie du Frite Alors ! avec trois tomes de pop-psycho sous le bras et le double du mal de tête que j'avais en entrant. Aïe, moi, le Nouvel Âge ego-universel, là...*

» Après ça, je me suis tapée trois heures de téléphones, de télécopieurs, de courriels et autres moyens de télécommunication divers. Stie que je suis tannée de gosser sur des outils destinés à te sauver du temps qui ne fonctionnent JAMAIS du premier coup ! Moi, me faire dire non par un robot...

» Sans compter que Féfile a encore oublié de faire signer mes chèques de frais divers et que MasterCard est à la veille de m'envoyer les Rock Machine pour me casser les jambes. La routine, quoi... De la marde, JE NE TRAVAILLE PAS DEMAIN. Et vous, ça va ? a-t-elle conclu en payant le barman qui, connaissant sa légendaire impatience, s'était précipité pour la faire taire au plus vite, avant de saluer Jean-Marie dans un « N'Amour ! » tonitruant.

Jean-Marie a dansé sur la pointe des pieds jusqu'à nous en jouant à l'avion avec ses bras, frôlant quelques têtes au passage et saluant les clients qui le reconnaissaient. J'ai éclaté de rire en apercevant l'air catastrophé de François et j'ai haussé les épaules avec fatalisme.

Voilà, si nous ne résistions pas, nous étions désormais dans l'atmosphère que nos deux amis nous concocteraient. La soirée serait parfaite, le week-end se prolongerait dans la folie jusqu'aux alentours de dimanche, sept heures, et nous rentrerions au travail lundi matin, fatigués et de bonne humeur.

À une table, quatre filles ont repéré Joanna et ont parlé en nous montrant du doigt. Loin de s'en formaliser, Joanna leur a souri, a reconnu vaguement l'une d'elles et s'est levée pour lui dire un mot. De loin, elle nous a présentés, nous «ploguant» par nos métiers respectifs, et en revenant s'asseoir, elle m'a demandé de leur remettre ma carte d'affaires. Je me suis demandé comment elle faisait pour supporter d'être reconnue par n'importe quel étranger, à n'importe quelle heure et dans n'importe quel contexte. L'idée de capter ainsi à tout moment le regard des autres sur ma vie m'a violemment agressée.

Une fois installés tous les quatre, nous nous sommes noyés de mots, d'opinions, d'informations infiniment inutiles et je me suis peu à peu retirée de la conversation, fixant mon attention sur la brunante qui allumait toutes les lumières de la rue. Pourquoi communiquons-nous tant ? Pourquoi avons-nous tant besoin de nous raconter, de justifier nos actes, d'accoler un sens à chaque moment de notre quotidien comme au cours d'une confession totale ? Et si je me pose ces questions-là, pourquoi est-ce que j'écris ? Le bourdonnement ambiant est total, incessant : la musique pour couvrir le bruit du voisinage, le journal alibi pour s'oublier dans la foule, la pub, les tags, tant de signes dont nous sommes constamment entourés, que nous passons notre existence à commenter... Je nous ai regardés émettre frénétiquement des propos dérisoires, comme si nos paroles avaient le moindre poids, comme si nos avis étaient meilleurs que ceux des autres, et ça m'a profondément attristée de me sentir aussi blasée.

Puis tu m'as adressé la parole. Je ne sais plus de quoi tu m'as parlé. Tout ce que je me rappelle, c'est que tu étais d'autant plus drôle que tu ne riais pas quand tu me faisais plier en deux avec tes remarques subtiles, tes jeux de mots à triple sens, tes critiques pleines d'acuité, et que j'ai ressenti une grande tendresse envers toi, grand tit-cul boudeur qui s'était perdu dernièrement dans le monde des femmes imprévisibles. À un moment, je me suis demandé quel couple tu avais formé avec ton ex avant qu'elle n'ait plus envie de toi et qu'elle te chasse. Mais ma propre vie amoureuse a connu trop de dérapages incontrôlables pour que je me permette de te juger, et j'ai laissé la question en plan pour me concentrer sur le plaisir que je ressentais à rire avec toi.

Après le troisième deux-pour-un que nous avons partagé, nous sommes allés manger tous les quatre au El Zazium, puis nous sommes revenus jouer au billard. J'ai observé par en dessous ton air de rien quand tu réussissais des coups fumants. J'ai ri avec Joanna quand Jean-Marie nous racontait longuement le ricochet compliqué qu'il allait tenter, et son invariable « Ça aurait été si beau ! » quand il ratait son coup. J'ai apprécié la clarté de tes conseils quand tu guidais mes gestes de joueuse occasionnelle, et je me suis prise au jeu de surveiller ma posture, de laisser couler mes mouvements, de me rappeler mon corps. Je sentais tes yeux rôdant dans mon dos quand c'était à mon tour, et ceux de Joanna qui observait effrontément nos réactions, ne se détournant que pour murmurer à Jean-Marie des cochoncetés à vous friser les oreilles, qui le faisaient rire comme si on l'avait chatouillé.

Bientôt, elle a annoncé qu'on vous laissait jouer entre hommes, en notant très justement qu'il n'y a rien de plus sexy qu'un gars qui joue au pool. Toujours ce commentaire qui distance ce qu'elle voit, qui fixe en mots les images et les instants, qui les délave jusqu'au réalisme, alors que je ne rêve que d'envol...

Mais elle dit si vrai. À partir de là, je t'ai regardé bouger autour de la table et, en effet, il était très beau de te voir te pencher, la lèvre entrouverte, le corps en angle, les yeux levés vers la blanche, concentré comme s'il était très très important de gagner. De temps à autre, tu revenais vers la table pour prendre une gorgée de bière ou une bouffée de tabac, et parfois tu sentais mes yeux sur toi. À quelques reprises, tu les as croisés, brièvement, avec ce que j'ai pris pour une envie de contact.

Puis vous êtes revenus vous asseoir avec nous et, quand j'ai commandé un whisky avec ma bière, tu m'as imitée. Nous avons bavardé en commentant la musique et nous avons parlé de la mort du rock, perpétuellement annoncée et toujours repoussée dans les limites d'une nouvelle forme ou d'un métissage réussi. Vers une heure, Joanna s'est mise à grimper dans la chemise de Jean-Marie, l'embrassant à bouche-que-veux-tu sans la moindre retenue. Tu as roulé un joint que tu m'as proposé d'aller fumer dehors.

C'est là, au bout de la ruelle, après avoir tiré deux touches, que je n'ai plus été capable d'endurer l'extrême solitude de mon corps perdu dans l'humidité hivernale de la nuit sans neige et que je t'ai dit :

— Embrasse-moi.

Tu as hésité une fraction de seconde, tu as fouillé mes yeux comme pour y chercher la menace qui pourrait t'y guetter et tu as pénétré ma bouche jusqu'au fond, nos lèvres, nos langues, nos salives, nos haleines qui se sont suivies quand tu t'es redressé ; mon dos brusquement détendu et pourtant arqué comme un appel, la première image de « nous » comme une publicité compromettante, j'ai manqué d'air. Tu as fini le joint, tu m'as jeté un regard inexpressif et tu es rentré. Je suis allée me remaquiller aux toilettes et la femme dans le miroir était belle, vivante comme je ne l'avais pas vue depuis trop longtemps.

Beaucoup plus tard, après avoir trop ri, trop parlé et trop bu, nous avons quitté le Boudoir pour retourner chez nos hôtes en taxi, où nous avons fumé et bu encore. Joanna prenait de plus en plus les allures d'un lierre derviche autour de Jean-Marie qui a fini par l'entraîner dans leur chambre, non sans nous faire un clin d'œil, nous laissant tous les deux nous débrouiller dans le divan mangeur d'hommes. Nous nous sommes regardés d'un air expectatif avant d'éclater de rire. Tu as cherché un disque, un air très doux a empli la pièce et nous nous sommes tus, bercés par le vieil air de folk. Fatalement, au bout d'un moment, Joanna s'est mise à gémir, sa voix a monté au-dessus de la musique comme une ode, chevauchant les modulations de la mélodie, accompagnant le rythme des instruments comme une choriste impudique. Tu as dit :

— *Crois-tu qu'elle joue la comédie ?*

— *Jamais ! Écoute-la chanter. Quand j'ai du mal à dormir, je me concentre sur les sons que les murs laissent échapper. On peut suivre tout le coït de Jean-Marie à travers la bande sonore de Joanna, tu n'avais pas remarqué ?*

— *Voyeuse !*

— *Quand on vit avec une exhibitionniste, c'est permis, non ?* ai-je dit *en m'étendant de tout mon long entre les coussins mous et traîtres. Tiens, tu vois, cette accalmie ? Ils changent de position... Ah voilà, ils se sont replacés autrement... Oh ! Oh ! À en juger par l'enthousiasme de* Mme *Limoges, il semble qu'on soit en pleine position du pretzle* [1] *!*

— *Le fameux pretzle,* as-tu soupiré. *Tu as déjà essayé ?*

— *Bien sûr ! C'est une position qui se refile de partenaire à partenaire. Joanna l'avait apprise d'un amant et elle l'a refilée à Marc qui me l'a montrée. Pour l'homme, le plaisir consiste surtout à regarder sa partenaire s'éclater, mais le bonheur de l'un ne prend-il pas sa source dans le plaisir de l'autre ?*

Tu as réfléchi en fronçant les sourcils. De nouveau, j'ai été atteinte par le charme de ta beauté discrète, révélée par un regard en coin, un angle soudain, un éclairage particulier. J'avais une folle envie d'enfouir mon nez dans ton cou et de respirer ton parfum qui m'avait séduite tantôt. J'attendais un signe, une reconnaissance, mais tu semblais paralysé à une longueur de bras de moi.

Mes pensées qui, sans que je m'en rende compte, avaient suivi tout le chant d'amour de Joanna, ont été interrompues par un double « Rhââô ! » suivi d'un silence que nous avons écouté religieusement et, enfin, de deux grands rires.

---

1. Voir *La fin de siècle comme si vous y étiez (moi, j'y étais)*, Montréal. XYZ éditeur, 1995.

— Eh bien, je crois que maintenant on peut songer à dormir, as-tu plaisanté.

J'ai fermé les yeux et enfin, enfin, ta main s'est perdue dans mes mèches folles et, d'un ton tout empêtré, tu as dit :

— Tu as de beaux cheveux.

Tu as continué longtemps, jusqu'à ce que je dorme, moi, l'insomniaque impénitente, d'un sommeil de bébé. Quand je me suis réveillée au matin, j'étais seule dans le salon, une couverture avait été jetée sur moi et j'ai cru comprendre que quelque chose avait commencé.

Ninon

Quatre quarts

C'est Miles Davis interprétant Gershwin qui me réveille en ce beau samedi chômé. Il est treize heures trente. Je bâille en m'étirant comme une minette ronronnante de bonheur et Jean-Marie s'empare d'un de mes seins avec un geste de propriétaire qui m'emplit d'aise. Tête-le tant que tu veux, mon homme, personne n'a envie de te l'enlever. Je joue dans ses cheveux et la fantaisiste sensualité de ses boucles inspire infiniment mes doigts. Ça doit donner un sens de l'humour particulier, d'être frisé. Comment peut-on voir la vie de la même façon que quelqu'un capable de se peigner, je vous le demande?

Dans le couloir, j'entends François se traîner les pieds, et de la cuisine, une voix lancer:

— À qui la première crêpe?

All right! Ce que je choisis bien mes amies! Nous bondissons du lit d'un commun accord, retrouvant Ninon en train de napper ses minces crêpes aux fruits de sirop au chocolat. Tiens, elle a l'air étonnamment de bonne humeur, celle-là. Se serait-il passé quelque chose depuis hier? Tiguidou!

François et moi nous partageons *La Presse* pendant que Jean-Marie bavarde avec Ninon. Ça a quand même ses avantages, la multicolocation! Et puis, nul besoin de dire que ça m'arrange le budget... Zut, il ne faut pas que je pense à ça, ça va me rendre grognon pour la journée.

— Qu'est-ce qu'on fait cet après-midi? demande Ninon.

— J'ai une idée: une lasagne à la Jean-Marie! s'exclame N'Amour.

— Oui! approuve Ninon. Ça fait des mois que je n'ai pas cuisiné pour de vrai.

— Gros projet, soupire François.

— Tu couperas les oignons, ça te donnera un alibi pour te répandre en larmes, émets-je délicatement en repliant le cahier «Arts et spectacles» qui ne parle ni de moi, ni de ce que j'ai dit, ni de ce sur quoi je l'ai dit, ni de ce qu'on a dit au sujet de ce dont je l'avais dit, et qui est donc un tas de papier totalement inutile, quoique recyclable. Ninon et moi allons faire des courses : on a besoin de potins frais... Pis ? dis-je aussitôt qu'on est dehors, friande.

— On devrait commencer par aller à la SAQ.

— Non, je veux dire oui, mais... Tu sais très bien ce que je veux dire ! trépigné-je.

— Eh bien, je l'ai embrassé et il m'a joué dans les cheveux.

— C'est tout ? Et ça te fait cet effet-là ? My ! Ma fille, soit que tu es déjà en amour, soit qu'il était temps que ça t'arrive !

— Tu sais, depuis qu'on reste chez toi, je découvre François et, étonnamment, je m'amuse beaucoup avec lui. Il est si drôle quand il est de bonne humeur.

— Dommage que ça ne lui arrive que huit minutes par trois jours...

— Tu es injuste ! Quand j'arrive tôt l'après-midi, il interrompt ses corrections pour fumer une cigarette avec moi, et on discute de théâtre, des médias... C'est un gars très intelligent, très cultivé, très critique, très...

Je vous ferai remarquer que c'est du taciturne larmoyant qu'on vient de quitter qu'elle parle.

— J'avoue qu'il est attachant. J'ai eu un vieux matou bougonneux, comme ça.

— C'est vrai ! dit Ninon comme une vraie midinette. Cette image lui va très bien !

— Sauf que tu oublies une chose, ma fille. Son ex l'a sacré là. C'était peut-être une salope, ça, on n'en sait rien, mais généralement il n'y a pas de fumée sans feu, chaque torchon trouve sa serviette, et tant va la cruche à l'eau qu'à la fin elle se fait teindre en blonde ! Il n'a peut-être pas de libido, il baise peut-être comme un furoncle, ou alors il ronfle comme un dix tonnes.

— Il ne ronfle pas.

— C'est vrai, il ne ronfle pas. Ou alors, vraiment pas fort. Mais c'est peut-être le genre de gars à être agréable avec l'univers entier et à se transformer en goujat avec sa blonde (il y en a des tas comme ça). Il l'a peut-être lui-même trompée cent cinquante fois, il pue peut-être des pieds...

— Il ne pue pas des pieds.

— Non, il ne pue pas des pieds. Mais je ne sais pas, moi, c'est peut-être un maniaque !

— Oh, Joanna !

— Et puis, il embrasse comment ?

— Oh ! C'était bon !

— Mes aïeules !

— Non, je veux dire que c'était bon d'être embrassée par un homme que je désirais. John me rebutait tellement à la fin avec sa moustache mouillée !

— Quelle horreur ! Rien que d'y penser… C'est fou les aventures dans lesquelles on s'embarque quand le couple devient un impérieux besoin et qu'on se met en tête d'être raisonnables. Ça fait longtemps qu'on est seule, alors on accepte de ne pas tout avoir, quand même, le coup de foudre, c'est beaucoup demander, ne te fie pas aux premières impressions et autres clichés. Là, on rencontre le gars : on s'extasie exagérément sur chaque point commun. Si on n'était pas si obsédée par le désir d'avoir le même homme dans notre lit plus d'une nuit de suite, on verrait tout de suite que la galère dans laquelle on s'engage n'a aucun bon sens. Mais non : la pénurie nous pousse aux pires concessions. On a laissé tomber le chum précédent parce qu'on n'en pouvait plus de se sentir intéressante comme un *Télé-Presse* périmé et voilà qu'on est prête à se conformer à des attentes qui nous ont toujours fait suer. Et puis un jour, on craque dans un grand « De la marde ! Je veux être moi-même ! »

— On a tout ce qu'il faut ? demande Ninon.

— Il ne manque plus que la bière… À partir de ce moment-là, c'est fini, on ne sera plus jamais vierge et innocente. Tous les gars qu'on rencontre se font coller une grille d'analyse dans le front dès le premier soir.

Ça dure six mois ou une nuit, mais plus on vieillit, plus on voit venir les coups d'avance : Possessif ? Next ! Looser ? Dehors ! Coké ? Débarrasse ! Crétin ? Mais qu'est-ce que j'ai ? Mais qu'est-ce qu'ils ont ? Mais qu'est-ce qu'on a ? Et l'étape suivante, c'est la déprime.

— Justement, le trip dont tu parles, j'en sors ! Laisse-moi donc flotter !

— J'y arrive, attends, tu vas me faire rater mon effet. Donc, tu en es rendue à désespérer, tu regardes la trentaine te foncer dessus comme une attaque de varices, tu pestes contre la loi de la gravité, tu t'abonnes à l'institut Lise Watier, quand un jour, traversant l'espace qui te sépare de lui, les cheveux dans le vent, un valeureux prince charmant, blasé comme un héros américain plein de cicatrices, découvre en toi la femme de sa vie et t'attrape par le chignon du cou en éructant : t'es-ta-moé ! « Les femmes préfèrent les Gino… »

— Mais à quoi tu joues ? C'est toi qui me pousses dans les bras de ces gars-là et, après, tu n'arrêtes pas de me mettre en garde contre eux.

— J'ai suffisamment regretté de t'avoir acoquinée avec John ! Je veux te préserver de ce qui pourrait t'arriver avec M. Sourire !

— Ben moi, mon aventure avec John, je ne la regrette pas ! Je suis allée le rejoindre de mon plein gré, et même si ça s'est mal passé, cette histoire-là m'a appris des choses. Et puis, ce n'est pas de tes affaires !

— Oh ! fais-je, blessée.

— Ne le prends pas mal ! Mais si tu veux que je me sente à l'aise chez toi, laisse-moi faire ce que je veux.

— OK, tu as raison, dis-je après avoir encaissé le coup. Je m'excuse.

— Non, ça va. Mais ma vie est plate, Joanna, et mon lit est vide ! Et ce gars-là me plaît... Il est beau, tu ne trouves pas ?

— Il n'est pas mal, mais à part ses inconcevables cravates, son look ne pêche pas spécialement par excès d'originalité.

— J'ai toujours aimé ça, moi, les profs en jeans.

— Hihi ! Ninon, tu es complètement pâmée, je ne t'ai pas vue comme ça depuis des lustres. Ah là là ! Que c'est excitant ! Aïe, ça serait tellement le fun. Tu vois d'ici le trip de couples qu'on se paierait ? Il te faut un plan d'attaque !

— Tu n'avais pas déjà tout planifié ?

— Mais non, que vas-tu penser là ? Seulement la phase un !... J'ai une idée : on va se faire belles pour souper. J'ai un collant en velours un peu trop grand pour moi, ça va te mouler un cul absolument irrésistible. Avec ton col roulé neuf, tu seras superbe. Pour le reste, sois toi-même !

— C'est qui, elle ? gémit Ninon. Il me semble que ça fait tellement longtemps que je ne l'ai pas vue !

On revient en rigolant sous cape comme au temps de nos premiers kiks. Dans la cuisine, N'Amour mène le jeu dans son rôle de grande toque italienne, tandis que François, commis d'office, s'installe avec résignation devant la planche à légumes. Le temps de choisir de la musique, on se met aux ordres du chef.

Le bébé échappé
un conte de Dany Lamont

$\mathfrak{J}$e suis alitée dans ma chambre. Malgré les stores baissés, je vois Sylvain qui joue sur le balcon à lancer notre bébé au-dessus de sa tête. Je lui crie que c'est dangereux de jouer à ça. Il me répond qu'il n'y a pas de danger. Je me lève, mais j'ai encore un gros ventre et j'ai peine à me mouvoir. Je me jette hors du lit et je rampe jusqu'au corridor, mais je réalise pour la première fois qu'il n'y a pas de treizième étage dans cet édifice et que le quatorzième est le treizième depuis toujours. Quand j'arrive au balcon, Sylvain n'y est plus, mais au loin le bébé pleure. Je reviens sur mes pas, je le cherche partout dans le salon sombre jonché de jouets d'enfant, au milieu duquel trône le berceau vide. Je ressors et me penche. Mon bébé est tout en bas, à douze étages de moi, et il pleure. À côté de lui, Sylvain, pleurant aussi, me crie :

— J'ai essayé de l'attraper, je te le jure, mais je n'ai pas été capable, Dany !

— Bonne à rien ! hurle la voix de ma mère derrière moi. Sans-dessein ! Maladroite ! Tu casses toujours tes jouets !

Je me réveille en pleurant et je m'extirpe du lit avec difficulté. Je vomis le peu que j'ai ingurgité dans la journée. Sur le balcon, Sylvain fume. Il dit :

— De toute façon, je n'en voulais pas vraiment, de cet enfant-là.

Je me réveille vraiment, seule parce que Sylvain n'est pas encore rentré.

Lettre que je ne posterai pas
24 au 26 février

Je t'ai observé pendant tout le repas. Tu chipotais dans ton assiette, mâchant longuement chaque bouchée sans appétit. J'ai brusquement réalisé que, tout à ma joie d'avoir quelqu'un dans le cœur, je n'avais pas remarqué qu'à mesure que la journée avançait, tu t'étais assombri.

Et maintenant, tu n'étais plus que retenue. Toute ton énergie allait à comprimer tes émotions pour être le plus hermétique, illisible, inapprochable possible. Je ne comprenais pas comment tu pouvais rester à table, parmi nous, et dégager une telle impression d'absence. Tu n'avais pas dit un mot depuis des heures, mais quand nous sommes passés au salon, la panse gorgée de pâtes et de sauce tomate, tu nous a suivis docilement, sans doute terrorisé à l'idée de te retrouver seul avec toi-même.

Comme d'habitude, nous avons fait la paire sur notre côté du divan, et cette position de facto *m'est apparue à la fois incroyablement confortable et étrange. Nous avons siroté le vin en bavardant sans toi, malheureux magnifique totalement refermé sur toi-même. Ta détresse était si pathétique que même Joanna en a eu pitié, mais tu n'as même pas relevé la tête quand elle t'a adressé la parole. Elle s'est détournée en haussant les épaules. C'est ce moment-là que Jean-Marie a choisi pour intervenir d'un ton sans réplique.*

— Allez, le marmiton, à la plonge ! Et on ne discute pas !

Je t'ai senti te raidir, te laisser pénétrer par le sens des mots avec un lent décalage, et je me suis demandé ce que t'avait brisé cette femme.

Nous avons fait exactement ce que tu souhaitais : nous t'avons ignoré. Quand nous sommes allés nous rasseoir pour écouter des films, tu es parvenu à te recomposer une attitude. Tu t'es accaparé le sac de chips et c'est devenu un jeu de t'en voler. Plus tard, tu as fini par passer quelques commentaires sur le minable film d'horreur que nous avions loué et tu es enfin revenu parmi nous.

Au deuxième long métrage, Joanna et Jean-Marie se sont endormis et tout mon corps t'a appelé. L'idée fixe me démangeait d'aller là où je n'étais encore jamais allée : dans tes bras, dans tes yeux, dans ta tête.

Suspendue par un fil à ta séduction, j'ai tremblé à l'idée de tout gâcher mais j'ai osé te toucher.

Tu ne m'as pas repoussée. Au bout d'un long moment, ta main a rejoint la mienne et tu m'as attirée à toi. J'ai pris place contre ton torse, la tête tournée vers la télé, et j'ai fermé les yeux, infiniment apaisée. Tu m'as relevé la tête et nos bouches se sont jointes jusqu'à la fin du film qui se déroulait pour rien.

Quand la vidéocassette s'est terminée, nous nous embrassions toujours. Joanna et Jean-Marie sont allés se coucher sans passer de commentaires. et alors, tu m'as demandé si je voulais dormir avec toi...

Mémo-frigo

Salut, les amoureux ! On est partis déjeuner au resto, histoire d'évacuer le territoire. Quand vous aurez fini de vous bécoter, si jamais ça vous chante, vous pouvez toujours nous rejoindre au Délicatessen, coin Papineau.
Jojo

... *Je pose un doigt sur ton arcade sourcilière, j'en suis le tracé, je bifurque vers ta tempe où je place un petit baiser appuyé. Mon doigt descend vers ta nuque en suivant la frontière de tes yeux, revient vers ta mâchoire anguleuse qu'il suit jusqu'au menton, descend le long de ta pomme d'Adam jusqu'à ton torse, et ma main plaque un accord sur ton sein plat, dont ma langue effleure le mamelon qui se dresse. Je sais que tu ne dors plus.*

Plus loin, vers le bas de ton tronc, il y a cette toison qui s'épaissit, qui disparaît sous le drap, mais d'abord je veux toucher le velouté de tes biceps, longer tes avant-bras durs pour, à la fin, arrimer ma main à la tienne, relever la tête vers ton regard d'eau et te sourire. Tu me réponds de l'intensité de ton regard.

Mes deux mains, maintenant, furètent en prenant bien leur temps dans le poil de ton bas-ventre, et arrivent au centre de ton corps. Il est là, de l'autre côté du tissu, brûlant, en semi-érection. Je prends ton sexe dans mes mains à travers ton sous-vêtement et le colle à mon visage pour y entendre battre ton sang. J'en embrasse le dessous d'une bouche sèche, presque chaste. Tes deux mains tirent les miennes et me ramènent à ton visage dans un mouvement ondulé, c'est comme si nous nagions dans le lit. Tu me retournes, tu te couches sur moi et tu plonges dans ma bouche. C'est brûlant, plein de clichés, je veux mourir.

Entre mes jambes, mon sexe ouvert a trouvé le tien à travers la soie de tes boxers. Ils s'arrêtent là et s'imbriquent l'un sur l'autre. Ne plus bouger.

Je cale ma tête dans ton épaule et tu l'embrasses. Je suis l'odeur mi-sucrée, mi-poivrée de tes cheveux, ma bouche est derrière ton oreille, tes mains m'enserrent de toutes parts. Il n'y a plus aucun interstice entre mes seins et les tiens, mon ventre et le tien, mon clitoris et ton pénis, à part deux épaisseurs de tissus salutaires pour ce qu'il nous reste de pudeur.

C'est toi qui bouges le premier, qui glisses tes pouces de part et d'autre de mes grandes lèvres et les écartes sous ma petite culotte fleurie, qui me soulèves à portée de ta langue, qui suis du nez le chemin menant à ma vulve, c'est toi qui poses timidement ta bouche sur mon sexe à travers le coton, c'est toi.

À cet instant, j'ai la peur effrayante que tu ne changes d'idée, que ce moment s'arrête là à jamais et que tu me repousses. Je ne veux plus mourir.

Mais tu étires ma culotte imbibée et tu me respires profondément. Moi aussi, je veux jouer avec toi. Je me tortille, rejoins ton sexe, l'extirpe et le goûte. Nos nez, nos cheveux, nos visages dans les reliefs et les creux de l'autre.

Tu bouges de nouveau, je suis ton mouvement et je ne sais pas ce qui arrive du reste de nos vêtements, mais nous voilà nus, nous voilà au moment fatidique où tu es assis sur moi, où tu tends une main vers la table de nuit, où tu saisis ton portefeuille duquel tu tires l'inévitable sachet tout en me dévisageant si intensément que j'ai peur d'être aspirée par ton regard. Tu enfiles le condom sans cesser de me fixer, tu te couches douce-ment sur moi, m'emprisonnes de ton poids et me pénètres sans détacher tes mains de mes épaules, sans quitter mes yeux des yeux, comme si tu connaissais le chemin. « Nous », comme deux morceaux de puzzle.

Tu es au fond de moi. Je ferme les yeux en renversant la tête. J'attends un coup de hanche qui vient, magistral, et qui me renverse. Comment dire que toute ma tête, comment exprimer que ma pensée totale est au fond de mon sexe à te sentir, que je ne suis plus qu'une route aux aguets dans laquelle tu avances, dans laquelle tu te loves, dont tu atteins le fond, de laquelle tu te retires à moitié. Je m'agrippe à ta taille et tu ne remues plus. Puis tu reviens. Je vais crier, je vais t'écraser de mes contractions vagi-nales, ne t'en va plus jamais. Tu recules et t'enfonces à nouveau. Et voilà, c'est parti, tu ne t'arrêtes plus. N'arrête plus. Tu t'arrêtes encore, essouf-flé, pour retenir un peu ton érection. Je rouvre les yeux. Tu les regardes. C'est moi qui suis en toi, François, je vois ton âme, je sais ce qu'il y a dedans.

C'est moi, cette fois, qui bouge les hanches en premier. Et il n'y a plus de mots.

Ninon

Trououlou-oulou ! Trououlou-oulou !

« Bonjour, ici Gontran. Servez-vous un petit café, parce que ça va prendre un petit moment. Pour joindre Joanna, soyez patient et restez en ligne. Pour laisser un message à Jean-Marie, prenez la position du lotus et faites le 1. Ah, c'est à Ninon que vous voulez parler ? Alors c'est sur le 2 qu'il faut appuyer. Votre choix se porte plutôt sur François ? Faites le 3. Bonne journée. »

« Eh, les marraines-fées ! Je crois que ça y est, mais je ne trouve pas Sylvain ! J'ai peur, rappelez-moi vite ! »

À :   Charlotte Durieux
        Charlotte@netplusultra.qc

De :   PatChaillé
        jlimoges@arachophil.qc

Chère,
Dehors, il fait nuit depuis longtemps mais ici, le temps est lent et la crudité de l'éclairage étire le jour. C'est étrange, cette chambrette exiguë où tout est attente et où l'univers intervient par le biais du portable et du téléphone cellulaire ! Dany et son bébé vont bien. Selon le médecin, le travail avance normalement pour un premier accouchement. Le père, arrêté la nuit dernière pour vol avec intention de recel, sera détenu jusqu'à sa comparution devant un juge, ce matin. J'espère qu'il sait que les amies-sœurs de Dany l'accompagnent et qu'elle ne risque rien de plus que s'il était là. Ninon et moi massons Dany, la faisons marcher ou boire, officiant harmonieusement à quatre mains. Quant à Joanna, elle cabotine à chaque accalmie et trouve le moyen, par brefs moments, de potasser ses dossiers de demain, mais elle refuse de céder à sa terreur manifeste. Le personnel soignant, qui jusqu'ici s'était fait discret, commence à transformer la chambre des naissances en salle d'accouchement. Dany, ma petite sœur, sera bientôt à jamais mon aînée !
Je suis contente d'être ici pour cette fête, utile et émue, même si je pense sans cesse à toi et à hier. Je te courrielle pour t'annoncer que je suis heureuse de te connaître et que je t'aime. Le monde a soudain reculé à l'arrière-plan. Je n'abandonnerai jamais mes luttes, mais maintenant je voudrais les mener à tes côtés et partager les tiennes. Je voudrais *faire* avec toi, je rêve d'accomplissements à deux. À demain !
Patsy

> *J'accédais à l'éblouissante conscience de la vie brute, la vie une et seule à travers toutes les formes fragiles,*

assaillies puis rejetées, la vie dépassante, folle, irrespec-
tueuse de toute permanence, fondamentale, ivre [...] et
c'est la terre dont j'étais grosse qui réclamait dans une
incontrôlable exigence, le jaillissement...

ANNIE LECLERC,
Parole de femme

Justice

À huit heures, complètement lessivée, je m'éclipse de la chambre des tortures avec deux cafés pour emporter afin de voler vers d'autres tâches héroïques infiniment plus dans mon rayon. Faire le taxi à l'heure de pointe, ça me convient tout à fait. OUI, BON, désormais, vous le savez, j'ai peur de l'accouchement. Ce n'est qu'une des deux cent cinquante-deux excellentes raisons que j'ai trouvées, à ce jour, pour ne pas avoir d'enfant, mais c'est la championne toutes catégories, je l'admets. Et puis alors ? Il y en a bien qui ont peur de l'échec, du sexe ou des ascenseurs ! Et ne venez pas me dire que je fuis les responsabilités. Si vous saviez le nombre d'irresponsables de ma connaissance qui ont réussi à se cloner !

Quinze minutes plus tard, je débarque au Palais de justice de Laval, où l'avocat de Sylvain a obtenu, étant donné les circonstances, qu'il passe le premier. De l'audience, je lui fais un signe encourageant, mais vingt minutes après, dès que la date de sa comparution a été fixée, je le pousse vers l'auto en le fustigeant.

— Allez, monte, abruti ! On a peut-être une chance d'arriver pour la fin du film !

— Comment ça se déroule ? Comment elle va ?

— Tout est sous contrôle, elle hurlait depuis douze heures quand je suis partie !

— Oh ! Dany ! Ma job ! sanglote-t-il. Qu'est-ce qu'elle va dire ?

— C'était à toi d'y penser avant de voler des colis, le cave ! dis-je, histoire de me venger de la nuit dernière. Je n'ai aucune pitié, si ce n'est pour Dany qui vient probablement de voir la maison de ses rêves s'envoler ! Voilà la Cité de la santé. Je vais me stationner. Allez ! Vite, imbécile, descends et cours ! ET T'ES MIEUX D'ÊTRE UN BON PÈRE !

Il est arrivé juste à temps pour accueillir lui-même sa fille à la seconde où elle s'échappait de sa compagne (en même temps que tout un tas de substances visqueuses) et il a reçu son premier cri sur lui. J'ai fait irruption dans la pièce quarante-deux secondes plus tard, et nous nous sommes tous mis à pleurer en riant, épuisés. Ninon, ensanglantée, a pris le poupon des bras de son père, lui a appris qu'elle s'appelait Anaïs (mmh ! excellent choix) et l'a tendue à Patricia qui a répété son nom. Quand ça a été à mon tour de tenir dans mes bras ma petite filleule par amitié, gluante et glapissante, l'envie de vomir et de sacrer m'a instantanément quittée. J'ai beau dire, je sais très bien que jamais un de mes textes ne vaudra ça. Jamais tout le soin que je mets à être utile à ma société, à transmettre ma culture, ne vaudra ça. C'est évident. Mais — pardon, déesses et saintes de tous les cultes — jamais, je le jure, je ne mettrai d'enfant au monde. Si Jean-Marie tenait à la paternité à tout prix, je devrais le laisser.

Je l'ai soupesée en souriant à ses hurlements stridents (une fois n'est pas coutume, pas question qu'elle en prenne l'habitude !).

— Tu attendais ton papa, Anaïs ? Ne t'en fais pas, ils sont tous comme ça : ils adorent se laisser désirer. Ça va, tu t'en remets ? Parce que ça, ma fille, ce n'était que le début ! Maintenant, en route vers de nouvelles aventures !

Conte de ton premier jour
par Dany Lamont

Tu es arrivée longtemps. J'aurais voulu que tu sois plus pressée de voir le jour, de passer de mon ventre à mes bras. J'avais hâte de te connaître. Mais je n'ai pas eu peur. C'était la première fois, depuis que tu es entrée dans ma vie, que je ne craignais rien pour toi, même si ton père n'était pas là. Tes marraines, elles, y étaient, déjà protectrices et attentives. J'ai su que, si jamais un malheur arrivait à tes parents, elles ne t'abandonneraient jamais.

Je n'ai pas eu vraiment mal, tu sais. C'est difficile à expliquer. C'était douloureux, mais ce n'était qu'un des aspects du travail, pas l'essentiel. Je te sentais chercher la sortie et m'ouvrir pour naître de moi, et j'apprenais à te connaître. À chaque lame de fond, derrière laquelle se profilaient mille autres, je me soulevais en calculant mon souffle, le ventre ponctuellement flagellé de toutes parts par une tempête à laquelle je n'aurais voulu, pour rien au monde, échapper. Puis tu as coulé de moi et c'est ton père, mon compagnon, qui t'a saisie à la porte de mon corps comme dans un mirage, un miracle. La dernière image de cette longue nuit de lutte et la première de ta vie ont été exactement celles dont j'avais rêvé éveillée : nous trois.

Quant à moi, désormais et à jamais, je suis ta mère, et tu es ma fille, Anaïs. Et ça rend ma vie très très importante.

Coloqueries

Chut! Il n'est que six heures trente. Tandis que je sirote mon troisième café en rêvassant devant l'écran, la maisonnée est encore tout endormie, à part le ronron de l'imprimante laser, et je suis de bonne humeur, car j'avais prévu mettre cinq heures à la dernière version de ma chronique et, au bout du compte, ça ne m'en a pris que trois. J'ai donc le temps d'exister un brin avant de sonner le branle-bas, et de me complaire dans une petite minute rare et magique de totale autosatisfaction, ce qui est fort précieux par les temps qui courent (c'est le mot!). Car de l'aube à neuf ou dix heures du soir, six jours et demi sur sept, je bosse, ne m'interrompant qu'une petite heure et demie pour souper et délirer en écoutant *Piment fort* avec ceux qui sont rentrés, comme au bon vieux temps où on lisait le *Croc* en gang. À dix heures, si je n'ai pas de spectacle à couvrir, je me fais les ongles ou les jambes devant le bulletin de nouvelles et puis hop! dodo. Une fois par semaine, je creuse un trou de deux heures dans une case pour aller nager quarante longueurs et le dimanche, je ne mets pas le réveil, mais mon sens du devoir tintinnabule vers dix heures, dix heures et demie. J'ai délégué tout ce qui s'appelle tâches ménagères: Jean-Marie s'occupe du ménage et je laisse Ninon attraper François par le ventre en profitant moi-même éhontément de ses délectables talents de cuisinière. Quant à lui, il fait la vaisselle et prépare les lunchs de tout le monde (rendons à César ce qui lui revient: pour la salade et les sandwichs, il est champion).

Pour tout vous dire, côté travail, malgré la charge de boulot plutôt harassante, je suis tout à fait consciente de traverser une de ces périodes de chance où les offres tombent sur le bureau avec une belle régularité, pleines de défis emballants. Pourvu que la tendance se maintienne (mais on fait tout pour ça).

Il n'y a que le Contrat du Siècle qui me chicote un peu, parce que je trouve que les nouvelles se font un peu attendre. Mais soixante-douze appels plus tard à l'UNEQ, la SARDEC, la SODEC et tutti quantec, je commence à connaître toutes les clauses du parfait contrat type au bas duquel il ne me reste plus (*sic !*) qu'à convaincre le fameux producteur de signer. Et, pour ce faire, à le harceler téléphoniquement. La dernière fois que je lui ai parlé, le bonhomme était passé de trois saisons de trente-neuf demi-heures à une télésérie de quatre épisodes, mon château en Espagne s'était mué en condo rue Papineau et mon année sabbatique en vacances de deux semaines, mais même si ça s'avérait beaucoup moins mirobolant que prévu, je survivrais.

Et puis, si vous saviez comme ça me fait plaisir de voir Ninon amoureuse ! Elle en est au stade de tout échapper et de rire toute seule en épluchant les patates. Quant à François, il oscille entre low et medium (ce qui, pour lui, semble équivaloir au nirvana total de l'humanoïde moyen). J'espère qu'elle ne se laissera pas briser le cœur, cette fois ! Oh, j'ai de gros doutes sur le coefficient de réussite de cette affaire. Sans blague, ils font encore chambre à part les soirs de semaine ! Évidemment, les amours entre colocataires ne sont jamais simples. D'ailleurs, Ninon m'a avoué que ça faisait un peu son affaire : après s'être retrouvée avec son Américain deux malheureux week-ends après l'avoir connu, elle a eu sa leçon. Et puis, l'attente, c'est aussi du désir ! Mais ne dit-on pas que les « deuxièmes », celles qui rescapent un gars après qu'il se soit cassé les dents, paient toujours pour la précédente ? Ça doit venir du Syndrome de l'épaule rembourrée, cette féminine manie de jouer à la mère, à la psychologue ou à l'infirmière. J'admets que ça puisse être fatigant, mais l'homme parfait n'a-t-il pas toujours besoin d'un petit coup de pouce pour réaliser pleinement tout son potentiel ? (Ça va, les gars, arrêtez de protester derrière, ce n'est pas à vous que je parle. Et puis, osez prétendre le contraire.) D'un autre côté, comme la plupart des gars ont la manie de rester célibataires une quarantaine de secondes avant de se rematcher, il faut avoir le grappin rapide et précis !

Remarquez qu'on a aussi nos défauts : quand on s'accroche les pieds dans une peine d'amour, on peut passer des années à errer comme une âme en peine, le poil terne et le toupet bas, et si le suivant a le malheur de se faire attendre, on ratatine comme des poupées en pommes séchées. Heureusement qu'il finit toujours par en passer un !

N'empêche que ça serait drôle si ça marchait !

Allons, allons. Je n'ai plus à intervenir dans cette histoire et c'est parfait comme ça, parce que je n'ai pas une minute à moi. D'ailleurs, il est l'heure du quatrième café et…

Et le disque dur vient de sauter.

COMMENT DÉGRIMPER SA BLONDE DES RIDEAUX
un autre loisir à la Jean-Marie

1. Restez calme.

2. Demandez à votre Joanna chérie ce qui vous vaut l'honneur d'être réveillé par un hurlement dont la tonalité oscille entre celle de l'héroïne de la tragédie grecque et celle de la chatte sur la queue de laquelle on aurait pilé par inadvertance.

3. Devant sa réponse désespérée, allez à la question essentielle : les données perdues :
   a) quantité ;
   b) importance ;
   c) potentiel de remplaçabilité.

4. Évaluez le coefficient de gravité de la situation :
   a) très grave ;
   b) gravissime ;
   c) désespéré.

5. Divisez la réponse de votre hystérique chérie par 2,38 en lui montrant la caisse de disquettes qui trône à ses côtés et en lui rappelant les forêts complètes qu'elle tue avec sa manie d'imprimer la moindre de ses pensées.

6. Proposez des solutions :
   a) Trouver un ordinateur de rechange sur-le-champ (celui de François, peut-être, qui ne l'utilise qu'une quinzaine d'heures par semaine et qui lui permettrait certainement de s'en servir quand il n'en a pas besoin ?).

b) Livrer Saint-Simonac, le disque dur en question, illico presto chez le docteur.

c) Payer le tout avec la MasterCard, qui s'allégeait justement.

d) Prendre un bon café et deux Prozac.

7. Recevez stoïquement un char de marde.

8. Montrez votre impatience et terminez la conversation par un «Qu'est-ce que tu veux que je te dise, tabarnack?», sans quoi on n'en finira jamais.

9. Prenez votre chouchoune désormais sanglotante dans vos bras et assurez-la que vous allez l'aider à restaurer son système, que tout va s'arranger très vite et que oui, vous l'aimez encore.

10. Espérez fortement que ça va s'arranger pour de vrai.

5 avril

Pour une fois, c'est moi qui ai eu une idée brillante et un peu machia-vélique. Quand la pauvre Joanna m'a annoncé qu'elle se retrouvait momentanément privée de « la moitié de son cerveau » (ce sont ses propres mots), je lui ai rappelé qu'une fois la fête des Neiges passée, Jean-Marie se retrouvait chômeur, et je lui ai enjoint de tout lâcher.

— Tu es à bout, Joanna. Quand tu t'arrêtes cinq minutes, c'est pour peinturer. Tes dernières vacances remontent à ton déménagement. La seule fois que tu es sortie de Montréal depuis un an, c'est pour assister à une remise de prix à Québec, et tu as fait l'aller retour le même jour. Paie-toi quatre jours de voyage de noces dans une auberge au milieu de nulle part !

— Et toi, pendant ce temps-là, tu pourrais être seule avec François.

— Ma généreuse amie ! ai-je soufflé en me jetant spontanément dans ses bras. T'ai-je dit merci pour tout ce que tu fais pour moi ?

— Deux mille fois, a-t-elle répondu en me serrant à son tour. Tu as raison. Je n'en peux plus. « Il n'y a plus d'eau dans la guenille », comme ils disent au Lac ! Je serai plus efficace après quelques jours au grand air.

Au souper, écrasée par l'irrémédiable décès de Saint-Simonac, elle a proposé mon programme à Jean-Marie, qui a agréé en notant, mi-figue mi-raisin, que ça faisait un mois qu'il en parlait. Toi, par contre, tu m'as regardée d'un bien drôle d'air et j'ai eu toutes les peines à t'intercepter dans le corridor. Blessée et déçue, j'ai failli te dire d'oublier ça, saisie du nuage glacé qui se dégageait soudain de toi. Mais j'ai songé à Joanna et, en fermant à demi la porte de « notre » chambre, je t'ai proposé d'un ton un peu trop enjoué de liquider le dossier peinture pendant l'absence de nos logeurs, alléguant qu'on leur devait bien ça.

— Oui, bonne idée ! as-tu dit avec un soulagement confondant qui m'a heurtée. J'aurai quelques corrections à terminer, mais à part ça je serai libre.

— Tu me laisses la chambre, ce soir ? J'ai besoin de m'isoler un peu.

Et je t'ai clairement exclu pour la nuit, mais c'est moi qui étais abattue. Je sais qu'elle est parfois entre nous dans le lit, depuis qu'on couche ensemble, et je commence sérieusement à me demander si je ne représente pour toi qu'une baise disponible à domicile. N'es-tu amoureux que du reflet de toi que te retourne mon regard ?

Vendredi, quand Joanna a fini par vider les lieux après nous avoir piqué deux crises pour je ne sais plus quoi, nous nous sommes effondrés dans le divan.

— Bonne chance, Jean-Marie..., as-tu soupiré.

J'ai ri en m'octroyant le droit d'observer ton air anti-poseur, tellement impavide que je pouvais y croire, surtout après ces mots empreints d'humour. Tu as relevé un sourcil faussement étonné, comme si tu découvrais ma présence.

— Viens, as-tu dit en m'ouvrant un bras sans que le reste de ton corps ne bouge, comme si tes autres membres désapprouvaient le geste de ton côté droit.

Contente comme une petite fille, je suis quand même venue me blottir dedans, avide de te toucher. Je me suis lovée dans tes formes que j'ai reconnues et, immédiatement, j'ai eu langoureusement chaud. J'ai aspiré à ta bouche, et tout de suite tu es devenu aussi souple que tu avais été guindé. Mon corps est devenu dense et plein sous tes mains, parfaitement attentif aux milliers de millimètres de peau qui ne touchaient pas encore à la tienne. Il fallait sans cesse diminuer la distance qui nous séparait de NOUS, cet exaspérant espace entre NOUS décuplé à mesure que nos corps se soudaient, sans vêtements, peau à peau, poil à poil, souffle à souffle, l'un dans l'autre, vite !

— Merde, as-tu maugréé, les condoms.

Je me suis redressée, impatiente, songeant que chez Joanna, ils ne devaient jamais être loin, même si elle n'en n'utilisait plus avec Jean-Marie. J'ai su qu'elle avait évidemment pensé à moi, à NOUS. J'ai eu l'idée de plonger la main sous les coussins du fauteuil mangeur d'hommes. J'en ai ressorti un long ruban de sachets, nous avons ri. Tout en déchirant l'enveloppe de plastique, j'ai pris ton sexe dans ma bouche et tu t'es raidi de détente. Tu es venu chercher mes mains, mais j'ai gardé le condom dans la paume, partie intégrante de cette baise merveilleuse avec l'homme que j'aime. Je t'aime. Il faut vite que je te mette cette maudite capote.

Comment dire le reste, comment ne pas parler du reste, de ce dramatique essentiel, toi dans moi, ton sexe aussi déterminé que tu ne l'es pas, ton bassin aussi expressif que ton mutisme se fait entendre, toi, là, ici. Au centre de mon vagin bouillant, je sens ton gland flageller le col de mon utérus, j'en ressens les formes quand mes ovaires repoussés hurlent d'une douce douleur, et mon dos cabré, je suis belle. Je suis effroyablement belle, j'ai peur de tant de beauté parce que je te la dois. En cet instant, si tu t'en vas, je ne retrouverai plus jamais cette beauté que dans les tréfonds de mes souvenirs.

À cette pensée, je retombe non pas sur terre mais dans tes bras, pour profiter de ta présence parce qu'elle est temporelle. Je quitte en pensée les méandres de mon corps pour être là, moi aussi, planète entière dans laquelle tu avances. Tes yeux! Tu es là, dans tes yeux, je ne saurai jamais si ce que j'y lis est réellement vrai, mais je veux croire que oui. C'est meilleur quand j'y crois. Pénètre-moi encore, laisse-moi m'agripper à tes épaules et gravir les irrépressibles falaises que tu fais naître, viens, je le veux, je t'accueille, VIENS!

Oh, déesses et dieux, ces couleurs, ces sons, cette sculpture qui s'érige en moi! Comme je voudrais sentir ton sperme gicler au fond de moi sans peur que tu me donnes la vie ou la mort! Un jour, je le jure, il y aura toi et moi sans latex, nous serons assez longtemps ensemble pour passer les tests et nous faire confiance, un jour, il y aura NOUS. Mais pour l'instant, je peux quand même chanter de l'intensité par laquelle je brûle, te montrer que je t'aime à défaut de te le dire. Jouis en me regardant, François, que je te sache autant ici que moi.

Et il y a cette minute où tu t'apaises au milieu des soubresauts, où nos jouissances et nos émotions redeviennent tolérables. Ta tête dans mon épaule, ma main dans tes cheveux, le condom auquel je veille, le plateau sur lequel j'atterris, trop élevé encore pour que je n'aie plus envie de toi. Encore.

Ton mouvement glissant vers le bas de mon corps m'emplit d'aise. Déjà! Il n'y a même pas eu d'attente, tu as tout compris, et je jouis, je veux dire que je jouis d'être sur le point de le faire. Je m'excuse mais je t'aime. Je ne voulais pas si vite, je voulais nous laisser le temps d'hésiter, de nous protéger, mais il est trop tard, JE T'AIME parce que tout mon corps me le dit, me l'affirme, me le certifie, me l'atteste, me le persiste et me le signifie. Je t'aime, toi et mon odeur, moi et tes lèvres, je t'aime dans moi, oui, tu m'as eue, tu m'as, et je suis désormais à ta merci parce que je ne voudrai plus jamais que tu t'en ailles.

Nous nous sommes retrouvés affalés autour des coussins en bataille et nous avons fumé une délectable cigarette. Après un moment, j'ai attrapé deux bières au vol et nous sommes allés refaire l'amour dans notre chambre. Sans guillemets. À deux pas d'être deux, d'être « nous », peut-être.

Je t'aime et j'en ai si peur. Pourquoi cette peur comme une tache?

Ninon

Carnets de voyage intérieur
7 avril 1996

Ninon, j'ai fini de gravir des montagnes à la recherche d'un aléatoire point de vue sur les choses. J'ai cessé de croire qu'Ailleurs pourrait me livrer les secrets de l'existence, j'ai refermé le livre de ma quête et, désormais, je me contente d'habiter mon propre paysage. J'ai atterri ici, où la forêt est aussi inextricable que la recherche de ma raison de vivre, et sur cette terre riche où j'ai eu le privilège de naître, à défaut de la comprendre, j'aide la vie. J'ai passé la nuit dernière à mettre au monde un poulain malingre et, comme toujours, l'envie désespérante d'être un animal sans conscience m'a serré le cœur.

À mes côtés, dans cette nuit de lutte sanglante d'une espèce pour sa survie, il y avait une femme dénichée ici au fond des bois, comme si elle m'y attendait depuis des temps immémoriaux. Marithé est une vieille âme, et sa sagesse exempte de tout rêve est apaisante. Étrangement, elle me fait penser à toi, quand tu étais plus jeune, avant que ne t'écorche je ne sais quelle tourmente.

Je m'éloigne, Ninon; plus je reste en place et plus je m'en vais. Je n'ai jamais été autant Ailleurs que dans ce lieu qui transcende et inclut tout, de la plus primitive forme de vie à l'immatérialité la plus englobante qui soit. Je ne sais pas si je t'écris pour te demander de me retenir ou t'avertir de mon imminente aspiration par le vide. Toi, le sais-tu?

Marc

8 avril

Le jour, nous bavardions parfois, mais il nous arrivait aussi de partager de longs silences sans malaise. De temps à autre, je t'expliquais comment t'y prendre pour créer, à partir d'une vulgaire couche de peinture, une texture donnant des effets d'eau mouvante ou de profondeur impressionniste, ne me retenant pas toujours de suivre des yeux ou du doigt la courbe de ton dos.

Le soir venu, nous prenions notre douche à tour de rôle et nous nous barricadions dans notre territoire pour fuir l'odeur de peinture. C'est là que, le dernier soir, tu m'as raconté votre rencontre à Kuujjuaq, après ta maîtrise, alors que tu accomplissais un stage d'enseignement et qu'elle coordonnait un projet de coopération pour le ministère des Affaires indiennes. Tu as relaté votre passion commune pour le plein air — le seul loisir praticable dans ce trou perdu — puis votre cohabitation au retour et la métamorphose d'Aline qui s'était tout de suite trouvé une grosse job dans une boîte de relations publiques, avait insisté pour acheter la maison et, peu à peu, avait changé de monde. Puis il y avait eu les soubresauts de plus en plus espacés de votre passion pour le canot-camping où elle redevenait elle-même — ou du moins celle que tu avais connue — et enfin, le début de ta carrière d'enseignant, la charge titanesque de ton nouveau travail, et la trahison que tu n'avais pas vue venir.

— Ma job m'a volé ma vie, as-tu conclu froidement.

J'ai frissonné au ton clinique que tu avais pris pour décrire une réalité aussi pathétique. Puis ça a été mon tour de tenter de résumer quinze ans de vie amoureuse, de justifier les échecs, d'expliquer pourquoi, à vingt-neuf ans, j'étais encore célibataire, de traverser ce rituel obligé de révéler l'essentiel et de camoufler l'indicible, comme chaque fois qu'on se retrouve au seuil d'une nouvelle histoire d'amour. Quand je me suis tue, la gorge nouée, tu m'as doucement attirée à toi. Si nous avions été plus jeunes, naïfs ou sûrs de nous, moins écorchés, la conversation aurait pu bifurquer sur ce que nous attendions d'un compagnon, sur nos rêves ou nos projets, et nous aurions pu nous découvrir des oasis communes. Mais nous n'avions réussi qu'à dénuder les blessures dont nous avions si

peur et si honte, et nous ouvrir davantage n'aurait pu que nous heurter.
Mais après tout, je ne suis pas si pressée de tout savoir de toi.

Tu as tiré les couvertures pour que nous nous glissions en dessous. Tu
m'as prise dans tes bras, tu t'es accroché à moi à m'étouffer et tu m'as
tenue comme ça jusqu'au matin.

Pourquoi cette nuit sans baise m'a-t-elle tant émue ?

Ninon

La craque

Vous revenez d'un congé reposant, certes, mais bien trop court. Vous vous accrochez un faux sourire qui ne trompe pas votre N'Amour chéri, lui qui s'est tant efforcé de vous distraire de votre lourde fatigue. En un éclair, la peur aussi soudaine que vertigineuse vous prend qu'il se lasse de votre stress et vous délaisse pour une autre femme, plus libre et plus détendue.

Vous vous remplissez les bras de bagages, histoire de ne faire qu'un voyage, et vous sentez avec écœurement le poids de vos tâches vous alourdir de nouveau. Vous ouvrez la porte de votre escalier et vous cliquez la lumière. Pendant un instant, vous avez la bizarre impression de vous être trompée d'adresse. Mais non, c'est bien chez vous. Chez vous où de petits lutins ont grossièrement peint les murs tangerine en laissant dégouliner des coulisses de vert pâle et foncé du haut de la cage d'escalier, motif vertical parsemé çà et là de fleurs de bain en caoutchouc rose au pistil jaune vif.

Vous pénétrez dans le corridor blanc orangé, où de fausses boiseries arborent les mêmes tons de vert que l'escalier, au bout duquel votre salon vous attend, stores, rideaux, housses, bibelots installés, disposés de la meilleure façon qui soit, parfum de pétales de fleurs séchées en sus. Vous souriez à l'ange qui vous attend dans le salon avec un air coquin de joueur de tours. La porte de la salle de bains s'ouvre derrière vous et votre meilleure amie en sort sans se presser, nue et superbe, les seins fiers et les épaules redressées. Le souvenir fugace d'une aube d'incendie vous traverse l'esprit, et vous riez quand votre chum la suit des yeux, incrédule et bandé, alors qu'elle referme la porte de la chambrette.

— On est allés chercher ton nouvel ordinateur, aussi.

— Oh ! François ! Ninon !

C'est là que vous avez l'idée stupide d'aller voir votre nouvel outil de travail. Vos yeux tombent tout de suite sur un fax qui a roulé par terre, et votre instinct vous dit d'attendre à demain pour le ramasser. Mais vous passez outre, par habitude, par appréhension, et vous croyez déjà savoir à quel refus final vous attendre quand vous reconnaissez le logo de la maison de production dont vous attendiez une réponse, parce que, traditionnellement, les bonnes nouvelles arrivent par téléphone et les mauvaises par écrit. C'est pourquoi vous ne comprenez pas en lisant qu'on n'a jamais entendu parler dudit projet à propos duquel vous aviez laissé un message jeudi dernier, que l'employé qui prétendait vous l'avoir commandé ne travaille plus pour la compagnie et que, de toute façon, il n'a jamais été dans son mandat de prendre contact avec des scénaristes. Vous comprenez que vous avez été flouée, qu'au mieux tout tombe à l'eau, et qu'au pire vous vous êtes fait voler comme une débutante, que vous n'avez plus qu'à vous démener comme une folle pour récupérer votre bien, que ça vous coûtera une fortune en frais d'avocat et des heures en tractations échevelées, et que c'est la goutte qui fait déborder la coupe. Vous vous affaissez sur le sol où vos amis vous trouvent, répandant silencieusement des torrents de larmes impuissantes.

Les composantes d'un récit

présenté par François Tourangeau, chargé de cours

(J'arrive dans la classe vide dix minutes à l'avance, les bras chargés de mon matériel puisque je me passe désormais de bureau pour ne pas avoir à rencontrer mes collègues. J'actionne l'interrupteur et la lumière des néons envahit la pièce aux murs abîmés. Gaby-les-boules arrive, les seins hauts et la lippe faussement boudeuse. Elle me sourit sous son toupet trop long et je grogne un bonjour repoussoir sans la regarder. Elle ne s'en formalise pas et s'approche pour me poser une question futile, en prenant bien soin de placer ses seins à la portée de mes coudes. J'ai une soudaine vision de moi la saisissant par les bras, la collant brutalement au tableau, relevant sa jupe trop courte pour la mettre, pour la sauter, pour me venger d'elle sur cette sale petite Lolita aussi pute que toutes les autres osties de femmes de la planète !

Sidéré par la violence de mes pensées, mais conscient que pas un pli de mon visage n'a frémi, je m'excuse et je ressors glacé de sueur, pour me réfugier aux toilettes. Je m'asperge le visage et je m'essuie avec une serviette de papier. En relevant les yeux, je croise dans le miroir le regard glauque de Jonathan-le-poteux, dont le sourire vagal découvre la dentition irrégulière.)

— Hein, dis-moé pas que l'prof est su'un lendemain lui avec !

— Je te paie un café si tu m'en rapportes un.

— Ouin, mais barre pas 'a porte, là, si chu en retard de ta faute !

(À mon retour, il est huit heures pile et je commence mon cours devant un auditoire généralement somnolent, affalé derrière les tables trop petites. J'inscris au tableau :)

Les composantes d'un récit

— Un **récit**, c'est un ensemble d'événements intégrés à l'unité d'une action. Il y a donc une **histoire** qu'on suit du début à la fin, agrémentée d'informations contextuelles et de chair autour de l'os central, disons. Si l'intention de l'auteur est de faire rire, le **ton** de ce récit sera **humoristique**, mais la même anecdote pourrait emprunter le ton **pathétique**. Mais, surtout, un récit est la relation de faits réels et/ou imaginaires, relaté par un **narrateur** chargé d'organiser ce récit de façon que son **intention** atteigne son but par le biais de divers **procédés stylistiques**. Merci, Jonathan, dis-je à celui-ci quand il me tend mon café en se traînant les pieds.

— Chouchou, téteux ! se moque Tétreault du fond de la classe.

— Voyons donc en détail les composantes du récit. Commençons par...

Le personnage

Pour le lectorat, les informations sur celui-ci émanent de quatre sources :

• **Les informations du narrateur sur le personnage :** «Georges était un con», nous dit-il (sourires goguenards).

• **Les informations des autres personnages sur le personnage en question :** «Ce qu'il est con, Georges», disait tout le monde.

• **Les renseignements qu'il déduit des actions et du comportement du personnage :** «La blonde de Georges le trompait depuis six mois et il ne l'avait pas encore compris», nous raconte le narrateur.

(Je les regarde se tordre de rire, maintenant tout à fait éveillés, et j'ai un demi-sourire, car il est vrai que, présentée ainsi, cette anecdote vécue est drôle, et que rire est bon. Je me souviens que j'ai déjà eu envie de rire, que je me suis déjà tordu de mal de ventre avec Jean-Marie, et même parfois avec elle, au début, et je suis jaloux de leur jeunesse, de leur insouciance facile et de leur relative ignorance de l'échec. Je me sens vieux, blasé, blessé et fini.)

• Et en dernier lieu, **les informations que le narrateur transmet au lecteur par le biais du personnage lui-même :** «Me douter de quelque chose ?» disait Georges quand on l'interrogeait. «Mais que voulez-vous dire ?»... Vous comprenez l'idée ?

— Oui, hihi ! hulule Gaby, redevenue ce qu'elle est vraiment, une petite fille de dix-sept ans, infiniment plus sensuelle quand elle laisse transparaître son adolescence que quand elle prend ses airs maladroits de femme fatale.

(Je me vois la prendre sur mes genoux tandis qu'elle met sa tête sur mon épaule pour écouter la suite de mes histoires, comme les enfants que je n'aurai pas parce que je n'aimerai plus jamais une femme de toute ma vie.)

— Ton personnage, il est épais dans le plus mince, soutient Karl. Il ne s'aperçoit de rien ?

(Non. C'est un cocu, un imbécile heureux qui aimait sa blonde, alors il ne s'en méfiait pas. Il la *trustait*, comprends-tu ?)

— C'est au **narrateur** d'orienter l'histoire de manière qu'on sache comment la lire. Tout est une question de **point de vue**, de **focalisation**. Si Georges est un **narrateur-héros**, il se présentera comme un homme meurtri ou comme la victime d'une conspiration. Le **narrataire** sera alors invité par mille et une techniques d'écriture à ressentir de l'empathie pour lui et les lecteurs seront plus à même de juger de ses actes.

(Et de sa honte. Et de sa peine. Comme dans une bande dessinée aux cases irrégulières et aux angles fous, je me vois attendre dans un corridor d'hôpital en compagnie de l'homme qui a fait de moi un cocu et d'un notaire chargé de prélever l'ADN du bébé pour déterminer qui en est le géniteur, brossé comme un héros floué, passant soit pour un salaud, soit pour un imbécile, perdant de toute façon. Dans la dernière case apparaît en gros plan le visage angélique du bébé qui n'a rien demandé, mais que je veux ne jamais aimer.)

— D'autre part, si le narrateur est **omniscient**, ou s'il y en a plusieurs, la profusion de points de vue nous permettra de nous faire une idée plus générale du personnage — même si on peut ainsi largement biaiser la vision du narrataire.

Par ailleurs, l'histoire pourrait aussi être racontée par son meilleur ami, et alors le récit serait plein de tendresse. Si elle l'était plutôt par la fille avec qui il sort depuis, mais qui n'est rien qu'une « amante transitionnelle »...

— Une fuck-friend, tu veux dire ? Rhin-rhin-rhin ! rigole Jonathan sans se soucier des regards écœurés que lui jette le reste de la classe.

— ... le protagoniste serait probablement présenté comme un beau salaud qui abuse d'elle. Il s'agirait dans ces deux exemples d'un **je-témoin**.

(Et je comprends à rebours le sens des paroles que je viens de proférer. Dans toute cette histoire, c'est la femme transitionnelle qui a raison et Ninon mérite mieux que d'être la fille avec qui je couche. Cette constatation m'emplit de malaise et me soulage à la fois. J'abrège la suite et je quitte rapidement la pièce, pour aller faire mal une ultime fois à cette femme que je ne peux pas aimer parce qu'elle est une femme. Il faut que je *cancelle* la relation.)

Hommage aux pigistes

Nous sommes les trapézistes sans filet des compressions, les rescapés misérables des conventions à doubles échelons, la chair à saucisse du néolibéralisme, le paillasson de l'économie et le pivot central des nouvelles lois du marché. Nous sommes les 0,75 des deux ou trois jobs que l'informatisation a permis d'éliminer, la génération de l'éternelle formation, les livreurs de pizza de notre profession (et de quelques autres vite apprises). Nous faisons des miracles tous les jours, nous éteignons des feux à cœur de semaine et notre curriculum vitæ est un éternel work in progress.

Et en plus, on aime ça.

Oui, j'aime ne pas connaître mon avenir après l'année prochaine. J'aime les détours passionnants que les aléas du métier et les premières nécessités font emprunter à ma carrière. J'aime apprendre et m'ouvrir l'esprit, j'aime le défi de la nouveauté, j'aime repousser les limites de mes compétences et de ma fatigue, j'aime tester mes capacités intellectuelles et être fière de la qualité croissante des produits finis que je rends. J'aime les offres aussi périlleuses que surprenantes, les joyeux appels impromptus qui font bifurquer ma journée, ma semaine et parfois ma vie. J'aime l'excitation d'un rush, la fébrilité d'une veille de deadline, la frénésie des heures de tombée et, oui, je suis bien quand j'ai trop d'ouvrage. J'aime qu'un projet ait une fin, qu'un contrat ait un but, qu'ils s'enchevêtrent et se succèdent, j'aime même qu'ils se fassent attendre, parfois ; j'aime la pige.

Mais monter des projets pour rien, me faire commander du matériel pour voir la commande annulée quand je livre le tout, m'engueuler pour qu'on me paie mon dû, me faire demander des résultats impossibles et me faire foutre à la porte quand je n'y arrive effectivement pas, ne pas avoir le moindre droit de rappel, la moindre marge d'erreur, la plus petite protection légale, la plus lilliputienne norme de travail respectée, j'haïs ça, par exemple ! Et voir disparaître mes employeurs éventuels avec le produit que je leur ai fourni, ça, jamais je ne l'accepterai !

Alors, avis à tous : je n'ai pas encore d'excellent avocat, mais ça doit se trouver ; et, à défaut, je me servirai de ma grande gueule, eh oui, encore elle, pour salir votre réputation autant que vous avez abusé de moi.

Alors, vous allez opérer et me renvoyer ce texte, ou bien je me fâche. Et ce n'est pas une menace : c'est une promesse.

BOGGLE SUR NAPPE

J AI TROUVE UN COLOC

JE DEMENAGE SAM DI

FRANK

Lettre que je ne posterai pas
18 avril

J'ai failli rêver que tu me demandais si je voulais vivre avec toi. Je me suis presque raconté que la situation ferait les larrons. Je me suis quasiment laissée aller à rêver que nous marchions dans les rues à la recherche d'une maison où nous essayerions de nous aimer. J'ai été à un pas de nous voir dans notre cuisine pleine de plantes, un matin de semaine merveilleusement quotidien, où tu m'embrasserais en me disant « Darling, be home soon », *comme dans la chanson de Joe Cocker.*

Tu as dû m'entendre rêver, car tu as tué l'embryon de ce rêve aujourd'hui, avec ces cubes de bois froids que tu as amalgamés en message sur la table, et que j'ai trouvés en rentrant ce soir. Je te hais, oh, si tu savais comme je te méprise de ne pas avoir eu le courage de me le dire de vive voix ! Je suis sidérée, humiliée par la lâcheté et la brutalité de cet avertissement lancé à tous autant qu'à moi, qui me signifie que je ne suis rien de plus qu'une femme ayant partagé tes nuits pour te permettre d'en oublier une autre.

Je me sens tellement rien !

Ninon

Chapitre 6

Seconds débuts

L'Agenda selon Joanna Limoges
Trentième printemps

7 h : Faire taire ce son.

7 h 1 : Sentir des mains m'écarter les cuisses et me retourner délicatement, chevaucher mon homme dans la continuité du mouvement et me bercer sur lui.

7 h 9 : Faire taire ce son.

7 h 11 : Pour que ma conscience ne me ramène pas trop vite à la réalité de ma vie en forme de problèmes à régler, imprégner à nos corps le rythme que j'entends dans ma tête, et me répandre en oh !, en ah ! et en oui oui oui.

7 h 18 : Jouir en même temps que Jean-Marie, au moment exact où l'animateur-radio clame « *Good morning !* ».

7 h 20 : Rire tandis que mon chum fredonne la douce rengaine qu'on souhaite toutes vraie : « C'est à trente ans que les femmes sont belles... »

7 h 25 : Décréter, à la vue de la superbe brunette se trémoussant dans le miroir, que Jean-Pierre Ferland a tout à fait raison, mais que, par ailleurs, il faudrait veiller au grain parce que la suite de la chanson spécifie bien « qu'après, ça dépend d'elles » — et aussi un peu de la vie, non ?

8 h : Planifier les trente prochaines années, en y incluant le déménagement de Ninon dans l'appartement d'à côté, celui de Patricia avec Charlotte le mois prochain, et la pendaison de ma crémaillère le 24 juin.

24 juin 1996

Des murs blancs sur lesquels une lampe torchère à halogène dessine des faisceaux de lumière roses et bleutés. Un store vénitien entrouvert sur l'été. Une télé, un magnétoscope et une chaîne stéréo neufs posés à même le sol. Un futon nu devant lequel un miroir me renvoie une nouvelle image de moi dans un décor vide comme une page blanche. Ma vie à reconstruire.

Dans les deux chambres, dont l'une est aménagée pour y travailler, quelques boîtes encore à trier. J'ai déjà jeté beaucoup de choses et je sais que je me débarrasserai encore de bien des objets abîmés que je ne veux plus voir traîner dans ma vie. Il s'agit désormais de m'en créer une nouvelle, à même ce dépouillement blanc rappelant les appartements japonais.

Tant pis pour la nostalgie. J'accepte enfin de m'ennuyer à jamais de quelque chose qui n'est plus, qui ne peut plus être, et de recommencer, avec ma sagesse déçue et le poids de toutes mes blessures. J'accepte le reflet de cette célibataire sans enfant ni famille — ou peu s'en faut —, cette belle trentenaire aux formes sensuelles, quasi dévêtue de sa mince camisole et d'un short lâche qui laisse voir son nombril. Moi, à trente ans, dans la mode de maintenant.

Ce soir, il y aura deux mois que nous ne nous sommes ni vus ni parlé, et tu seras là. Tu n'auras donné aucune nouvelle depuis que nous t'avons aidé à déménager dans ce superbe logement du boulevard Saint-Joseph, déjà occupé par un séduisant colocataire avec lequel Joanna ne cesse de vouloir m'accoupler, puisque, selon elle, le dossier François est clos ; et je n'aurai reçu aucune réponse à l'unique message que je t'aurai laissé. Tu seras aussi mal à l'aise que moi, tout à fait conscient que je sais, par le biais de Jean-Marie, que tu attends la naissance du bébé d'Aline avec appréhension, et qu'au lieu de reprendre du poil de la bête, tu t'enfonces de plus en plus dans tes idées noires. Et je saurai aussi que tu n'ignores pas, à cause de Joanna, que j'ai emménagé à la mi-juin à côté de chez eux.

Quand je te verrai arriver du haut de la terrasse, je te tournerai le dos le temps de me composer une attitude, mais je ne saurai laquelle adopter. Je sentirai sur moi non seulement le regard inquiet de Joanna, mais aussi tous les autres qui se détourneront pour ne pas nous gêner.

À l'issue d'un long slalom, après avoir reconnu quelques personnes d'une bonne humeur forcée, tu finiras par arriver en face de moi. Tu me salueras sans me sourire, en plongeant ton regard gris au fond du mien, et je croirai y déceler une nuance que j'ai déjà vue, à certains moments où je te savais là. Tu te pencheras pour m'embrasser sur les joues et tu chercheras subtilement le coin de mes lèvres, par deux fois. Tout mon corps reconnaîtra ton parfum, l'odeur de ta bouche, il aspirera férocement à s'y couler et cela me dardera au cœur de devoir le retenir (pourquoi?). Tu te redresseras sans quitter mes yeux et tu enchaîneras d'un « ça va? » emprunté mais joyeux. Les mots entre tes lèvres, mais j'aurai perdu le son, tes yeux, mais je chercherai mon air.

Une exclamation hilare de Joanna nous fera nous retourner vers les noceurs rassemblés dans la cour du centre d'entraide haïtien, et nous sourirons à la vue des petits garçons vêtus de velours, gênés par leur jabot de soie, et des petites filles empêtrées dans leurs jupes de dentelle, courant et lançant des exclamations d'un vrai bel accent québécois mâtiné de créole. Je regarderai voler au vent le fleurdelisé que Joanna a mis en berne à la balustrade et j'aurai une seconde d'infinie tristesse, mais mon regard reviendra au tien et je te sourirai de toute ma douceur réveillée. Tu quitteras enfin mes yeux pour jeter un œil à ma peau dorée par l'été, à ma nuque dégagée par un chignon lâche où perlera un peu de sueur, et je me sentirai désirable.

Puis il y aura toute cette fin de journée à catiner Anaïs, à faire la connaissance de gens que je ne reverrai probablement jamais, à te croiser de loin, à feindre le rire et l'intérêt en ne pensant qu'à mon désir de toi, que rien n'a remplacé. Toi, l'incomplet qui me complète. Pourquoi cette crainte folle d'être repoussée à cause de ce qu'en cet instant j'ai de plus beau : mon désir de toi ? Pourquoi ne pas céder à l'envie de croire que tu es venu pour me revoir ?

Et beaucoup plus tard, dans la nuit, il y aura ce moment où tu seras à portée de ma main, et où, n'y tenant plus, j'aurai le geste ouvert et terrorisé de maladresse de t'effleurer comme un signal, auquel ta bouche dans mes cheveux répondra : « Il faut partir d'ici. »

Ninon

Un an plus tard
à Port-au-Prince-en-Montréal

A) La peinture est finie.

B) Les planchers sont vernis.

C) Coqui et ses copines semblent définitivement disparues de ma vie.

D) Je suis en quasi-vacances pour trois grosses semaines.

E) Jamais plus, JE LE JURE, je ne prononcerai le mot « rénovation » devant vous. (Du moins en ce qui me concerne, parce que ce serait bien à mon tour d'aider la nouvelle voisine, quoiqu'elle risque fort de se débrouiller toute seule.)

Ben oui, quel merveilleux zazard que l'ancienne (voisine), pas tout à fait décidée à s'en aller, se soit exaspérée d'entendre ses voisins à elle pratiquer soudainement des gammes, des arpèges et du Bartók soixante-huit heures par semaine, et qu'elle libère abruptement le spacieux quatre-pièces d'à côté, n'est-ce pas ?

Mais n'allez surtout pas croire que tout ce qui arrivera désormais est de ma faute ! Je ne voulais pas que Jean-Marie invite François, ce soir. Tant qu'à moi, il aurait bien pu disparaître de ma biographie, ce pas fin-là. Mais comme il a eu vent du party à cause de Jérémie, son coloc, que j'y avais étourdiment convié, ça avait l'air ben bête de lui refermer la porte au nez, d'autant plus que toute la ville y était la bienvenue. Karma !

Et moi ? Oh, ça va. Ce n'est pas précisément la grosse joie sale, mais j'ai pris la résolution de cesser de m'énerver et de me contenter d'une job et demie jusqu'au mois de septembre, histoire de prendre mes journées de congé en même temps que Jean-Marie, pour faire changement. C'est bien mon tour. Cet été, je pense à moi et je chouchoute mon chum dans le beau grand six et demi de mes rêves réalisés !

Il y a du beau monde, hein ? La concentration de filles, dans les escaliers, c'est la bande à Patricia. Les deux motards rigolos avec qui François bavarde, ce sont de vieux amis de N'Amour, du temps de son DEC au cégep de Thetford Mines. Les demi-dieux qui ne communiquent qu'entre eux, là-bas, ce sont des collègues à lui. La fille aux yeux glauques et à la face aplatie, pas très jolie, sur qui il est possible que j'échappe accidentellement un verre, un peu plus tard dans la soirée ? Oh, c'est Barbara. Et le méchant pétard, dans le salon, qui détermine dans quel ordre il va baiser le harem émoustillé qui l'entoure, c'est Jérémie. Anaïs ? C'est dommage, vous l'avez manquée, elle a décidé d'emmener ses parents souper.

Écoutez, j'ai à faire. Faites le tour, servez-vous, vautrez-vous en cachette dans les pointes de sandwichs pas de croûte, crousez tous les gars sauf François et N'Amour (que j'en voie une ! ou un !). Bref, faites comme chez vous. On se revoit tantôt.

Bonne Saint-Jean !

Lettre que je ne posterai pas
25 juin

Là-bas, à l'extérieur des murs de ma maison, les invités rient, crient, discutent, chantent, dansent, boivent, fument, mangent, jouent, mentent, draguent, mais n'ébranlent pas les limites de mon territoire.

Tu es entré chez moi comme si tu y étais déjà venu et tu as verrouillé la porte. Dans ma chambre, tu as sorti ton portefeuille de ta poche ; mais avant de le déposer sur la table de chevet, tu en as extirpé un papier bleu que tu as laissé déplié, bien en vue. Sans mot dire, j'en ai retiré un identique de mon sac à main, au même diagnostic négatif, que j'ai déposé à côté du tien.

Notre première baise sans condom.

Sourires. Urgente lenteur, soudain. Tu te dévêts à moitié et t'étires sur le lit, pieds et torse nus comme dans une annonce de jeans. Mon regard fait des projets pour mes mains, le tien dresse l'inventaire de ce qu'il te faudra m'arracher, pour que ta peau contre la mienne. Il faut tout enlever, la montre, les bijoux, le fichu dans les cheveux, pour que ta peau contre la mienne.

Mon short est sur le plancher et moi sur toi. Tu es brûlant et je frissonne. Dans une fraction de seconde, nous serons là où nous ne sommes jamais allés, sans peur et sans peau entre nous. Ton bras gauche ne me quittera pas pour se tendre vers la table de nuit, je ne t'enfilerai pas l'intrus avec mille agréments pour rendre l'odieux obligatoire acceptable, tu vas venir nu en moi et je vais m'ouvrir comme une étoile de mer, pantelante et impudique.

Je te souris. Tu me souris aussi. Bienvenue tout entier, ta peau, ma peau, mon sucre, ton pouls que je sens battre, brûlure. Me voilà moi. Je savais que ce serait ici que je me retrouverais.

Nous, dans la plus totale promiscuité d'une confiance suprême et inquiétante, toi dans moi, je dans tu et mon regard planté dans le tien, nous. Moi qui happe l'air à la recherche de mon souffle, toi qui m'enserres à m'étouffer, moi qui te serre à t'écraser, toi qui me pénètres à me défoncer, tous les autres effacés, ceux là-bas exclus, ceux de mon passé rayés, celle d'avant vaincue.

Je t'aime, et je voudrais te le dire. Tu m'aimes, et tu ne me le diras pas.

Jouissons plutôt, puisque nous sommes vivants.

Ninon

Ne touchez pas à mes Laurentides !

Rouler la nuit,
entre deux murs de sapins vert-de-gris,
rouler la nuit…
La pédale te mène par le bout du pied ;
la ligne blanche te mène par le bout du nez.
Laisse-la te mener…

ROBERT LÉGER ET PIERRE HUET
(BEAU DOMMAGE),
Rouler la nuit…

— J'ai toujours trouvé cette rime-là douteuse, pas vous ? dit Patricia en gigotant sur la banquette arrière de la voiture.

— Il faudrait demander à Beau Dommage l'exacte connotation suggérée, répond Jean-Marie.

— Ça me rappelle la fois où j'avais remis un compte rendu à propos d'un poème d'Anne Hébert, dans lequel j'avais analysé toutes les «consommes nasales» et les «consommes liquides» du texte ! Le prof m'avait suggéré une petite désintox dans son commentaire !… rigolé-je en changeant de vitesse.

Les Laurentides sont au Québec ce que le Plateau Mont-Royal est à Montréal. Mais une fois dépassé le gros logo à la porte d'entrée, à partir de la première montagne contournée, qu'il est beau, mon pays ! Et comme ils ont travaillé fort, ceux qui l'ont construit !

— Et puis, demande Ninon à Patricia, votre nouvel appartement ?

— J'ai jeté presque toutes mes affaires et je me suis installée dans celles de Charlotte. J'ai l'impression d'avoir changé de classe sociale ! pouffe Patricia. La seule chose que j'ai exigée, c'est de trouver un logement que j'étais capable de payer à moitié, ce qui n'a pas été de la tarte. Finalement, c'est par le biais d'une amie qu'on a réussi à trouver un beau petit cinq et demi sur la rue Fabre, propre, fonctionnel et pas trop cher, avec chacune une chambre à soi.

— Évidemment. Ah ! Vous autres et votre réseau…

— Pour le reste, forcément, à moins de mener une vie de moniales, il arrivera sûrement que Charlotte contribue un peu plus que moi aux dépenses. Mais enfin, je ne vais pas la repousser parce que sa situation est plus aisée que la mienne ! Le pire, c'est qu'on a le même âge. Mais Charlotte est entrée à Hydro-Québec à dix-sept ans pour un été, et elle n'en est jamais repartie. Elle a terminé toutes ses études à l'éducation des adultes.

— Arrête, tu vas me donner la nausée. Ça ne te rend pas malade de jalousie ?

— Si Charlotte n'avait pas profité du confort de sa sécurité d'emploi pour faire avancer la cause des femmes dans les métiers non traditionnels, et celle des travailleurs et travailleuses en général par le biais de son implication syndicale, j'avoue que j'aurais un conflit éthique à son sujet. Mais elle est formidable : je l'ai conscientisée à la disparité générationnelle des conditions de travail entre les employés et employées temporaires et leurs collègues permanents et permanentes. En septembre, elle compte soumettre cette problématique à son syndicat afin que des prises de position soient énoncées à ce sujet.

— Mes aïeules, quel courage ! Elle n'a pas peur de se faire lyncher ?

— C'est ça, le militantisme social ! Il faut bien que quelqu'un aille au front !

— Ça va, on le sait qu'on vous doit la vie, les garderies et les meilleurs hamburgers en ville… Et côté travail ?

— J'ai de bons pronostics d'emploi pour septembre : l'avènement d'Internet suscite forcément de grands besoins d'implantation de sites, de pages web, tout ça, et comme je me débrouille pas trop mal dans ce domaine, j'ai offert mes services à tous les groupes socio-communautaires où j'ai œuvré.

— Aussi bien dire la moitié de la ville, quoi !

— Bref, conclut-elle modestement, ça va bien.

— Alors, tu es heureuse ? la questionné-je impérieusement.

— Heu… La société est encore injuste, bien des luttes restent à mener…

— Dis-le, Patricia. Que je te l'entende prononcer, une fois.

— Je suis heureuse, profère-t-elle après un court silence. Oui, je crois que je peux le dire.

— Yeaaah ! J'aurai tout vu et je peux mourir l'âme en paix !

— Arrête, je vais bougonner, blague-t-elle avec un sourire coquin.

— Tu sais que tu es plus belle que je ne t'ai jamais vue ?

— Ça va, n'en mets pas plus que la cliente en demande !

— C'est vrai, approuve Ninon.

— De toute façon, ce n'est pas difficile, c'est la première fois que je te vois avec une coupe de cheveux !

— Et toi, Ninon, ton nouvel appartement ?

— C'est si ensoleillé que j'ai l'impression que les murs sont transparents !

— Sans compter les caméras cachées que j'ai installées pour écornifler !

» Bien sûr, c'est une blague (comme si on en doutait). J'ai promis de me mêler de mes affaires, et j'y arriverai. Mais si. Mais si, je vous dis !

— Tu me trouves sans doute sauvage, depuis que je vous ai quittés, pas vrai ? J'avais si hâte d'être chez moi, après tous ces mois de quasi-nomadisme !

— Je comprends bien ça. Et puis, tu sais très bien que tu ne nous as jamais dérangés, mais c'est quand même plaisant de découvrir notre intimité à nous, n'est-ce pas, N'Amour ? dis-je à celui-ci, qui me caresse le bras en silence.

— Il a le pompon bien bas, lui, aujourd'hui. Ça ne va pas ? s'informe Patricia.

— Si, si, c'est juste que quand je travaille aussi intensément qu'en ce moment, je n'ai plus tellement d'énergie pour me pitcher partout après l'ouvrage.

— Tu es installée ? s'enquiert encore Patricia à Ninon.

— Oui et non. J'ai tout peint en ultrablanc et j'ai attendu le camion d'Ikea, alors ça n'a pas traîné ; mais je n'ai pas vraiment décoré.

— Tout ce qui manque, en fait, c'est le Suédois du catalogue !

— Je m'en passerai pour l'instant.

— Elle pis son François… Son coloc est bien plus beau.

— Son coloc a couché avec la moitié du Plateau Mont-Royal, qui avait elle-même couché avec l'autre moitié, et je n'y toucherais pas même en scaphandre.

Évidemment, ça se défend. Quand est-ce que je quitte la grand-route ?

— Au fait, qu'est-ce qui arrive avec ce François ?

— À la Saint-Jean, nous avons fait l'amour.

Et ça a été merveilleux, évidemment. Ah ! c'est ici que je tourne à droite.

— C'était merveilleux. Vous ne pouvez pas imaginer la chaleur de ce gars-là.

— Non, je ne peux pas !

Le lendemain, bien sûr, il s'est confessé au passé et s'est justifié à l'avance pour l'ensemble de son œuvre ; comme ça, à l'avenir, il pourra lui faire n'importe quelle vacherie sans qu'elle puisse lui reprocher quoi que ce soit… Voici la boîte aux lettres bleue ; on est sur la bonne route.

— Après, nous avons beaucoup parlé. Il s'est excusé de sa disparition momentanée. Depuis, on s'est revus, mais il ne se sent pas capable de s'engager dans une nouvelle relation pour l'instant. Pourtant, il a l'air de tenir à moi. Ça me déçoit, mais je comprends que sa situation ne soit pas simple.

— Ah, la police d'assurance habituelle: «Ne me demande rien et prends le peu que j'ai à te donner en attendant que j'aie mieux à faire!»

— Tu as raison en partie, Jojo, intervient Jean-Marie, mais en disant ça, François a voulu faire preuve d'honnêteté. Les gars savent qu'en amour les filles ne voient pas les choses de la même façon qu'eux. Bien sûr, il y a des femmes qui se tapent des one night stand sans aucune intention de poursuivre une relation par après. Mais pour qu'une femme se rende volontairement jusque dans le lit d'un gars, il y a presque toujours «un petit quelque chose» de plus que la simple envie de se soulager sexuellement — sinon, pourquoi choisir celui-là? C'est pour ça que les hommes sont généralement plus possessifs que les filles. C'est injuste, mais les hommes ont une vision spatiale, territoriale de la conquête amoureuse, alors que les filles ont plutôt une perception temporelle de la vie — à cause de votre cycle mensuel de rinçage, je suppose.

— Et aussi des archétypes de contes de fées au foyer, entre autres, approuve (à ma grande surprise) Patricia. C'est vrai que c'est dur à gober, mais à ce stade de notre belle histoire postmoderne, on ne peut pas nier que les hommes et les femmes aient des points de vue différents, même si on peut se quereller longtemps sur les nuances de ces visions du monde!

— En amour, je donne ce que j'ai envie de recevoir, poursuit Ninon. Et je veux que mon amant soit aussi — soit d'abord — mon ami.

— C'est la définition d'un compagnon, non?

— J'ai peur que ça tourne mal avec François; je ne peux pas me le cacher. Et si ça arrive, je vais sûrement me traiter d'idiote; mais ce que je lui donne, j'en suis fière. Quand je pense à moi, là-dedans — en dehors de lui, je veux dire — je me trouve bonne, généreuse, compréhensive et belle. C'est très valorisant.

— Mais qu'y a-t-il de si compliqué? insiste Patricia.

— François attend la naissance du bébé de son ex pour savoir s'il en est le père, explique Jean-Marie. C'est ce qui va déterminer s'il devra payer une pension alimentaire… ou un bon avocat!

— Mais c'est une prise d'otage! s'écrie Pat. Un détournement de paternité!

— Oui et non, nuance Jean-Marie. Même s'il ne le souhaite pas, François ne dédaignerait pas de savoir qu'il a un enfant, évidemment!

— Ils ne connaissent pas ça, les contraceptifs, ces gens-là?

— Tu sais, la roulette russe de la contraception douce… Mais tu t'imagines le paquet de troubles, Ninon, s'il se retrouve avec un enfant dans ce contexte-là?

— Toi pis tes scénarios apocalyptiques ! On n'en est pas là.

— Non, mais tu vas peut-être avoir de la peine !

— Depuis quand penses-tu à l'échec avant de t'embarquer, toi ?

— Depuis que je me suis plantée, soufflé-je, brusquement très triste.

— Oh, Joanna, excuse-moi, c'était indélicat de ma part.

— Ne t'en fais pas avec ça, dis-je en essayant de me détendre.

— Oh ! Toujours pas de nouvelles du Contrat du Siècle ? demande Patricia.

— Je risque de ne pas en avoir avant des mois. Mais il paraît que j'ai le meilleur avocat spécialisé en droits d'auteur. Je le souhaite, parce que, autrement, je ne sais absolument pas quoi faire d'autre…

Il faut pas que j'y pense, il faut pas que j'y pense, il faut pas que j'y pense.

— Parlant de contrat, m'interrompt N'Amour, tu te souviens, Ninon, de la costumière à qui je t'ai présentée à la Saint-Jean ? Elle cherche de l'aide pour la conception des costumes d'un opéra rock, prochainement.

— Ça serait super ! balbutie Ninon. Il y a si longtemps que je n'ai pas touché au travail d'arrière-scène !

— Les bonnes nouvelles, c'est comme les bad lucks, ironisé-je tristement, ça arrive toujours par boîtes de douze.

— Et la petite famille ? demande encore Patricia. Qu'est-ce qui arrive à Sylvain ?

— Son syndicat a obtenu que sa suspension soit différée jusqu'à son jugement. Cout'donc, on arrive-tu ? J'ai l'impression d'être tombée dans *Twilight Zone*.

Devant nous, la route ne cesse de grimper et de rétrécir, envahie par l'herbe et les branches (sans parler de la brume qui s'empare soudain de l'horizon).

— Un chevreuil ! s'écrie Jean-Marie en pointant droit devant nous.

— Tant que ce n'est pas un ovni ! éructé-je en freinant comme une désespérée (ce qui, à quinze kilomètres-heure, n'est pas un défi insurmontable).

— Dis bonjour, Rossinante, murmuré-je, tandis que le cervidé la renifle.

L'animal saute le fossé d'un bond aussi puissant que gracieux et disparaît parmi les arbres. Ça, ça vous met dans l'atmosphère ! On se remet en route sans un mot, attentifs au silence qui nous entoure. Vingt minutes après, je m'engage sur un sentier moelleux et nous traversons la brume comme des explorateurs dans la forêt vierge pour rejoindre notre hôte sur le perron. Première constatation : l'apparence de la maison ne s'améliore pas. Seconde constatation : il y a une femme avec lui. Tiens, c'est nouveau, ça…

— Non, ça date de l'automne dernier, si c'est toujours la même, précise Ninon.

— Tu es Joanna, profère la femme en me regardant comme si elle savait que je ne porte pas de petite culotte sous mon short. Toi, tu es Ninon, et toi Patricia. Marc m'a beaucoup parlé de vous. Je suis Marithé.

Elle tend la main au-dessus de ma tête pour me tâter l'aura. Figée de surprise, je jette un œil à Ninon, qui m'ordonne du regard de ne pas céder au fou rire.

— Tu es amoureuse, me dit-elle, tu es pleine de lumière.

Puis c'est au tour des autres, qu'elle effleure les yeux fermés.

— Jean-Marie, quelles belles vibrations ! Patricia, quelle densité ! Quant à toi, Ninon, tu es bleue, d'un bleu très foncé. Ce n'est pas mauvais, mais il te faut chercher la lumière, te tourner vers la lumière, aller vers la lumière...

— Allumer la lumière, peut-être, qu'on décharge la voiture ? dis-je, goguenarde.

— Oh ! dit-elle en retirant sa main comme si elle venait de se brûler. (Ça y est, j'ai dû rompre son fluide. Désolée.) Je... J'ai vu quelque chose. Je vous tirerai aux cartes, cette nuit. Nous saurons.

C'est ça, c'est ça. En attendant, est-ce qu'on peut entrer ?

— Bienvenue dans cette demeure, profère-t-elle cérémonieusement.

Je me demande un instant si elle va épousseter le paillasson ou nous démagnétiser, mais non. Elle nous ouvre simplement la porte en disant :

— Vite, les maringouins !

Bon ! Enfin un peu de banalité concrète ! Marc, qui n'a pas dit UN mot depuis qu'on est arrivés, nous demande finalement si on a fait bonne route, si on a eu de la misère à monter la dernière côte et autres formalités d'usage campagnard. Si Marithé n'arrêtait pas de scruter Ninon comme si elle avait des tentacules et des antennes, tout aurait l'air presque normal.

La piaule est un ancien camp de chasse, composé d'un petit dortoir, d'une cuisine où un frigidaire horizontal ordonne de boire Coca-Cola, une table, quatre chaises, une berceuse en babiche, un évier muni d'une pompe à bras, deux ronds de poêle alimentés au gaz propane et un vieux divan effiloché à côté du four à bois. Et, rassurez-vous, il y a de l'eau chaude dans les chiottes.

Malgré la nouvelle présence féminine, marquée par les rideaux de coton à carreaux, la nappe de plastique fleurie et les pots de confitures Mason, il se dégage du tout une atmosphère éminemment virile. Chaque fois que j'arrive ici à la noirceur, j'ai l'impression que quatre gars en chemise de chasse vont débarquer avec une caisse de Dow en lâchant des gros sacres.

— Tu les sens, toi aussi, n'est-ce pas ? me demande Marithé, souriante. Ils ne sont pas méchants. Ils venaient ici tous les ans ; ils ont connu beaucoup de joie en ces lieux. Ils sont morts noyés, un automne.

— Tu vois ça dans le bois de chauffage ? dis-je en retirant mes lunettes pour me frotter l'os du nez.

— Mais non, je suis née au village, tout le monde connaît cette histoire.

Elle a un rire cristallin qui me fait filer cheap. J'ai été bête, je suis fatiguée.

— Mais moi, ajoute-t-elle, je les sens.

Je pense que j'ai besoin d'une bonne bière.

Comme s'il lisait dans mes pensées (Aïe, ça va faire ! Sortez de mon cerveau !), Jean-Marie déchire le carton et m'en tend une.

— Marc et moi sommes bien ensemble parce que nous aimons le silence vivant, achève-t-elle négligemment. C'est pourquoi nous vivons dans la forêt.

Ce « nous » que Ninon et moi encaissons comme une offense. Marithé vient subtilement de nous signifier que nous ne sommes plus chez nous chez Marc, nous, les amies indulgentes et serviables, les éternelles amantes de passage, les logeuses généreuses et complaisantes. Patricia, sensible à la fragilité de l'atmosphère, détourne le sujet sur les sorcières à travers les temps, la sororité ancestrale, la matière de Bretagne et je ne sais plus quoi, car je n'écoute plus.

Comme elles sont tristes, les amitiés sexuelles, quand elles meurent au pilori du nouvel amour. Ce n'est pas la première fois que je vis cela, mais cela me blesse terriblement, comme toujours. Faire l'amour avec un homme, c'est lui voler un morceau d'âme, c'est voir l'intime vérité, l'origine de toutes ses laideurs et de toutes ses beautés, et parfois, c'est l'aider à devenir ce qu'il sera (quoique, dans le cas qui nous occupe, je décline toute responsabilité : le résultat n'est pas de ma faute).

Eh bien, Marc, mon petit révolté gâté pourri par la vie, beau comme un cœur et égoïste comme un gosse de riche, mon cher petit Marc dont je sais tout, j'ai des nouvelles : je ne me suis jamais laissé traiter en ancienne maîtresse, et ce n'est pas avec toi que je vais commencer. Tiens-toi-le pour dit. Que tu le veuilles ou pas, je suis ton ex pour le reste de ta vie. Et si tu n'es plus le mien, moi, je suis encore ton amie.

N'Amour sort avec Marc pour monter la tente sur l'à-plat, à côté de la maison. Excusez-nous de ne pas vous aider, les gars, mais vous comprendrez que les ex de M. Marc Auger doivent faire passer le test à la nouvelle venue, histoire de savoir à qui elles ont affaire exactement.

Le questionnaire subtil

QUESTION	(ENTRE VOUS ET MOI)	RÉPONSE
Comment as-tu rencontré Marc ?	Question introductive apparemment anodine qui, en fait, nous intéresse au plus haut point.	Il a soigné mon cheval.
Ah, tu as un cheval ?	Ah, elle a du cash, elle ?	Non, je suis des cours d'équitation à l'écurie.
Comme ça, tu es née dans le coin ? Chanceuse !	Jouons la citadine ébahie, ça permet au monde de la campagne d'exprimer, soit : a) un complexe de supériorité ; b) le contraire.	Oui, mes parents avaient un commerce à quelques milles de Nominingue. L'été, on venait au lac. Mais je n'ai pas toujours habité la campagne. J'ai beaucoup voyagé.
Eh bien, Marc et toi avez là un gros point en commun !	Je le connais depuis plus longtemps que toi, OK ?	Oh ! Je ne suis pas une si grande nomade. Je me suis contentée des Amériques.
Et toi, tu réussis à gagner ta vie dans le coin ?	Documentaire sur le chômage en région.	J'ai une librairie ésotérique au village.
Une librairie ésotérique au village.	Une librairie ésotérique au village.	Une librairie ésotérique au village.
Et, heu... Les affaires vont bien ?	!	L'été, ça marche pas mal. Bien sûr, si je n'avais que ce revenu-là, ce ne serait pas suffisant, mais je tire aussi aux cartes, je fais des cartes du ciel, et je suis guérisseuse.
Comme c'est intéressant !	De plus en plus surréel.	Et puis, la maison m'appartient, j'ai un grand jardin et je ne dépense pas beaucoup.
Vivre à la campagne coûte moins cher.	Tut ! Pénalité pour cliché !	(Sourire mi-extatique, mi-schizophrénique.)
Un	ange	passe...
Les filles,	dites	quelque chose...

QUESTION	(ENTRE VOUS ET MOI)	RÉPONSE
«Où as-tu voyagé?» demande Ninon.	Ouan?	J'ai enseigné le français au Chili, au Yukon, à Sept-Îles…
Tu es restée longtemps à l'étranger?	Quel âge elle a?	Quand mes parents ont pris leur retraite, le plus jeune et moi sommes allés vivre dans une commune pendant trois ans, à L'Assomption. Puis je suis descendue à Montréal pour faire mon bac en enseignement et, de là, je suis partie cinq ans au Chili.
Qu'est-ce qui t'a décidée à revenir?	Disons +/-dix-huit ans au départ + trois ans de commune, + trois ou quatre d'université, + cinq au Chili, + x voyages…	Je suis revenue pour que ma fille naisse au Québec.
Ah, tu as des enfants?	+ un bébé multiplié par x années… (niveau de complexité de la situation?)	Une fille, Marie-Belle. Elle a douze ans. L'hiver, elle vit chez son père, à Outremont.
Elle n'est pas ici ce soir?	Marie-Belle! Pauvre enfant!	Elle passe le week-end chez sa cousine, à l'autre bout du lac.
Mais tu as fait des tas de choses! Quel âge as-tu donc?	D'après moi, elle a au moins quarante ans.	Quarante-cinq ans.
Tu ne les fais vraiment pas!	Tiens, une babyboomer.	Oh, ça a si peu d'importance. Les racines poussent à mesure que le temps passe.
Vieux proverbe chinois?	Vieux proverbe chinois?	Tu poses beaucoup de questions. Est-ce que c'est pour éviter qu'on te les retourne?
(Ce qui précède étant une excellente remarque, je suis momentanément bouchée.)	Mais qu'est-ce que Marc peut bien foutre avec une extraterrestre pareille?	Silence goguenard tout à fait à propos. Merci sainte Mélusine, c'est le moment que choisissent les gars pour revenir de la nuit blanche et irréelle avec le sac de la SAQ et la boîte de bouffe, qu'en invités polis, nous avons apportés.

19 juillet

Après le souper, Marithé a allumé une chandelle et écarté les verres de vin, puis elle a religieusement sorti un tarot de Marseille du tiroir de la table. Immédiatement, le silence a changé de couleur et l'impression que les ectoplasmes sortaient des murs m'a fait dresser les poils sur les bras. Pour je ne sais quelle raison, la pluie qui s'était mise à tomber, la profondeur de la forêt autour de nous, l'histoire qu'elle nous avait racontée, nous nous sommes sentis aux aguets. Marithé m'a indiqué comment poser une question aux cartes puis les mêler sans les battre, et m'en a fait tirer quatre qu'elle a réparties en croix. Après avoir effectué un calcul, elle en a tiré une autre et a commenté le tout.

— ... Une chose est sûre, ça ne marchera pas du premier coup. Tu vois l'amoureux ? Il hésite et te souhaite, mais les événements ne seront pas rapides, et l'issue t'appartient encore. Tu comprends ce que les cartes veulent te dire ?

En effet, à condition de vouloir croire au spiritisme, j'avais compris dans ses termes vagues que François se ferait attendre et que la réalisation de mes rêves était entre mes mains si j'étais prête à l'aider à trouver le chemin qui menait à moi. Indolente, je me suis un peu désintéressée des bonnes nouvelles qu'elle promettait maintenant à Patricia et je me suis perdue dans la contemplation des lieux. C'est là que je l'ai vu, que j'ai cru le voir. L'ai-je bien vu ?

C'est lui qui avait tiré le premier, ratant de peu l'orignal qui, furieux et apeuré, avait fait chavirer le premier canot. À cet endroit du lac, l'enchevêtrement des branchages affleurant à la surface rendait la rive inabordable et la nage impossible. Il s'était profondément entaillé les cuisses et les bras aux troncs acérés avant de s'y empaler. Il s'appelait Roland.

Devant lui, le jeune Arthur junior, qui ne savait pas nager, s'était mis à patauger dans un grand fracas d'eau et de pagaies. Son oncle Armand était tombé à son tour en essayant de le secourir, pendant que le bon vieux Georges tentait de tuer la bête folle de rage qui s'acharnait contre ses amis. Mais l'orignal s'était retourné contre lui et il avait échappé sa carabine.

Aucun ne portait de gilet de sauvetage. La lutte contre l'eau glaciale et le monstre déchaîné avait duré longtemps, des heures, peut-être. Roland, mort le premier, avait attendu ses chums. Quand les trois autres âmes avaient rejoint la sienne, elles n'avaient pu suivre la mince lumière qui émanait du ciel plombé. Morfondus de culpabilité les uns envers les autres et damnés par les veuves et les mères éplorées, ils étaient restés en bas, entre gars, fantômes fêtards et espiègles comme de leur vivant.

Derrière moi, j'ai senti Armand me « squeezer les ouïes » dans le cou et j'ai sursauté violemment, ce qui a fait crier Joanna de surprise. La chandelle s'est éteinte brusquement et la pluie a redoublé de fureur. En tâtonnant pour trouver le briquet, Jean-Marie a renversé la chandelle qui a roulé sous le divan. S'en est suivi un brouhaha confus. Quand la lumière est revenue, les ombres avaient disparu et les cartes avaient été dispersées sur le plancher. En se penchant pour les ramasser, Marithé s'est figée, les yeux vitreux comme des miroirs pervers, et j'y ai vu ce que ses mots décrivaient.

— De l'eau, balbutiait-elle. Des trombes d'eau. Des maisons noyées, des routes emportées, des pans de villes arrachés.

Enfin, elle s'est éteinte comme l'avait fait la chandelle et a soupiré calmement.

— Décidément, les esprits sont trop agités pour laisser les fées guider les cartes. Nous essaierons une autre fois.

Marc, toujours silencieux, a été chercher sa vieille guitare, sur laquelle il a plaqué des accords simples et connus. Je me suis soudain ennuyée du personnage errant dont j'avais été l'unique correspondante et dont je pouvais au moins suivre les mouvances sur une mappemonde. J'avais l'impression de le voir pâlir et disparaître avec sa nouvelle compagne dans un flou mystique que je ne lui connaissais pas. Je me suis sentie éjectée de son orbite, comme une planète trop stable qu'on a abondamment explorée. J'ai eu peur d'avoir échappé notre amitié maille par maille, au fil du temps que nous avons passé loin l'un de l'autre. Peut-être n'avons-nous plus rien à nous dire ?

J'ai tiré mon cahier de mon sac et je me suis appuyée à son dos comme je le faisais au temps des camps de vacances. Sans cesser de jouer, il a frotté l'arrière de sa tête à la mienne pour me souhaiter la bienvenue dans sa bulle, et je me suis mise à écrire.

J'ai hâte à demain. Tu arriveras vers le début de l'après-midi. Tu accepteras la bière que je te tendrai et nous bavarderons assis sur la table à pique-nique branlante. Tu t'enquerras de mes vacances et je déciderai que c'est une manière de dire que tu m'inclus dans les projets de ton été.

Après t'avoir aidé à monter ta tente, je te proposerai une promenade sous la pluie et nous marcherons le long de la rive jusqu'à une grosse roche plate. Le vent sera acide et nous nous fabriquerons une espèce d'abri avec nos cirés, d'où nous admirerons le lac brumeux. Il sera infiniment facile de baisser nos pantalons et de nous joindre par le bassin, l'espace d'un coït impatient. Mais quand la pluie cessera momentanément, nous retournerons au camp, où l'atmosphère aura changé. Jean-Marie proposera une partie de volley-ball, mais c'est dans « une game de couple » que nous nous retrouverons, un de ces jeux revanchards et intimes où qui perd gagne. Cela m'agacera prodigieusement. Je n'aurai pas envie de me mêler de ça et, après le souper, nous irons très tôt faire l'amour dans ta tente.

Au matin, tu allumeras la radio de ta voiture, le temps de ranger tes bagages dans le coffre, et c'est ainsi que nous apprendrons le déluge qui vient de dévaster le Saguenay. Je me souviendrai brusquement du délire de Marithé et j'en aurai des frissons. Nous passerons le reste de la matinée autour des autos, à écouter les bulletins d'informations alarmistes. Tu me demanderas abruptement :

— Tu reviens avec moi ?

Je ne pourrai pas m'empêcher de voir plus d'un sens à cette phrase, mais je tâcherai de modérer mon sourire et je me retrouverai comme par magie dans l'habitacle confortable et bien équipé de ta compacte. Je m'amuserai un moment avec ta trousse de rasage et de soins personnels, avec le porte-verre, les cartes routières, les cassettes à portée de la main et toutes sortes d'autres gadgets, d'autocollants, de menues traces d'autres « trips de char ». Puis, les jambes légèrement écartées pour que ta main droite puisse s'y glisser à ta guise et s'en retirer rapidement pour effectuer une manœuvre, j'observerai paresseusement ton visage m'apparaissant en avant-plan des petits villages parsemés le long de notre route comme pour l'agrémenter.

Quand nous arriverons chez toi, Jérémie, égal à lui-même, cuisinera des grillades sur le barbecue pour sa conquête de la semaine, une beauté blonde somptueusement dénudée. Nous souperons avec eux avant de monter sur le toit et nous ferons l'amour sous le dôme étoilé de la ville, puis nous nous endormirons nus à ciel ouvert dans la relative fraîcheur de la nuit, jusqu'à ce que l'heure de pointe nous chasse à l'intérieur de la maison. Lundi, après un déjeuner au resto, tu viendras me reconduire chez moi, où je relirai ceci avec stupéfaction en me demandant comment il se fait que ce soir, je connaissais le passé et l'avenir.

Ninon

Jésus était-il vraiment Capricorne ?

J'ai rêvé que j'étais chez nous et que la rue Bélanger s'était éteinte : toutes les autos étaient pétrifiées en plein mouvement et il n'y avait plus de son. C'est ce silence qui m'a réveillée.

Zut, il pleut. Et il a l'air de venter, en plus. Déjà qu'hier ce n'était pas bien chaud... Tant pis, je ne me rendormirai pas. Tâchons de traverser l'usine à maringouins qui me sépare de la cuisine sans perdre trop de litres de sang... Où sont mes !@#$ % ? &* de lunettes ?

Dans le shack m'attend l'homme de la maison, qui me sert un café de cow-boy à manger à la fourchette. Miam !

— Marithé n'est pas là ?

— La librairie est ouverte, le samedi, et les jours de pluie, ça marche très fort.

Marc n'étant pas particulièrement loquace, je ne vais pas me forcer à lui faire la conversation ; mais avec un café pareil, l'aiguille de gramophone avec laquelle j'ai été vaccinée contre l'ennui ne mettra pas de temps à fonctionner.

— Comme ça, te voilà avec une blonde.

— Si on veut. Nous avons tous deux besoin de beaucoup d'air... Dany viendra ?

— Avec ce temps, j'en doute. Tu as su, pour l'arrestation de Sylvain ?

— Oui. Il a toujours aimé jouer avec la limite de la légalité.

— Je sais bien, mais il avait obtenu son pardon, il y a quelques années, pour ses fredaines de jeunesse, et ça ne passe qu'une fois, cette affaire-là. Maintenant, il aura un casier pour de bon.

— Je n'ai pas encore vu leur bébé.

— Oh, pour l'instant, c'est surtout un tube digestif avec une entrée et une sortie.

— Sacrée Joanna ! s'esclaffe-t-il. Ça ne s'arrange pas, les enfants et toi, hein ?

— Disons que je les préfère à partir de l'âge où la majeure partie des gens a envie d'appeler la DPJ à la rescousse, tsé !

Je m'arrête, parce qu'un ange passe. Un vrai ange, celui de l'enfant que je n'ai pas eu, dont Marc était le géniteur. La pensée fugitive que j'ai toujours repoussée avec une fermeté transie, celle de songer, au fil des ans, à la personnalité de cet enfant qui n'aurait pu être qu'au prix de tous mes rêves et de mon identité même, m'assène une violence profonde. Il ou elle aurait eu à peu près neuf ans maintenant. Mon regard plonge dans celui de Marc, qui a l'air grave. Il avait été très correct, cette fois-là. Il avait agi en véritable ami. Il m'avait laissée pleurer dans ses bras longtemps, avant et après. Il m'avait accompagnée à la clinique. Même s'il était soulagé de mon choix irrévocable, il était conscient du fait que ma peine n'en était pas moins viscérale. Dans les semaines qui avaient suivi, il m'avait souvent appelée de Québec pour prendre de mes nouvelles, mais nous n'y avions plus jamais fait allusion jusqu'à ce que l'ange ne passe entre nous aujourd'hui. Nous nous sourions tendrement.

— Ouf ! L'air est dense, dans la région. Je commence à comprendre pourquoi ta blonde est aussi… heu… spirituelle, disons !

— Si je ne tente pas de m'élever vers le haut, je vais être grugé vivant par le bas.

— Quoi ? Qu'est-ce que tu as dit ?

— Rien, rien. Un autre café ?

— Mets-en ! Sérieusement, tu as un urgent besoin d'urbanité, toi !

— Surtout pas ! D'ailleurs, je ne suis plus capable de repartir.

— Allons, tu as parfois voyagé comme un misérable ! Rappelle-toi la fois où, en arrivant au Nigeria, tu avais renvoyé tes vêtements occidentaux par la poste ! Ta grand-mère avait failli mettre la GRC à tes trousses !

— Ce n'est pas une question d'argent. Je ne suis plus capable de franchir une frontière. Crisse, j'ai de la misère à sortir de Nominingue ! D'ailleurs, c'est fou, je suis en train de perdre les quatre ou cinq langues que je connaissais !

— Mais… Pourquoi ?

— J'avais dix-huit ans en 1980, j'en ai eu trente-trois l'an dernier. Les années de mes forces vives ont été encadrées par les deux défaites référendaires. Demande-toi pas pourquoi les Québécois de ma génération sont des Peter Pan inconstants ! Par deux fois, on a essayé de redresser la tête et on a été dépossédés de tout pouvoir sur notre destinée nationale !

— Où t'étais, toi, pendant les années noires de l'après-référendum de 1980 ? dis-je, impatiente. Ailleurs. Et maintenant, tu es au fond des bois. As-tu œuvré pour l'indépendance ? As-tu fait du porte-à-porte, as-tu pris la parole ? Non !

— Il y avait un pays devant nous, et maintenant il n'en reste qu'un rêve, derrière, ânonne-t-il, les yeux vitreux. J'ai été longtemps ailleurs, mais de quoi ? Et maintenant, je suis dedans, mais il n'y a plus d'ici ! Qui on est, nous ?

— Mais c'est malsain au boutte, ton affaire ! Ton ermitage tourne à l'agoraphobie !

— Je ne sais pas, dit-il en se mettant à pleurer.

— Moi aussi, la défaite m'a profondément blessée, dis-je en l'enlaçant étroitement pour le réconforter. Mais il est bon, parfois, de mettre les rêves en jachère, le temps de les laisser germer et grandir sous la terre afin qu'ils repoussent plus forts, nécessairement différents de ce dont on les avait rêvés. Il reste notre langue à défendre, notre culture à affirmer, comme on l'a toujours fait ! Et puis, il faut bien continuer à vivre ! Il y a beaucoup de choses perfectibles sur terre, beaucoup d'autres quêtes pour donner un sens à nos vies. Regarde les femmes, les gais, les pacifistes : tous ont leur cause ou leurs bonnes œuvres. Toi, par exemple, tu sais soigner les animaux et tu as la chance de t'occuper des représentants de la plus belle espèce ; c'est une noble activité ! Tu te verrais, teindre des caniches de fantaisie dans une clinique de la Rive-Sud ?

Malgré lui, il grimace comiquement. En me détachant pour lui sourire, j'aperçois le regard neutre de mon chum par le carreau. Hon... Ce n'est pas grave, mais j'aurais préféré que ça n'arrive pas.

— Voilà les autres. Tu refais du café ?

COMMENT FAIRE CHIER VOTRE BLONDE,
JUSTE POUR LE PLAISIR DE LA CHOSE
un autre jeu enlevant à la Jean-Marie

But du jeu

N'est-ce pas un humoriste qui disait que, dans un couple, pour que ce soit vivable, il faut que le gars alterne quatre affaires fines avec une affaire plate, sans quoi la fille le tiendra pour acquis ? Par exemple : une partie de broute-minou, une batche de vaisselle, un baiser passionné devant tout le monde, un « je t'aime » en fromage sur la pizza, une bitcherie à propos d'un bourrelet ; etc. Partant de ce principe, le but du jeu est de protéger votre intégrité en remettant votre blonde à sa place, c'est-à-dire à l'extérieur de votre espace vital.

Matériel requis

- Un week-end chez ses amis, où vous êtes venu sans enthousiasme.
- Un certain nombre d'objets d'agacement accumulé au fil de l'année, dont le coup du pichet de sangria renversé sur la tête de votre collègue Barbara.
- Un prétexte totalement anodin se présentant par pur hasard.
- Une accalmie entre deux ondées.
- Un ballon et un filet de volley-ball.
- Un terrain assez grand pour la fuir quand elle sera légèrement furieuse.
- Un abri sec où vous réfugier quand elle sera au bord du meurtre.
- Un petit coin sauvage où la baiser pour tout vous faire pardonner.

Préparation du jeu

En entrant dans le shack où votre petite chérie fuit votre regard, faites semblant de faire semblant de rien en l'ignorant souverainement, et complimentez son amie Ninon sur ses trente ans, qu'elle ne fait donc pas, de façon extrêmement appuyée. Fuyez vous aussi le regard interloqué de votre blonde et engagez une conversation éminemment virile avec son maudit fou de meilleur ami en lui tournant systématiquement le dos. Sortez du shack aussitôt que vous entendez arriver la voiture de François en entraînant Ninon par la main, les épaules, peu importe pourvu que vous la touchiez de manière très caressante.

Début de la partie

Calculez le taux d'insécurité de Joanna au nombre de gaffes qu'elle se met à commettre (et auxquelles vous réagirez avec une sèche impatience). La troisième fois qu'elle se cogne à un meuble, brise un verre ou rate un gag, la partie peut commencer.

Comment jouer

PREMIÈRE MANCHE

Au moment jugé opportun, laissez François avec sa maîtresse, contournez Joanna et allez longuement chier avec deux ou trois vieux journaux dénichés près du poêle à bois. En ressortant enfin, constatez guillerettement qu'il ne pleut plus et proposez l'activité que votre blonde haït le plus au monde : le sport.

Installation de l'aire de jeu

Prenez votre temps. Disparaissez occasionnellement de son champ de vision pendant de longs quarts d'heure angoissants.

DEUXIÈME MANCHE

Jouez contre elle. Soyez particulièrement habile et chien : prenez toujours soin d'envoyer le ballon *presque* à sa portée. Riez de chacune de ses bévues en recherchant la connivence des autres. Quand elle est suffisamment essoufflée, changez d'équipe et ne lui laissez plus une occasion de toucher le ballon.

Riez encore.

Aussitôt que l'occasion se présente, faites-la trébucher de manière qu'elle s'étende de tout son long dans la boue grasse. Annoncez une baignade, malgré le froid de canard et la pluie glacée qui recommence à tomber. Devant les protestations fort légitimes de vos amis, regardez votre blonde chérie dans les yeux pour la première fois de la journée et prononcez la formule magique :

— T'es pas *game*.

Dévêtez-vous en jurant que vous allez vous saucer tout de suite après elle, rétractez-vous aussitôt qu'elle aura plongé et rejoignez rapidement l'abri repéré plus tôt. Votre chum finira bien par venir vous ravitailler en bière, en pot et en Muskol.

TROISIÈME ROUND

Réapparaissez comme si de rien n'était une grosse heure plus tard. Boudez. Cassez le party. Gâchez-lui sa fin de semaine. Après le souper, faites un signe entendu à François et sortez fumer un joint avec lui en parlant d'autre chose. Ne rentrez pas en même temps que lui. Joanna devrait être cuite à point au maximum vingt minutes plus tard.

Ne répondez pas quand elle vous appellera du perron et laissez-la vous chercher un peu. Quand elle sera sur le point de se perdre en forêt, manifestez votre présence d'une façon quelconque, en conservant un air de bœuf, et vérifiez l'état de son humeur. À partir de là, deux choix sont possibles :

A) Si elle est en colère, jouez le gars malheureux et inquiet. Ça va être plus long en discussions, mais le but n'est pas que ça finisse en divorce.

B) Si elle est totalement détruite, c'est elle qui a quelque chose à se faire pardonner et vous avez gagné la partie 1000 à 0.

Il ne reste plus qu'à l'attirer vers le petit coin romantique et sauvage découvert plus tôt, et à la baiser comme elle le mérite.

FIN DE LA PARTIE

Dans tous les cas, vous finissez la partie tout nu dans le lac, vous lui devez bien ça. Lancez-vous dans l'eau le premier avec un grand cri de mâle assouvi, et n'ayez crainte de rien : elle est folle de vous.

La maison de poupée
par Dany Lamont

Il était une fois une princesse qui cherchait une masure où vous élever, toi et les milliers d'autres enfants qu'elle aurait.

Les rues des nouveaux développements domiciliaires s'enchevêtraient, tortueuses et vides, lui rappelant trop ses cauchemars passés. Le gazon restait à semer et les écoles à construire, mais ces plaines aux arbres abattus et aux maisons toutes semblables n'auraient jamais qu'une personnalité fade et uniforme, et elle ne voulait pas que tu grandisses dans ce conformisme planifié par d'autres.

Dans la maison de tes premiers souvenirs, la porte serait toujours ouverte pour les amis — bientôt pour les tiens ! Il y aurait de l'ombre et de la lumière, de la couleur à profusion, de la place pour la musique trop forte et la folie douce d'une vie à l'envers où l'on dormirait, mangerait et arriverait n'importe quand. Il y aurait une piscine, ça, c'est certain, où tu apprendrais à nager avant de savoir marcher. Et un peu d'herbe verte, aussi, où tu te traînerais pour admirer les fleurs éclatantes de coloris que je sèmerais. Il y aurait des oiseaux dans les arbres et des chats jaloux d'eux.

Je la trouverai avant la fin de l'été, ne crains rien.

Mon autocritique

Il fallait bien que ça arrive. On a beau vouloir parer les coups, aplanir les buttes et ne montrer que son meilleur profil, on a aussi une belle collection de défauts qui échappe parfois à notre contrôle. OK, je fais amende honorable : j'ai poussé ma luck. J'aurais préféré qu'on vide notre papier à linge sale en privé, mais bon : j'ai humilié sa Barbara devant leurs connaissances communes et il m'a ridiculisée devant les miennes : c'est 1-1.

Pour ce qui est du coup de la jambette dans la bouette, je suis capable de concevoir que ça pouvait être drôle (j'en avais jusque dans la bouche, sacrement !). Et ça vaut bien toutes les fois où j'ai parlé de lui comme d'un orgasmotron en sa présence. C'est 2-2.

Les égratignures dans le dos que je dois à la roche sur laquelle il m'a baisée, j'en prends aussi mon parti : ça va me faire passer pour une sadomaso pour le reste de l'été, mais je n'en suis pas à un cancan près. Ce n'était même pas totalement exempt d'agrément : le seuil de la douleur est une zone érogène que des adultes consentants peuvent atteindre une fois de temps en temps. J'admets aussi que rien ne vaut une petite engueulade, quand elle se termine par une torride nuit de réconciliation. C'est 3-3.

Mais là, je me sens terriblement tentée de poursuivre la partie et de me venger aussitôt que j'en aurai l'occasion… Et ça, c'est généralement le début d'une escalade qui se termine en cession de bail. D'un autre côté, si j'encaisse les coups sans broncher, il risque de me tenir pour acquise et de me perdre aussi sec, parce que, quand même, je m'appelle Joanna Limoges…

Fin de la partie objective.

Merde, pourquoi fallait-il que tout cela arrive ? Et si c'était pire que je ne pensais ? Et puis, même si je m'énerve pour rien, je me connais : je peux très bien pousser l'art du sabotage jusqu'à notre rupture définitive. Oh, j'ai peur de moi, de mon insécurité, de mon sale caractère quand elle est déclenchée, de lui, des rivales derrière chaque arbre, de la vie !

Bon, merci de votre attention. D'accord, je respire et j'arrête avant de me faire dire que je dramatise. Je vais faire comme d'habitude et trouver une solution. Je n'ai pas le choix : je suis folle de lui.

Aussi, je me rétracte et je m'en excuse à l'avance : il sera ici question de rénovation de couple. Allons-y donc pour le plan d'attaque, dit « B ». (Au fait, Dion : va donc chier !)

PREMIÈRE RÉSOLUTION

- Resplendir de bonne humeur, d'insouciance et d'idées enlevantes.
- Aller au-devant du moindre de ses désirs alimentaires, élémentaires et superflus.
- Utiliser mes amis. Il y a de ces plaisirs à quatre dont les célibataires sont doublement privés, et comme, ces temps-ci, on peut s'en gaver, pourquoi, je vous le demande, faire le sacrifice de s'en priver !
- Cesser de le harceler et lui laisser l'occasion de prendre l'initiative. Celle-là, je l'admets d'emblée, elle n'est pas de la tarte. Sauf que, comme j'ai pris la précaution, par ailleurs, de me ruiner en mini-tenues et en falbalas divers — je me suis même fait percer le nombril (ah ! la moooooode !) —, théoriquement, il devrait être bientôt bandé comme un cheval. Il ne faut surtout pas paniquer avant le huitième jour ; mais si ça dure plus de quinze, je vais décréter l'alerte rouge et passer en mode hystérique, on s'entend là-dessus.
- Trouver des jokes de blonde.
- Suivre religieusement le calendrier culturel de la ville et des environs.
- Prévoir systématiquement l'imprévisible :
  — « Et si on allait au tam-tam du mont Royal ? Tiens, un orage ! Quelle chance que j'aie apporté mon parapluie. Que c'est romantique, dans ce décor, ne trouves-tu donc pas ? »
  — « Et si on faisait une randonnée en Estrie ? Tiens, prenons cette petite route au hasard ! Oh, le joli marché aux puces ! On arrête ? »
  — « Ce qu'il fait frisquet en fin de soirée ! Veux-tu un chandail, un pantalon, un poncho, des bas de laine, une tuque ? »

(Et après ça, on se demandera pourquoi les filles ont de grosses sacoches.)

Tout ceci m'amène toutefois à une question : s'agit-il de manipulation ? Est-il machiavélique de raviver le désir de son homme par quelques techniques éprouvées, que m'avait refilées jadis une sexologue ? Sans doute pas, mais alors où s'arrête la vérité, là-dedans, et où commence le mensonge ? Si je devenais blonde sans m'en rendre compte ?

DEUXIÈME RÉSOLUTION

Avoir une idée géniale au sujet de mon travail (à suivre).

TROISIÈME RÉSOLUTION

Faire un budget ? Mmh... Le problème, c'est qu'un budget, ça ne sert qu'à être éternellement légèrement fauchée plutôt que ponctuellement dans la dèche totale. D'un ennui !

23/8/96
8 h 02

À :   Joanna Limoges
       jlimoges@arachophil.qc

De :   PatChaillé
       lelocal@lagrossebibittevamangertouteslespetites.qc

p.j.

Décidément, les filles en amour, ça ne donne pas beaucoup de nouvelles ! Faut dire que, depuis nos petites vacances chez Marc, je comprends pourquoi vos couples vous tiennent occupées ! En vérité, je n'ai jamais ressenti autant la difficulté pour mes amies d'être féministes et hétérosexuelles en même temps ! Vous sentez-vous capables d'abandonner vos mâles pour une soirée ? Je voudrais vous inviter à souper pour inaugurer l'appart, la semaine prochaine. Passe le mot, Joanna !
Patsy

P.-S. Tu te souviens du show-bénéfice dont je t'avais parlé ? Tu en dirais un mot dans ta chronique, Joanna chérie ? C'est pour une bonne cause, évidemment ! (Voir pièce jointe.)
P.

> *Or le féminisme ne peut garantir la liberté d'expression tout en étant en faveur de la censure, ainsi que le font la plupart des groupes qui interviennent dans ce débat depuis quelques années.*
> NATHALIE COLLARD ET PASCALE NAVARRO,
> *Interdit aux femmes*

À :   PatChaillé
        lelocal@lagrossebibittevamangertouteslespetites.qc

De :   Joanna Limoges
        jlimoges@arachophil.qc

C'était quoi, la question ? Tu me demandais si j'acceptais d'être débarrassée pour un soir de cette race d'enfoirés pas foutus de comprendre le bon sens, et de passer un petit douze heures à en dire du mal dans la cordiale intimité d'un souper de filles ? C'est ça que tu me demandes ?
Mets-en que ça me tente, kalice !
Joanna

P.-S. Ninon et Dany aussi !
J.

> *Avez-vous remarqué qu'un septième de votre vie se déroule un lundi ?*
>
> *John dans* Garfield

« RHÂÂÂ ! LES ZZZZOOOOMMMES ! »

Mes chumesses connaissant la frénétique activité de mes mois de septembre, on m'a simplement délégué la tâche d'attraper au vol une entrée chez le traiteur. Celui qui avait pris l'initiative de lancer son affaire dans la rue que j'ai empruntée en m'en venant était grec. On mangera donc des pikilias. Quand je débarque chez Patricia, les autres sont déjà là, ce qui dénote que je ne suis plus la célibataire toujours prête à vider un six-pack entre deux rushs. Je suis devenue une fille en couple, dont les loisirs solitaires sont comptés et les arrivées de moins en moins aléatoires. Ça me fait un petit pincement. Mais il faut bien dire que nous sommes toutes moins là les unes pour les autres.

— Bravo, les filles, votre matrimoine est très coquet !

— Merci, souffle fièrement Patricia.

— J'aime beaucoup ça, le côté « Afrique » du salon, et le côté « Asie » de la chambre de Charlotte. Ce sont des souvenirs de voyage, Charlotte ?

— Oui.

— Et puis, la lisière de tapisserie, dans la cuisine, avec les théières assorties, c'est très joli.

— N'est-ce pas ?

— Alors, tu me l'offres, cette bière, que je m'extasie assise ? m'impatienté-je.

— Oh, pardon ! Bien sûr ! dit-elle en se grouillant précipitamment le popotin.

— Où en était l'ordre du jour ? m'informé-je en tombant dans le plat de guacamole.

— On parlait de bébés en t'attendant.

— Anaïs va bien ?

— Oui, sourit Dany. Mais elle ne fait pas encore ses nuits, et nous non plus, puisqu'elle fait déjà ses dents ! Je suis fatiguée !

Rien ne sert de dire : « Non, non, tu as l'air en pleine forme ! » Aujourd'hui, elle pourrait passer pour ma mère.

— Mais je n'ai plus mal au cœur ! Et il y a une autre bonne nouvelle : on vient d'acheter la maison !

— Yahou ! Ça y est, c'est signé ?

Ce qu'on en a visité, des châteaux de banlieue absurdes et des quadruplex mal foutus avant de décider Dany à s'approcher de la civilisation plutôt que d'aller se perdre dans le millième cerne de ville ! Elle en était rendue à chercher une piaule en périphérie de Mascouche quand on l'a ramenée à Laval-des-Rapides par la peau du cou. (Je sais que pour un Plateaupithèque, pour qui la terre finit au métro Laurier, ça a des relents de Chine septentrionale, mais sachez que c'est tout près de Montréal, juste de l'autre côté de la rivière, en fait — car Montréal est sur une île, remember ? Par la piste cyclable qui longe le chemin de fer, on y est tout de suite et c'est vachement bucolique.)

Et elle était là, emballée dans les érables, les épinettes et les rosiers, la maisonnette parfaite à prix modique (pour cause de faillite, mais quoi ! chacun ses tracas), une vieille construction à demi rénovée, pleine d'âme, avec un escalier central montant vers trois petites chambres en angle, un rez-de-chaussée à aires ouvertes et une piscine hors terre dans la cour. Quand on a visité la maison, on voyait déjà le petit espace-bureau dont la fenêtre donnerait sur la rue. Quant au sous-sol, il n'attend que la bonne volonté de quelques bricoleurs. (Ce qui, hélas, n'est pas le cas de Sylvain, mais il ne serait pas mauvais qu'il s'y mette : en attendant son procès, il a intérêt à prouver qu'il est un citoyen responsable. Or, quand tu consommes, tu fais rouler l'économie, donc tu es un bon citoyen.)

— Oui ! On a dû mettre la maison à mon nom et trouver un endosseur, mais le père de Sylvain a signé, l'offre d'achat est acceptée, le prêt est accordé, l'acte de vente est notarié, et mon chum est à tuer !

— Oh, oh…

— Savez-vous tout ce qu'il a trouvé d'intelligent à faire pour fêter ça ?

— Prendre une brosse avec ses chums après l'ouvrage ?

— … Dans une taverne où ils ont tout viré à l'envers à partir de neuf heures du matin (Monsieur est en liberté conditionnelle ! Bonjour la discrétion !) et où il a sniffé l'équivalent du premier paiement ! Il avait pris tellement de coke que la patte lui a branlé en dehors du lit pendant toute la nuit ! Devinez si j'ai dormi !

— Il va pas tomber dans la poudre ?

— Non, il tombera pas dans la poudre ! No way ! Tu peux compter sur moi !

J'ai soudain une image de maman tigresse secouant son gros plein de soupe en rugissant : « Et si tu ne rapportes pas un steak d'antilope de première qualité, il est inutile de rentrer ! » Les choses viennent de changer, et je crois que Sylvain va devoir faire un père de famille de lui-même au plus vite…

— Sauf que j'aurais aimé ça, moi aussi, fêter ça ; au restaurant, par exemple, de façon civilisée, si vous voyez ce que je veux dire ?

Elle soupire, manifestement épuisée.

— Anyway, on n'a pas encore trouvé de gardienne.

— As-tu présenté ta fille à ta mère, finalement ?

— Oui : j'ai demandé à ma tante Vivi de nous recevoir en même temps, je suis restée une heure, et c'était réglé jusqu'au dîner de Noël !

— C'est Sylvain qui garde la petite, ce soir ?

— Il ne la garde pas, c'est sa fille ! De toute façon, il en est fou. C'est pas mêlant, il la cajole plus que moi.

— Ah, c'est ça ! On vient de mettre le doigt sur le bobo ! raillé-je.

— Je le comprends… Avec l'air que j'ai…, se désole-t-elle. Mais je profite autant que je peux des dernières semaines où j'ai accès à la piscine du Bellerive, et je devrais me remettre en forme bientôt. Vous viendrez vous baigner une dernière fois, avant mon déménagement ?

— Non, pas ce mot, non ! Arrière, Satan ! gémit Patricia.

— Oh, ne t'en fais pas pour ça, grommelle-t-elle : les douze morons qui traînent dans mon salon depuis dix ans s'en occupent ! Moi, je fais les boîtes, puis je ne touche plus à rien !

— Dany, est-ce que ça va bien ? demande Ninon en fronçant les sourcils.

— Très bien, s'esclaffe-t-elle. Je suis en train de vivre une des plus belles périodes de ma vie ! En septembre, je commence un stage à temps partiel rémunéré au CLSC du Marigot, à titre de psychosociologue de la communication, et à l'heure actuelle, Anaïs est en train de boire son premier biberon de lait maternisé, alors donne-moi une autre bière !

On la lui donne en rigolant. Ouf ! Ce n'est rien. C'est juste la vie !

— Je sers les entrées ? demande Charlotte.

— Ce que je peux être une mauvaise hôtesse ! bafouille Patricia en s'activant.

— Mais non, laisse-moi faire, dit Charlotte.

Elle a ce geste doux d'effleurer l'épaule de Patricia, qui l'attire à elle pour lui embrasser la tempe. Ça la change tant d'avoir quelqu'un dans sa vie, Patsy ! Ma bonne vérité, elle a encore embelli.

— Et toi, comment ça va, Joanna ?

— Couci-couça, et vous savez comme je déteste cet état… Côté couci, une revue « d'idées » m'a approchée pour faire partie du collectif de rédaction.

— Félicitations !

— C'est pour le prestige, évidemment, parce que ça ne rapportera pas grand-chose à part un abonnement gratuit. Mais ça me donne l'impression qu'on me prend un peu au sérieux, et je suis contente !

— Si tu tiens tant à être prise au sérieux, arrête de faire la folle, note Patricia en sortant des montagnes de légumes du frigo.

— Bien sûr que je fais dans le ton de la dérision. C'est de mon époque ! Mais on peut dire des choses très importantes par le biais de l'humour. Le problème, c'est que j'ai de moins en moins envie de rire ; or, c'est ce à quoi on s'attend de ma part. Mais si ça se trouve, mon téléroman est actuellement tourné en japonais et je l'apprendrai quand le prête-nom qui aura mis la main dessus gagnera des prix ! Ça me fait chier… Et côté couça, il y a aussi MON CHUM ! dis-je en allumant le réchaud à fondue.

— Bon, bon, le vif du sujet, se pourlèche Patricia.

— Je croyais que ça avait marché, ton plan B, dit Dany.

— Au début, je ne sais pas si c'est lui ou moi, mais j'ai ressenti la passion regagner une couple de coches. Faut dire que je n'ai pas lésiné sur le crémage… J'AI TOUT FAIT, bâtard ! Ça fait deux mois que je lui passe tous ses caprices, que je lui trouve des loisirs comme une mère occupe son kid en été… Et puis au moment où je me sentais rassurée et où je m'octroyais le droit de penser à autre chose, monsieur a découché sans m'avertir !

— Ça lui arrive souvent, non ? temporise Ninon.

— Oui : quand il travaille en dehors de la ville, il arrive qu'il prévoie revenir en fin de soirée et que, d'une bière à l'autre, celui qui devait conduire décide de coucher sur place. C'est la coutume des gens du spectacle et je n'ai jamais émis un mot contre ça (pour une fille supposément jalouse, je me trouve plutôt cool, moi !). MAIS APPELLE, CRISSE ! Ça ne lui rentre pas dans la tête, achevé-je rageusement en remplissant mon assiette.

— Qu'est-ce qu'il répond ?

— Qu'il ne veut pas me réveiller. Comme si je dormais bien quand je ne sais pas s'il agonise dans un fossé entre Rouyn et Alma, s'il s'est cassé les jambes en tombant de ses échasses ou s'il n'est pas dans le lit de Barbara !

— Oh, arrête de paranoïer sur elle, dit Ninon.

— Je ne crois pas que je me raconte des histoires. Elle ne le crouse peut-être pas, mais une chose est sûre, elle ne fait aucun effort pour m'être sympathique et elle ne se tasse pas de mon chemin. C'est tout juste si elle me dit bonjour quand elle vient s'entraîner avec lui à la maison !

— Essaie de le rendre jaloux à son tour, me conseille Dany. Où il est passé, le cénacle de libertins frétillants qui t'entourait ?

— Quels autres ? Je suis encore en amour par-dessus la tête, moi !

— Au moins, toi, tu restes avec lui et tu ne vis pas dans la terreur qu'il décide à tout moment de mettre fin à tes rêves !

— François a eu des nouvelles de son ex ? demande Dany.

— Pas besoin : elle est constamment en pensée entre nous, même s'il a fait disparaître toute trace matérielle de son existence… Nous aussi, on a passé un été de rêve — j'ai apporté les photos, je vous les montrerai tantôt — et puis la semaine passée, tout fébrile, il m'a annoncé qu'il avait une « charge pleine » et qu'il valait mieux nous laisser, étant donné qu'il n'aurait plus de temps à me consacrer ! Tu parles d'une bonne nouvelle !

— Quoi ? s'étouffe Dany.

— Oui, mesdames ! Tout était merveilleux, depuis le Déluge, parce qu'il avait fini sa session, mais les vacances sont terminées, merci, c'était le fun, et bye !

— Crisse-moi ça là ! s'insurge Patricia.

— J'avoue que je commence à en avoir mon voyage. Mais tout ce qui m'attendait dehors, c'était la solitude, dit-elle encore, écœurée. Or, je crois que je n'ai plus rien à apprendre des plaisirs du célibat. Et comme dirait Joanna, j'ai fait le tour du marché ! Et toi, ne me dis pas que c'était à prévoir !

— Voyons, je ne l'aurais jamais cru ! Quand on est allés au Festival de Lanaudière, il t'entourait d'attentions !

— Mets-en pas, quand même…

— Ben, il avait l'air d'être là. Je veux dire…

— Je sais exactement ce que tu veux dire. Moi aussi, je pensais ça…

— Il t'a dit qu'il t'aimait, lui ?

— Es-tu folle ! Moi non plus, d'ailleurs. J'ai bien trop peur du rejet… J'ai l'impression qu'il ne faut absolument pas qu'il sache à quel point je suis heureuse avec lui, sans ça il va s'enfuir !… Je suis consciente qu'il travaille comme un fou. Mais c'est idéal qu'il soit débordé ! Il a sa vie, j'ai la mienne, et c'est tout à fait correct comme ça ! Ça me laisse de l'air et du temps ! Ça fait six ans que je suis seule, je ne cherche certainement pas quelqu'un qui va me tenir par la main vingt-quatre heures sur vingt-quatre !… Comment un homme qui a si bien compris mon roman peut-il me traiter comme ça ? Au bout du compte, je me suis retrouvée comme une poire à plaider ma cause comme si j'avais quelque chose à vendre ! J'ai allégué que moi aussi, je rusherais entre mon travail, les costumes de théâtre et les cours d'infographie… Le pire, c'est que je me sens si belle, si bien dans ma peau, ces temps-ci, que des tas de gars me font de l'œil.

— Ben alors ?

— Alors, la même chose que toi, Joanna. Les autres ? Peuh ! Recommencer ailleurs avec un gars que je trouverais moins beau, moins intéressant ? TOUT EST CORRECT, avec François. Il ne tient pas pour acquis que je suis née le jour où j'ai fait sa connaissance, il me laisse être moi-même, il ne passe pas son temps à me demander des exploits sportifs, et il ne tient pas spécialement à ce que je devienne membre de l'Association des pilotes d'avions de papier...

— Viarge, ça serait ben le boutte! rugit Patricia pendant qu'on se bidonne.

— Et puis, dormir avec ce gars-là, les filles, poursuit-elle en versant son bouillon au cerfeuil dans le caquelon, c'est une expérience extraordinaire. C'est comme être un koala amoureux de son arbre. Et il me baise! C'est doux, c'est chaud, c'est relax, c'est original! TOUT EST PARFAIT, puisque je ne demande rien... Ce n'est pas vrai. Je lui ai demandé de venir au dévoilement des maquettes de costumes, dans trois semaines, mais il n'a pas encore dit oui.

— Être vu à tes côtés, c'est un grave engagement, ironisé-je. Stie qu'ils sont fatigants avec ça. « Je ne veux pas m'attacher, je ne veux pas m'engager... »

— Et moi, sans me conter d'histoires (je m'en raconte en masse, mais je les garde pour moi !), est-ce que je pourrais partir de chez lui en sachant que j'aurai encore un amant le lendemain, à tout le moins ?

— Succulente, ta fondue aux légumes, Ninon... Dans le fond, les Jules, s'ils veulent toujours avoir la porte de la cage ouverte, aussi dorée soit-elle, c'est parce qu'ils croient infiniment plus au coup de foudre que les filles. « Tout d'un coup qu'il en passerait une plus belle ? » Pendant ce temps-là, nous, on rêve de construire quelque chose. Comme on ne veut pas d'enfant, forcément, c'est moins simple à visualiser que de pogner le gars au lasso avec un cordon ombilical. Jean-Marie soutient que, quand un gars dit « je t'aime », c'est vrai, mais souvent ça ne concerne que le présent immédiat : « J'aime ton rire, j'aime comment tu es MAINTE-NANT, à l'instant. »

— De toute façon, « je t'aime », il ne le dit pas.

— Les hommes ne font pas de projets, assure Dany, qui s'y connaît infiniment plus que nous en conjoints. Ils ne font pas la nuance entre l'éternel et le fugitif ; ils rêvent à voix haute. Ils ne mentent pas, puisqu'ils se croient, et ils ne demandent pas à être crus : seulement qu'on les félicite d'être les héros de leurs rêves.

— Les gars, les filles..., nuance Charlotte. Je commence à être tannée du discours infantilisant sur les hommes qu'on trouve dans l'humour, la publicité, les téléromans... Mine de rien, ça devient aussi dégradant que le sexisme envers les femmes contre lequel on se bat depuis une trentaine d'années.

— Pourquoi est-ce que je me sens visée ? ironisé-je. On voit bien que tu n'es pas hétéro, toi ! Depuis que les filles aiment le cul parce qu'elles exigent d'être baisées comme du monde, il y a bien des gars qui trouvent ça trop d'ouvrage, une femme ! Vous connaissez la dernière mode ? Dans les petites annonces, les gars exigent désormais des filles « en règle avec leur passé ». Aussi bien dire amnésiques, ouais !

— Je ne crois pas que le nomadisme amoureux des hommes soit un mythe, s'oppose Patricia.

— Ma seule consolation, conclut Ninon, c'est que je ne crois pas qu'il y ait une autre femme. Enfin ! En dehors du fantôme...

— Un autre homme, peut-être ? m'inquiété-je, alarmiste.

— Lâche-moi, toi ! C'est assez compliqué comme ça ! s'esclaffe-t-elle. Je l'aime ! Je ne peux pas le lui dire, alors c'est à vous que je le dis !

— Ils sont où, vos zigotos, ce soir ? s'enquiert Patricia.

— Ils se gardent mutuellement. J'ai dit à N'Amour de secouer son paillasson d'ami.

— Tu crois qu'il peut être d'un quelconque secours ? demande Ninon. Des fois, les conversations de gars, ça arrive à de drôles de conclusions.

— Et les nôtres, qu'est-ce que t'en penses ? rigole Dany.

Mouais... Là, elle marque un point... Je me demande de quoi parlent nos mecs ? Quelqu'un veut une autre bière ?

LES AMOURS DONT VOUS ÊTES LE ROMÉO
un autre jeu à la Jean-Marie

But du jeu : Aider votre ami à prendre une grave décision en le mettant en face des conséquences.

Situation initiale : Vous êtes un jeune homme ayant dépassé la mi-vingtaine, bien de votre personne, scolarisé au-dessus de la moyenne et plutôt intelligent, quoique timide et un peu casanier. Vous êtes doté d'un emploi décent et d'un grand appartement que vous partagez avec un chouette colocataire passablement coureur de jupons, ce qui a l'avantage de remplir la maison de jolies filles sans aucun effort de votre part. Récemment, une fille formidable a fait une incursion dans votre chambre à coucher, mais, après un départ prometteur, vous avez rompu par deux fois parce que vos bibites s'avéraient plus fortes que vous.

Aussi : Par un beau matin de septembre, alors que vous triturez avec un acharnement plutôt sadomasochiste les blessures de votre pauvre âme congelée, vous recevez une invitation à vous rendre au dévoilement des maquettes de costumes créées par la jeune femme en question.

A. 1. Vous y allez parce que vous le lui aviez promis, mais ça ne vous dit rien qui vaille. (**Passez à B.**)

2. Vous y allez parce que vous avez envie de la voir. (**Passez à C.**)

3. Vous y allez parce que vous ressentez l'impérieuse envie de vous saucer le pinceau. (**Passez à C.**)

B. Vous la saluez froidement, videz quelques bières sur le bras de la productrice du spectacle et partez tôt. L'histoire finit là.

C. 1. Vos retrouvailles sont d'abord timides, mais vous vous mettez bientôt à vous envoyer des œillades. (**Passez à D.**)

2. Vos retrouvailles sont chaleureuses, mais vous vous sentez comme un figurant au milieu de tous ses admirateurs et vous repartez l'âme amère. **(Retournez à B.)**

3. Vous ne la trouvez pas dans la foule et ne la revoyez jamais. L'histoire finit là.

D. 1. Elle amorce subtilement de délicats préliminaires, et en fait vous n'en attendiez pas moins d'elle. **(Passez à E.)**

2. Vous énoncez un nombre incroyable de conneries, en vous demandant par quelle aberration il est possible d'être aussi maladroit. Elle vous envoie chier à bout portant et elle n'a pas tort. L'histoire finit là.

3. Elle part avec un autre juste pour vous étriver. **(Passez à F.)**

E. 1. Vous protégez vos arrières en l'avertissant qu'il ne faut pas s'attendre à autre chose qu'à une bonne baise. **(Passez à G.)**

2. Vous lui déclarez votre amour éternel. **(Passez à H.)**

F. Vous vous suicidez. L'histoire finit là.

G. Elle accepte avec un sourire « cause toujours, mon lapin », et vous partez ensemble à la fin de la soirée. **(Passez à I.)**

H. 1. Vous l'épousez la semaine suivante. Votre vie prend un nouveau tournant, vous devenez heureux et lui faites des millions d'enfants. Longtemps plus tard, vous mourez veuf et sénile au centre d'accueil.

2. Elle éclate de rire et vous plante là. L'histoire finit au même endroit.

I. 1. Vous vous mettez au lit en arrivant, mais vous êtes totalement incapable d'avoir la moindre érection. Elle s'enfuit en pleurant. L'histoire finit là.

2. Vous commencez à lui faire l'amour, mais vous vous trompez de nom. Elle vous assassine à coups de lampe de chevet. L'histoire finit là.

3. Vous faites l'amour et, pour tout dire, c'est génial. **(Passez à J ou retournez à H.1.)**

J. 1. Le lendemain matin, vous partez travailler de très bonne humeur, bien qu'un peu mélangé. Vous la rappelez quelques semaines plus tard et, à partir de là, la revoyez de temps en temps. **(Passez à K.)**

2. Le lendemain matin, vous arrivez au travail profondément déprimé et, à partir de ce moment, vous vous traînez de bars en succursales de la SAQ ; vous devenez rapidement un déchet de la société et crevez dans un banc de neige au mois de novembre. L'histoire finit là.

3. Le soir suivant, vous bouffez avec votre coloc, qui n'a de cesse qu'il ne vous persuade que cette fille n'est pas pour vous et que vous avez fait une gaffe monumentale. Vous rappelez aussitôt votre amante pour rompre à jamais. Elle étrangle votre copain à mains nues le soir même, se retrouve en prison, et vous vous immolez par le feu, rongé par la culpabilité. L'histoire finit là.

4. Vous revenez de travailler, le soir, avec une mine d'enterrement. Votre colocataire, tous vos amis et même vos plantes domestiques en ont assez et vous délaissent en peu de temps. Votre amante devient la seule personne encore capable de vous supporter. **(Retournez à H.1.)**

K. 1. Elle vous convainc que vous êtes mûr pour la psychanalyse et vous l'admettez. Sept ans plus tard, vous la laissez tomber, car vous avez enfin découvert votre homosexualité. L'histoire finit là.

2. Elle arrive à vous faire admettre qu'une petite baise de temps en temps ne peut nuire à personne. Elle vous accorde en prime son amitié et sa bonne humeur. Vous émergez de votre down beaucoup plus vite que prévu (vers 2003). **(Passez à L.)**

3. Vous tombez passionnément amoureux d'elle. **(Retournez à H ou passez à M.)**

L. 1. Vous passez quelques mois à vous fréquenter de temps à autre. Vous rompez d'un commun accord quelques mois plus tard, parce que cette relation ne mène pas à grand-chose. Vous restez bons amis. L'histoire finit là.

2. Vous établissez une chouette relation irrégulière, ce qui, après tout, n'est pas si mal. Vous comprenez grâce à elle que vous idéalisiez beaucoup l'amour avec un grand A. Janette Bertrand fait une dramatique sur vous. Vous devenez brusquement riche et célèbre et foutez là votre copine pour une fille plus belle, plus mince et plus conne. **(Passez à N.)**

3. Vous tripez ensemble sans vous poser de questions. **(Passez à O.)**

M. 1. Elle vous laisse tomber et épouse votre colocataire en juillet suivant. Vous devez quitter votre magnifique appartement et déménager dans un deux et demi miteux. Vous sombrez dans la démence. **(Retournez à J.2.)**

2. Elle embarque dans le trip avec méfiance, et vous vous traînez à ses genoux pour la convaincre de votre amour. Vous devenez maladivement jaloux et l'assassinez le jour où vous la surprenez en train de payer le camelot. Vous finissez vos jours en prison et l'histoire aussi.

N. Trois ans plus tard, vous êtes devenu un vrai coureur de jupons. Pas une fille ne vous résiste. Vous êtes pourtant amer quand vous songez à celle que vous avez écartée de votre passage. Quant à elle, elle est devenue une célèbre designer, mais se morfond pourtant dans son penthouse du Faubourg Québec. Vous retournez vers elle. Elle vous accueille à bras ouverts et en profite pour vous ruiner. **(Retournez à H.)**

O. L'histoire finit un jour, comme toutes les histoires, mais vous en gardez de bons souvenirs. Vous en ressortez différent et, finalement, assez enrichi. Pour sa part, elle calcule à la fin qu'il y a eu plus de bons moments que de mauvais, que vous avez été un beau trip, et qu'il n'y a rien à regretter. Vous vous réservez mutuellement une place dans votre cœur et vous gardez l'habitude de vous saouler ensemble de temps en temps, avec vos nouveaux conjoints respectifs, qui s'entendent d'ailleurs comme cul et chemise… En effet : elle a fini par mettre définitivement la patte sur le colocataire, dont la dernière blonde a finalement changé de chambre !

Fin

Moment grave

Il est très rare que je sois triste. Frustrée, enragée, profondément désespérée, ça oui. Mais je suis trop combative pour me laisser aller souvent à cet état mou de petite peine indolente. Sauf que ce soir, c'est le seul mot valable pour désigner mon chagrin avivé par toutes ces conversations ne menant qu'à une triviale constatation : les hommes viennent de Mars, les femmes viennent de Vénus, et moi, j'erre sur Terre à la recherche du secret de la navette spatiale qui nous permettra de nous rejoindre.

Je souris bravement à Jean-Marie qui zappe dans le salon et je me laisse tomber sur l'autre versant du divan.

— Salut. Belle soirée ?

— Mmh…

— Est-ce que je couche dans la petite pièce ? demande-t-il, un peu goguenard.

— Mais non, dis-je après un silence contrit. En tout cas, moi, je n'y tiens pas ; mais bien sûr, tu es libre.

Il éteint la télé et s'assoit par terre à mes côtés.

— Non, je ne suis pas libre. J'ai une blonde. Je sors avec Joanna Limoges, tu savais ? Une fille formidable !

— Tu le regrettes ?

— Quoi ?

— De ne pas être libre ?

— Tu t'en fais trop, Joanna.

Sans mot dire, je prends sa tête dans mes bras et il se niche entre mes seins.

— Je suis heureux avec toi.

J'envie sa capacité de prononcer ce gros mot sans doute ni ironie. Moi, tout ce que je peux dire, c'est « je t'aime ».

— Moi aussi, Joanna.

Il y a des choses que Jean-Marie sait de moi et que je ne vous ai pas dites ; de ces secrets qu'un homme doit savoir de sa femme au sujet des autres avant, d'un père indifférent, d'un frère trop différent, d'une tentative de viol dont on a réchappé blessée, des cicatrices que cent peines d'amour ont creusées. Vous ne connaissez pas tellement Jean-Marie le tendre et l'attentif, pas plus que je ne vous ai parlé de Jean-Marie le vilain canard adolescent, qui étouffait au pied des montagnes violettes de déchets d'amiante, attendant que le cadavre sur pied de son père aimé, atteint d'un cancer, ne finisse de se dessécher. Telle est l'image que Jean-Marie fuira toute sa vie dans le rire et les cabrioles.

Partant du principe que, si on mélange du blanc et du noir, on ne pourra plus jamais obtenir un carré blanc et un carré noir, de même, à partir du moment où deux personnes font partie d'un couple, elles ne redeviendront plus jamais comme avant. Il y a de ces moments où l'on devient la somme de nos deux passés et de ceux des autres autour de nous, dont on partage le fardeau de la mémoire, parce qu'un couple, c'est ça : être le total de l'un plus l'autre, moins ce qui est et restera à jamais notre individualité propre. Et à mesure que ce couple vieillit ensemble, cette zone personnelle s'amenuise au profit d'un dénominateur commun, parfois jusqu'à s'y perdre, j'imagine. Comme c'est la première fois que j'habite pour de vrai avec mon chum, je ne sais pas ce qui vient après le début de cette fusion, ni même si nous avons atteint cette étape. Je suppose que, si je croyais au mariage, je serais mûre pour magasiner la grosseur du diamant. Ce doit être reposant de croire à ce genre de symbole dit éternel, mais il y a très longtemps que je ne prends plus au sérieux le premier niveau du discours sur les engagements officiels.

— À quoi tu penses, Jojo-Nana ?

— Si je te le disais, tu t'enfuirais en courant ! plaisanté-je en lui jouant dans les cheveux. On va se coucher ? C'est moi qui fais la petite fille, ce soir. Je n'ai pas envie de faire l'amour. J'ai le goût que tu me berces longtemps, longtemps.

Il se redresse sur les genoux et me soulève délicatement du divan pour me porter dans notre lit, comme si j'étais une fillette fragile et vulnérable. Et en vérité, ce soir, je le suis. Tandis qu'il me borde, je sais que ce soir je peux m'endormir rassurée, car pour l'instant je ne suis pas seule dans la vie.

3 septembre

Tu viens de partir travailler et je te désire à rebours. Ailleurs, tu existes avec ton haleine de tabac et de café, et moi, ici, je suis pleine de toi, de ta douceur, de ton regard et de ton sperme qui me quitte lentement, à chacun de mes mouvements. Je sens ton odeur mêlée à la musique dans mes cheveux, dans ta robe de chambre, dans les replis de mon sexe luisant, et j'ai des relents de notre nuit dans tout le corps.

Comme j'aime ces avant-midi passés à traîner chez toi, dans ton univers, dans ta lumière, à errer des yeux, à feuilleter les magazines rangés dans le porte-journaux chromé sorti directement d'un brocanteur de la rue Amherst, à fureter dans tes disques et sur le dessus des meubles pour découvrir dans les objets ceux qui peuvent t'appartenir et ce qui est à ton coloc. Oh! Mettre la musique à pleine tête, boire du café dans la tasse ventrue qui garde le café bien chaud et fumer dans l'ensoleillement poudreux de ton salon bien orienté! Palper mon corps exultant, resplendissant, et me masturber, totalement avec toi dans ton absence!

Au delà des années, je me souviendrai du rayon de poussière qui éclairait la pièce entre neuf et onze heures, du coin dînette de la cuisine aux stores foncés et de ces orgasmes nés de toi. Ces détails sont les futurs souvenirs que j'aurai de nous. Quand ce sera fini, je t'aurai volé ce moment.

Ninon

Chapitre 7

(Sans titre)

L'Agenda selon Joanna Limoges

4 h 2 : Entendre Jean-Marie arriver et me rendormir, apaisée.

4 h 6 : Discerner un bruit de chute au travers du son de la douche.

4 h 6 : Sourire quand Jean-Marie entonne le *Minuit Chrétiens*, prendre toute la place et ouvrir le corps en croix pour qu'il ne puisse pas le contourner.

4 h 16 : L'accueillir dans mes bras en le serrant très fort.

4 h 16 : Me réveiller brusquement au contact étrange de son étreinte inhabituelle.

4 h 16 : Ne pas reconnaître son odeur. Étouffer de panique à la sensation de ces doigts étrangers qui me palpent bizarrement et qui s'engouffrent dans mon anus, là où mon amant sait depuis toujours qu'il est *persona non grata*.

4 h 16 : Bondir du lit en le repoussant des deux mains et exprimer l'indicible par les premiers mots qui me viennent : « Tu te trompes de fille. »

4 h 16 : L'observer, incrédule, tandis qu'il recule comme si je l'avais giflé, balbutiant d'un rire nerveux : « Quoi ? Mais non, qu'est-ce qu'il y a ? »

4 h 17 : Interroger honnêtement, impérieusement la conscience du corps lucide et déchiré, et énoncer l'évidence en le regardant dans les yeux : « Tu as couché avec une autre. »

4 h 17 : L'entendre protester d'une voix incertaine : « Mais non, que vas-tu croire là ? »

4 h 18 : Le fixer longuement, hagarde, puis sortir de son regard faux. Me précipiter sur les vêtements de la veille jonchant le plancher, sauter dans mes bottes et fuir le contact horrible de ses mains menteuses qui essaient en vain de me retenir.

10 novembre 1996

Il n'est pas de toi, et soudain, tout devient simple. Le téléphone se met à sonner presque tous les soirs, entre la fin de tes corrections et le bulletin de nouvelles, et c'est désormais l'heure à laquelle je fais une pause avant de plonger dans une longue nuit de création prolifique, apaisée par la certitude que prochainement, tu seras là et tu auras le goût d'y être. J'ai presque oublié ces nuits de la saison dernière, toujours suivies d'une attente qui me retenait prisonnière du silence téléphonique tuant d'indifférence.

Parfois, tu m'appelles juste pour le plaisir de parler de tout et de rien, pour me raconter ta journée et me lire quelques perles tirées des rédactions de tes étudiants. De temps en temps, c'est à mon tour, m'amusant à trouver des mots pour décrire les objets que je travaille à concevoir, pimentant mes propos de quelques concepts esthétiques dont il nous arrive de discuter longuement. Nous comblons les lacunes de l'autre, toi le théoricien et moi la praticienne, quelquefois jusqu'à trop tard dans la nuit. Quand je raccroche, toujours rêveuse et égayée, je me mets à la tâche avec une ardeur tranquille ou bien je m'endors sans urgence en me remémorant notre conversation.

Il arrive que nous parler ravive trop le désir, et qu'à force de l'exprimer verbalement, l'un ou l'autre insiste ou renonce à résister. Alors c'est la course folle jusque chez toi, ou bien c'est l'attente frénétique de ton arrivée, formidable moment quand on sait qu'elle ne sera pas vaine, car t'attendre, c'est déjà être avec toi ; surtout pendant cette dernière seconde où, avant de t'ouvrir la porte, je me prédispose au choc d'entrer dans ton calme.

Maintenant, tu m'emmènes parfois en voyage dans ta vie, et il m'arrive de t'inviter dans la mienne. On a tous un café ou un bar qui, certains soirs, a clignoté dans la nuit comme un service essentiel. C'est ainsi que, vendredi dernier, tu m'as invitée à te rejoindre pour une bière avec certains de tes collègues — les ultraprécaires, comme vous vous plaisez à vous nommer — et que j'ai entrevu une autre parcelle de toi encore inconnue.

Nous faisons presque toujours l'amour, quand nous nous voyons. Nous parlons beaucoup, longtemps, ponctuant nos conversations de cita-

tions tirées des livres que nous avons sous la main. Parfois, c'est la télé qui devient prétexte au bonheur de ne rien faire à part rester éveillée, la tête sur ton épaule. Et surtout, surtout, nous dormons, goulûment, savoureusement, profondément, lovés l'un dans la chaleur de l'autre.

J'ai hâte que tu me dises que tu m'aimes (m'aimes-tu ?).

Ninon

« Pis j'ai couché dans mon char »
(Richard Desjardins)

On n'est jamais particulièrement fière de se faire réveiller par Son Boss cognant à la fenêtre de notre voiture stationnée devant le bureau, surtout quand ledit véhicule est une espèce de sculpture en rouille identifiable à des kilomètres.

Je lui déverrouille la portière en me passant une main sur le visage. Il s'assoit du côté du passager et se retourne pour me faire face.

— Passé une bonne nuit ?

— Même une Volvo, tu sais, c'est plus confortable dans la position assise, dis-je en me défripant.

— Joanna, tu es mon employée la plus zélée et je suis très honoré de tant d'ardeur, mais là, tu exagères. Il est un peu de bonne heure.

— Ça correspond à quoi, ça, en valeur temporelle nord-américaine ?

— Sept heures et quart. J'arrivais de chez ma blonde, je m'en allais déjeuner. On se boit un petit café ?

Avant que vous ne m'imaginiez déjà au bureau du chômage, rassurez-vous tout de suite. J'ai un Bon Boss qui connaît la vie. Je l'aime beaucoup. On a presque le même âge, sensiblement la même vision des choses, et il n'a absolument rien à me reprocher, à part peut-être cette voix que j'ai, que j'ai, qui traverse les murs et vrille les tympans environnants (mais qu'y puis-je !). On s'est déjà saoulés ensemble un nombre respectable de fois, et si je ne respectais pas le vieil adage « *Never fuck with the payroll* », certains partys de bureau auraient probablement viré à l'orgie, avant que je rencontre Jean-Marie.

Jean-Marie. JEAN-MARIE, MA VIE !

— Parle-moi donc de ton vécu de bonne femme, me demande-t-il doucement une fois qu'on est attablés au fond du Van Houtte. Qu'est-ce que tu faisais là ?

— Je boudais.

— Qu'est-ce qui s'est passé ?

— Si je t'en parle, ça va faire le tour du bureau et il ne faut pas. T'es ben fin, mais t'es un peu mémère, hein ! Je... Je ne sais pas encore ce que je dois faire et j'ai besoin de prendre des décisions à tête reposée.

— C'est à propos de ton chum ?

Jusque-là, j'avais réussi à retenir mes larmes, mais c'est ici que je m'effondre. Je fais oui de la tête et un effroyable sanglot me plie en deux.

— Il t'a laissée ?

Je fais non.

— Il t'a trompée ?

Je cherche à quoi raccrocher mon envie de vivre, je rencontre une formidable envie de mourir et j'adorerais me planter dedans. Je fais oui.

— Tu es sûre ?

Je fais « so-so » de la main en entamant mon deuxième corsé.

— Pourquoi t'es pas allée coucher chez une de tes amies ?

— Il était quatre heures du matin. Jean-Marie est arrivé, il était saoul, et quand il m'a touchée... Quand il m'a touchée...

Je plonge dans ce souvenir pour le valider, et tout mon corps se rappelle l'espèce d'hypocrisie veule qu'il a ressentie dans les mains de Jean-Marie. J'éclate en soubresauts que je tente d'étouffer dans ma serviette de papier.

— Il te l'a avoué ?

— Non. J'ai crissé mon camp... Pour une fille qui ne voulait pas en parler, je t'ai pas mal tout dit, hein ? ricané-je en me mouchant. T'as à peu près autant de talent que moi pour soutirer des confidences !

— Pour l'instant, il n'y a pas de quoi appeler *Écho-Vedettes*. T'as qu'une impression, si je comprends bien ?

— Oh, non, Steph, je ne fabule pas. Je me suis suffisamment payé de trips de « couple ouvert » pour savoir quand mon chum a couché avec une autre. Je le sais tout le temps. Et c'est horrible ! Ça détruit tout ! Tout est fini !

— Wô, wô, wô, les moteurs ! Il a peut-être fantasmé sur une fille bandante, et quand il est arrivé chez vous, il était encore dans le feeling de l'autre.

— Ça arrive, ça ? dis-je en m'essuyant le nez avec mon poignet.

— Attends une minute.

Je m'efforce de retrouver une attitude convenable pendant qu'il va me chercher des napkins. Je voudrais tellement qu'il ait raison !

— En tout cas, moi, ça m'est déjà arrivé, avoue-t-il en revenant. J'ai eu une blonde qui devinait toujours quand j'allais aux sauteuses ! Si ça se trouve, il a peut-être eu très envie d'une autre, il a réussi à se retenir et il en était tout fier, mais évidemment il ne pouvait pas te l'avouer.

— Non, je crois que tu as tort. Il avait vraiment l'air d'un gars pris en flagrant délit.

Et je repars à pleurer. Je m'excuse, c'est un peu long, c'est redondant, je le sais, mais si vous saviez comme je me sens démolie ! Joanna, calme-toi.

— Il est quelle heure ?

— Huit heures et dix.

— Tiens, ça veut dire que j'ai un ticket, dis-je en souriant pâlement.

— Tu as quelque chose que tu ne peux pas décommander, ce matin ?

— Oui. De toute façon, je ne retourne pas chez nous ! J'aime autant travailler. T'inquiète pas, je trimballe suffisamment de maquillage pour me dessiner un air de beauté Ivory ! Et puis je dois avoir un kit de rechange dans l'auto.

— Prends donc tes messages. Il t'en a peut-être laissé un. Je vais lire les journaux en attendant. Tu veux un autre café ?

J'acquiesce en me dirigeant vers le téléphone (je vous l'avais dit qu'il était gentil, hein ?). La voix enregistrée de Jean-Marie me surprend et je me remets à pleurer à chaudes larmes.

«Maison du bonheur, bonjour ! Ici Gontran, le répondeur stylé. Mes maîtres étant occupés à lancer des confettis pour manifester leur joie à tout venant, veuillez leur laisser un message que je me ferai un plaisir de leur communiquer. Pour Jean-Marie, faites le 1. Pour Joanna, restez en ligne !

Maudit message téteux… Oh, j'ai peur !

— Allô, Joanna, c'est Jean-Marie ! fait sa voix paniquée où perce un peu de colère. Là, il est six heures et demie, je suis chez Ninon, je voudrais savoir où tu es et ce qui t'a pris ! Je ne t'ai pas trompée, OK ? Et si ça peut te rassurer, Barbara est partie en tournée pour deux semaines dans les Laurentides ! Tu peux appeler à l'agence si tu ne me crois pas ! Là, je m'en retourne me coucher, mais je veux que tu me donnes des nouvelles au plus vite, OK ? Pis en passant, je commence à en avoir mon voyage, de tes soupçons ! Salut !

Je raccroche pesamment. Stéphane replie son journal.

— En tout cas, si je me suis trompée, je me suis mise dans de sales draps ! Mais quand j'écoute mon corps, quand j'écoute mon corps, je…

Je frissonne en secouant la tête. Il faut que je prenne sur moi.

— En tout cas! À partir de là, c'est mon dossier, comme on dit! Merci!

— Si tu veux te décommander pour ce matin, gêne-toi pas. Ça doit faire au moins trois fois que tu t'absentes en six ans, mais je vais passer par-dessus, achève-t-il avec un sourire. Et puis mange donc quelque chose.

— Oh non, ça ne passerait pas. À tantôt.

Je vais aux toilettes et je m'observe dans la glace en prenant bien soin de ne pas croiser mon regard. Ouais, ben ça sera pas de la tarte... En sortant, je m'arrête au comptoir, où la caissière m'attend avec fort peu d'aménité.

— Tu aurais du concombre?

— Du concombre?

— J'en voudrais deux bonnes tranches. C'est souverain pour dégonfler les paupières quand on a pleuré, tu savais ça? C'est pour emporter, ajouté-je pour la rassurer: je vais aller faire ça dans mon char.

Et je glisse cinq dollars sur le comptoir. Leçon de savoir-vivre élémentaire: quand on provoque un scandale dans un endroit public, toujours laisser un gros pourboire au personnel (s'il n'en est pas responsable, bien entendu).

Bon. Comment je vais réussir à traverser la journée, moi?

11 novembre

Pendant une fraction de seconde, j'ai cru que c'était le détecteur de fumée qui s'était déclenché. Ma deuxième pensée a été pour la date : il y a exactement un an aujourd'hui que je suis passée au feu.

C'était Jean-Marie. Visiblement mal à l'aise et inquiet, il m'a demandé si j'avais des nouvelles de Joanna, puis s'il pouvait se servir du téléphone. Je lui ai offert un café qu'il a refusé, et il est tout de suite reparti en me demandant de l'avertir si sa blonde se manifestait.

Sortie ainsi du lit, j'ai su que je ne me rendormirais pas et je me suis fait à déjeuner. À neuf heures et demie, j'ai essayé de joindre Joanna mais on m'a répondu qu'elle était en réunion. J'ai laissé un message et j'ai vaqué à diverses occupations n'exigeant pas trop de concentration. J'avais travaillé jusqu'à trois heures du matin et un léger mal de tête menaçait de s'installer.

Elle a rappelé au milieu de l'après-midi et m'a demandé de l'accueillir, en me spécifiant bien de tenir Jean-Marie à l'écart.

— Je ne veux pas le voir ! a-t-elle lancé d'une voix presque suppliante.

— Je vais l'appeler pour l'avertir de ne pas se montrer, ai-je promis.

Et voilà, j'étais dans un autre drame à la Joanna Limoges ! Bien sûr, je lui dois bien ça. Et la fois précédente, c'est elle qui m'en devait une. C'est ainsi depuis nos dix-sept ans, et cette amitié m'est vitale. Mais moi aussi, à l'instar de Jean-Marie, je commence à être tannée de l'absence de temps mort dans sa vie. Évidemment, ce n'est pas toujours de sa faute. Et là, a-t-elle tort ou raison ?

Mme Limoges est arrivée vers six heures, moitié enragée, moitié affolée. Une joyeuse soirée s'annonçait... Quand elle m'a eu tout raconté par le menu, d'une voix hachurée pleine de larmes, je n'ai su quoi répondre.

— Je n'ai jamais ressenti ce dont tu parles, Joanna, je ne sais pas. Tu as l'air tellement convaincue que je te crois, mais tu bases tout sur une simple impression. Et pour Barbara, il dit vrai : elle participe à une tournée des écoles, elle ne sera pas à Montréal avant une dizaine de jours.

244

— Les Laurentides, ce n'est pas le Japon, quand même, ça se fait aller retour dans la journée ! Et puis, ce n'est pas la seule fille de la planète ! À part ça, pourquoi il a attendu deux heures avant de sonner chez toi ?

— Pour ne pas me réveiller en pleine nuit, peut-être ?

— Quand tu as sonné à ma porte à l'aube, l'an passé, je t'ai ouvert, moi !

— Oui. C'était il y a un an, jour pour jour. Tu veux en faire une tradition ?

— C'est vrai, c'était aujourd'hui ? Oh, Ninon, je te demande pardon !

Elle a éclaté en sanglots et je l'ai prise dans mes bras.

— Il l'a fait, il l'a fait, Ninon... Et s'il ne l'a pas fait, j'ai tout gâché, tout ! Mais il l'a fait, j'en suis certaine !

Le téléphone a sonné. J'ai espéré que c'était toi, mais c'était Jean-Marie, qui avait vu sa voiture stationnée dans la rue Marquette.

— Je ne veux pas qu'il vienne !

— Écoute ! Tu restes avec lui, ce n'est plus comme avant, tu ne peux pas le fuir indéfiniment ! Il faut que vous vous expliquiez.

— Ça te dérange qu'il vienne ici ?

J'ai haussé les épaules. Elle a fait un pauvre signe de la main, qui signifiait : à Dieu va ! et j'ai dit à Jean-Marie qu'on l'attendait.

Il est entré, sérieux, et m'a saluée poliment. Il avait un air du genre « Excusez ma blonde, c'est une hystérique » qui m'a rappelé John et qui m'a déplu. Il s'est assis en face d'elle et lui a lancé un regard dur, exempt d'amour. J'ai eu mal pour elle quand elle l'a capté.

— Je ne t'ai pas trompée, a-t-il dit posément. J'étais saoul, je m'en excuse, peut-être que je n'ai pas été délicat quand je t'ai sauté dessus, mais je ne t'ai pas trompée. J'aimerais que tu rentres avec moi pour qu'on laisse Ninon tranquille, et qu'on en reparle quand la poussière sera retombée. C'est grand, chez nous, je peux coucher dans l'autre chambre une couple de jours, si tu veux, et...

— Je te crois pas.

— Mais comment veux-tu que je te prouve que je ne l'ai pas fait ?

— Mets-tu des condoms, quand tu couches avec d'autres ? a-t-elle explosé.

— Écoute, sacrement ! Je commence à en avoir mon ostie de voyage de ta jalousie ! Je te tchèque-tu, moi ?

— Ben justement, moi non plus, je te tchèque pas ! Pis de toute façon, tu sais très bien que je te tromperais pas !

— J'ai pas plus de garantie que toé !

— Oui, parce que JE T'AIME, MOI !

— MOI AUSSI, JE T'AIME, KALICE! Vas-tu te rentrer ça dans la tête? J'ai lâché le Cirque pour toi, sacrement, c'est pas assez, comme preuve d'amour?

Joanna a de nouveau éclaté en larmes. Je me suis rendu compte que je tremblais comme une feuille, asphyxiant entre leurs attaques vicieuses et leur air mauvais, exactement comme quand mes parents s'engueulaient inlassablement en s'adressant les mêmes vieux reproches usés.

— Dehors! ai-je crié à mon tour. Y aura pas de chicane dans ma cabane, OK? Je m'en vais chez François, comme ça vous pourrez vous hurler par la tête tant que vous voudrez!

Ils sont sortis, Joanna pleurant et s'excusant sans fin, Jean-Marie plein d'une rage contenue que je ne lui avais jamais vue. J'ai sauté dans un taxi pour être plus vite en sûreté dans tes bras, loin des cris de couples déchirants comme des morceaux de verre, en souhaitant que cela ne nous arrive jamais.

Ninon

« Stop ou encore ?
Je m'arrête ou je continue ? »
(Plastique Bertrand)

Avant qu'on reprenne les hostilités, il me faut vous dire qu'en ce moment, outre le fait que je suis en saint-sacrement-d'ostie-de-ciboire-de-crisse, parce que je suis de plus en plus persuadée que j'ai raison, et terrorisée parce qu'à partir de ce point tout peut arriver (c'est le propre des engueulades), je file très très cheap à l'endroit de Ninon parce que je n'avais pas le droit d'élever le ton sous son toit au delà de mes quatre-vingts décibels habituels.

Ceci dit, si Ninon et moi partageons le même harmonieux background familial, alors qu'elle en a développé une allergie viscérale, pour ma part j'ai une certaine expertise dans la notion de chicanes. C'est bien simple, mes parents à moi, ils sont encore ensemble pour l'unique plaisir de s'envoyer des chars de marde par la tête, et ça fait trente-cinq ans que ça dure. Vous me rétorquerez que c'est sans doute pour ça que je me retrouve à ce point de notre charmant récit, mais si vous le voulez bien, on va remettre les psychothérapies à plus tard, parce que j'ai une discussion à finir, et pour ça, je vais avoir besoin d'une petite bière.

— C'est ça, me lance Jean-Marie, ouvre-toi une bière !

— Tu trouves vraiment que je bois trop ou c'est une cheap shot ? demandé-je, réellement blessée. Parce que si tous les coups bas sont permis, on n'est pas sortis de l'auberge !

— Prends-le donc comme tu veux, marmonne-t-il en passant au salon.

— En veux-tu une, MON-A-MOUR ? dis-je en découpant mes syllabes.

— Envoie donc. Tant qu'à vivre avec une ivrogne…

— Parlant d'ivrogne, j'en ai vu un hier…

— Je me suis excusé, se renfrogne-t-il.

Bon! C'est 1-1. Je traîne une chaise de cuisine sur laquelle je m'assois à califourchon, je prends une gorgée et je m'allume une cigarette. OK. On y va.

— Je crois que tu m'as trompée.

— Aïe, tabarnack…

— Arrête de crier, parce que tu sais très bien que je peux t'enterrer. Certains ont de bons yeux, d'autres une ouïe fine, moi, c'est la voix. Là, tu vas m'écouter.

» Tu avais raison tantôt : je ne peux pas le prouver, et tu ne peux pas me prouver le contraire. Mais, que ce soit bien clair, je ne te tchèque pas. Des grands bouts, je ne sais même pas où tu es!

— Les trois quarts du temps, je te le dis!

— Ben oui! «J'ai un contrat à Sept-Îles et je reviens dans trois jours!» Tu ne me dis même pas à quel hôtel tu couches! Quand tu es à Montréal, tes contrats finissent presque toujours avant onze heures, tu ne rentres que vers deux ou trois, et JAMAIS je ne te pose de questions. Mais de toute façon, c'est correct, ça! Je veux dire que ça m'agace, mais que je n'ai jamais insisté pour en savoir davantage. Et je n'ai aucune intention de commencer à le faire, parce que le concept de la laisse, dans un couple, ça m'a toujours fait chier, et il n'est pas question non plus que tu m'en passes une en revanche.

— Moi non plus, je ne t'ai jamais tchéquée.

(J'entends la voix de ma mère, dans ma tête, qui, pour jeter de l'huile sur le feu, dirait, très baveuse : «Ha! Ha! Tu viens d'admettre que je ne te tchèque pas.» Mais ma mère est la plus grande pénible que la terre ait jamais portée.)

— J'espère que ce n'est pas parce que tu t'en fous.

— Non, répond-il, gonflé à bloc. C'est une question de confiance, point.

— Ben voilà! C'est justement à ce mot-là que je voulais en venir. La confiance, ça se gagne et s'entretient. Pour aimer sans trembler, j'ai besoin de faire confiance à mon chum. Et pour jouir, mon corps a besoin de la même chose.

Les larmes envahissent mes yeux.

— Et hier, mon corps a bogué. Non, n'approche pas, l'arrêté-je quand il fait mine, bouleversé, de venir à moi, quoique ce réflexe me rassure. Je n'ai pas fini.

» Si tu l'as fait, ça veut dire que tu l'as peut-être fait toutes les autres fois où j'ai eu des doutes. Quand tu étais à l'étranger, je me suis souvent posé la question, mais, à la limite, je pourrais comprendre que, loin de moi, tu aies couché avec d'autres. Mais si tu l'as fait hier, tu as tout brisé : ma confiance, mon plaisir de t'aimer, mon image de moi, tout. Sinon, il

s'est passé quelque chose, de toute façon, pour que tu m'arrives si différent. S'il te plaît, dis-moi quoi.

Mais il hausse les épaules avec impuissance. Je soupire, crispée.

Il y a à peu près trois manières différentes de mentir dans de telles circonstances, et elles sont unisexes ; mais pour une fois, le masculin singulier va l'emporter parce que ça m'arrange de voir les choses comme ça :

- Le gars peut nier en bloc, comme le fait peut-être Jean-Marie, et
  ne fournir aucune explication en alléguant qu'il n'y a rien à ajouter. C'est la manière la plus sûre, mais aussi la plus frustrante
  pour la fille, qui risque de ne pas du tout s'en contenter et d'ouvrir officiellement une enquête.

- Il peut dire presque toute la vérité, en n'omettant que les détails
  qu'il faut taire absolument. Ça, ça ne marche absolument pas
  avec les partenaires vraiment jalouses (dont je ne suis pas, je persiste à l'affirmer), parce que pour elles, l'important est la seule et
  unique existence d'une autre femme ; peu importe que leurs
  chums les trompent vraiment ou pas. Cette méthode-là aussi,
  Jean-Marie l'utilise peut-être, puisqu'il me parle de tout et de tout
  le monde, même de ma rivale favorite, Barbara-la-maudite. Sauf
  que cette façon de faire comporte également des risques, car le
  gars peut laisser passer des informations vraiment douteuses, et
  la conjointe, si elle n'est pas complètement idiote, se rendra à
  l'évidence qu'il y a bien Barbara sous roche. Ou encore, certaine
  de se faire bourrer, elle perdra patience et rendra son tablier. Et
  j'avoue que cette idée m'a effleurée dans l'après-midi.

- L'autre recette, c'est d'inventer totalement une autre histoire,
  avec des lieux, des personnages et des événements différents.
  C'est la plus périlleuse. Les gars s'enfargent presque toujours
  dans leurs mensonges, soit en se fourvoyant carrément dans la
  relation du récit, soit en se laissant aller à la beauté du scénario
  dans lequel ils se plaisent à se mettre en scène. Avec un conjoint
  comme Jean-Marie, il est plus difficile de discerner la vérité de
  l'ivraie, parce qu'il est capable de presque tout.

— Une autre bière, l'ivrogne ?

— OK, l'ivrognesse !

— Ce qu'on en échange, de petits mots gentils, ce soir... D'autre
part, poursuis-je en me rassoyant, je sais le sacrifice que ça a été pour toi
de renoncer au Cirque et c'est pour ça que je souhaite tant te rendre heureux : pour compenser ce que tu as abandonné pour moi.

— Tu sais, dans le fond, Winnipeg, ce n'était pas le pied.

— Merci, ça baisse mon niveau de culpabilité que tu me dises ça ! Par
ailleurs, parlant de Winnipeg, je te rappellerai que je t'ai déjà laissé une

fois, à cette époque-là, même si j'étais folle de toi, et que ça pourrait arriver encore, parce que si c'est trop souffrant d'être ensemble, ça ne vaut pas la peine.

— Je ne veux pas qu'on se quitte ! s'écrie-t-il, impérieux.

— Alors, j'ai le choix : te croire ou te pardonner, reprends-je, la voix tremblante. Si je refuse, ça finit là et je te perds, c'est clair. Et même si tu m'as trompée, l'un ne vaut pas l'autre. Alors, je veux bien passer l'éponge pour cette fois et oublier tout ce qui vient de se passer. Mais rentre-toi bien dans le crâne, Jean-Marie Dupuis, que je ne me laisserai pas niaiser. Les hommes n'ont ni le monopole de l'orgueil ni celui du harem, me fais-je bien comprendre ?

— Est-ce que j'ai un droit de réplique ?

— Accordé !

— Je ne t'ai pas trompée, Joanna.

— Je voudrais tellement te croire ! gémis-je en courbant la tête.

— Est-ce que je peux te toucher, maintenant ?

— Oui, mais j'ai peur ! dis-je en pleurant.

Il quitte le fauteuil, m'entraîne vers le divan où il essuie mes joues de ses belles mains douces. Je suis raide comme une barre et pourtant fascinée par la finesse de ses traits, par l'éclat de sa beauté, comme si c'était une première — ou une dernière — fois. Je recommence à pleurer à chaudes larmes silencieuses. Il me prend précautionneusement dans ses bras, me couche à demi et m'embrasse longuement le visage.

— Pleure pas, je t'aime, Joanna, OK ? Je t'ai fait du mal, oh, je te demande pardon ! Je t'avertirai la prochaine fois que je ne rentrerai pas coucher, je te le promets. Tu sais que les larmes, j'y suis allergique, pleure pas, pleure-t-il.

Franchement, je ne suis pas convaincue de la sincérité de ses mains. Je l'ai reconnu, je l'ai retrouvé, mais je ne suis pas certaine que j'ai bien fait de m'abandonner comme j'ai fini par le faire. D'ailleurs, je n'ai pas joui.

11 novembre

J'arriverai chez toi dans quelques minutes. Tu m'ouvriras et je cour-
rai vers toi dans les escaliers comme si j'avais des chiens aux trousses. Je
tendrai ma bouche vers ton sourire, tu plongeras dans le mien et nous
échangerons un long baiser avide. Je sentirai tes mains sur ma taille, tes
fesses sous les miennes, je plongerai le nez dans ton cou, là où il y a ton
odeur, et j'oublierai tout le reste. Je te respirerai et tu me serreras dans
tes bras en me saluant d'un tout petit « bonjour » ordinaire qui me fera
retoucher terre. Je redeviendrai une jeune femme digne et un peu intimi-
dée, et j'entrerai chez toi sans m'y sentir tout à fait à l'aise. Je suppose
que c'est ce que tu attends de moi.

Je pénétrerai dans ton territoire, composé d'un vestibule aménagé en
bureau qui mène au vacarme du boulevard Saint-Joseph et à ta chambre
blanche où trônent un lit, une télé, un fauteuil et une table à café surchar-
gée de livres.

Tu mettras du Marillion et je rirai d'un vieux bonheur démodé. Je
serai bientôt nue sous toi, tout habillé. Je me caresserai la peau à ton
t-shirt et je me frotterai à ton jean que tu lanceras bientôt au pied du lit.
Nous baiserons comme des sauvages, des lapins, des acteurs pornos, jus-
qu'à ce que nous jouissions successivement et que tu te retires de moi
dans un grand rire content.

Cette quasi-formalité accomplie, tu iras nous chercher deux verres de
limonade et je tendrai le bras vers un album de F'Murr à ma portée. Tu
t'assoiras sur mes fesses pour commenter le récit au-dessus de mon
épaule. Tu suivras du doigt quelques détails visuels tout en me bécotant
le dos et je me coulerai dans ta voix de prof. Je me retournerai sous toi et
nous nous frencherons longuement, à demi endormis, comme des bébés
qui tètent. Brusquement écœurée d'avoir à louvoyer dans ma tête entre
les termes et à assumer le fait linguistique de n'être que ta non-blonde et
de devoir me contenter d'un non-chum, j'oserai :

— Je voudrais pouvoir dire que je suis ta blonde.

Tu mettras du temps à répondre. Alors, jouant à mon tour du non-dit,
je te servirai ta propre mixture, et tu recevras mon regard avec précaution.

Je crois que tu réaliseras, à cet instant, que tu pourrais me perdre. Je res-
sentirai ton début de panique et je saurai qu'il ne faut pas que mon
silence s'éternise, parce qu'il risquerait de se retourner contre moi. Tu
porteras ma main gauche à ta bouche et ça me gênera un peu. Je ne suis
pas très fière de mes mains : ce sont celles d'une artisane, elles sont cal-
leuses et sèches. Tu en embrasseras la paume, en lécheras le creux. Je fer-
merai les yeux tandis que tu mangeras dans ma main. Alors que parfois,
entre toi et moi, c'est quand il n'y a plus de mots que tout arrive, ce soir-
là, je les choisirai avec soin pour me raconter ce qui était en train d'ar-
river. Tu diras finalement « OK » d'un sourire un peu amusé et je me
méfierai presque de ta bonne humeur, sensation que je réfrénerai vite : de
grâce, Ninon, un peu de légèreté ! Tu as un chum !

Ninon

Pareillement, grandes dents

Une dinde, c'est comme un lion,
excepté que ça a des plumes.

CLAUDE MEUNIER,
Bonne année, Roger

Salut. Non, ça ne va pas fort. Oui, je ne pense qu'à ça. Je m'efforce de faire comme si de rien n'était, mais Jean-Marie n'est pas dupe, d'autant plus que ça fait deux mois que je ne jouis pas. J'ai essayé toute seule et ça a vaguement fonctionné, mais rien pour ameuter les voisins. Ça l'inquiète plus que moi, en fait, parce que je connais mon corps, ce n'est pas la première fois que ça m'arrive, et comme je sais très bien quel a été l'élément déclencheur de ma panne, je laisse le temps arranger les choses. Je constate avec un détachement interloqué que nous sommes passés à la phase deux de notre vie commune. Je sors moins, mon budget commence à s'équilibrer et peut-être que le reste est en train de faire de même, après tout, même si j'espère que ce n'est qu'une période drabe entre deux arcs-en-ciel. Jean-Marie? Il est dans une vague d'affaires fines, mais il ne force pas la note pour bien me signifier qu'il n'a rien à se reprocher. Il arrive tout de même plus tôt et on passe plus de temps ensemble — à moins qu'il ne me paraisse plus long...

Je peux bien vous le dire: il y a un morceau de mort dans mon amour, qui pourrait pourrir tout le reste du fruit. Mais justement, si je veux réparer cette relation-là, il me faut taire mes doutes, mes peurs et mes rancœurs, et apprendre à tolérer la répétition du quotidien ordinaire. Après dix ans de pige intempestive et quinze d'instabilité amoureuse, ce n'est pas si évident — quoique le plaisir des habitudes à deux ne soit pas si rebutant, surtout quand on n'en avait connu que les guerres. Une chose est sûre, je n'ai aucune envie, pour l'instant, d'enclencher de nouvelles manœuvres pour raviver les braises de l'aventure. Est-ce que je vieillis? À cette question me revient le goût des grands élans passionnés, mais l'évocation des grands drames qui les accompagnent m'effraie.

On a fêté Noël en Beauce, comme l'an dernier, et ça a été un plaisir familial très doux, surtout que pour moi, ces mots sont antinomiques. Remarquez que c'est un peu comme nous, je veux dire la gang, puisque même si je n'ai absolument pas le cœur à la fête, je vais me transformer devant vous en Incroyable Joanna à l'instant où je vais traverser chez Ninon. Regardez-moi bien aller.

J'examine une dernière fois dans la psyché ma robe longue de faux satin laissant émerger mes épaules nues et ma gorge sertie de pierres du Rhin avant de cogner à la porte du studio de N'Amour.

— Entre !

Je pénètre dans la pièce réchauffée par l'éclairage de scène qu'il a actionné.

— N'Amour, que tu es beau ! m'ébahis-je en détaillant son nœud papillon, son faux plastron et ses bretelles retenant un pantalon-ballon de laine vierge rayée dans des tons de gris, qui lui donnent un air d'Auguste endimanché.

— C'est pour être à ta hauteur. Tu es si belle, ma princesse !

— Vite, allons fêter avec nos amis ! dis-je en l'entraînant par la main, ragaillardie.

On arrive chez Ninon par-derrière avec les chaises qu'elle nous a demandé de lui prêter, et on pénètre dans la cuisine où François vaque aux derniers préparatifs comme un maître de maison. Nos chums auraient-ils pris la soudaine résolution d'avoir du bon sens pour 1997 ?

— Vous êtes superbes ! s'exclame Ninon en nous apercevant.

— Je peux vous... heu... te renvoyer le compliment, dis-je en admirant sa robe médiévale d'un bleu profond.

— Ben quoi, proteste François, faussement bougon, j'étrenne un jean neuf !

— Non mais, je rêve : il a fait une blague ! Convoquez les médias, quelqu'un !

— Viens dans l'atelier avec moi, dit Ninon en abandonnant ses chaudrons.

Dans la porte, je m'arrête, émue à la vue de l'affiche du spectacle dont elle a conçu les costumes, où ils apparaissent vides de comédiens, comme suspendus en mouvement, superbement mis en valeur par le graphisme.

— Je suis la vedette de la promotion de ce spectacle. Ça va bien, tu ne peux pas t'imaginer comme ça va bien ! Je suis heureuse, chuchote-t-elle.

— C'était bien à ton tour, tu le méritais amplement, lui réponds-je sans aucune jalousie. Si 1997 peut être ton année !

— Et la tienne aussi !

— En tout cas, en 1997, il ne faudrait plus se chicaner !

— DRELIN ! vocifère la sonnette comme un mauvais souvenir.

— Tu ne crois pas qu'on devrait demander au propriétaire de nous changer ça pour un ding-dong digne de ce nom ? soupiré-je en la suivant vers la porte.

C'est Dany portant Anaïs, suivie de Sylvain chargé comme un immigrant. Le temps d'installer le matériel des parfaits parents-en-visite-chez-des-amis-sans-enfants, on s'agglutine dans le salon de Ninon, où je me roule bientôt par terre en chantant tous les vieux airs rigolos des années soixante dont je n'arrive jamais à me rappeler plus que le premier refrain. Choupette junior rit de ses quatre dents en me tirant les cheveux avec l'enthousiasme de ses neuf mois.

Vers trois heures, je m'interromps pour son boire (ce qui est compréhensible, d'autant plus que ça nous permet d'entamer le nôtre) et pour accueillir Patricia et Charlotte, suivies de Gros-Taupin, venu nous saluer avant d'aller rejoindre des amis. Je vais chercher mes vieux toutous et Pamela, deux fois grande comme Anaïs, aussi molle et effilochée que la petite est dodue et vigoureuse, petite boule de nerfs absolument adorable. Aussitôt, Anaïs se lance dans la mêlée en manifestant sa joie d'avoir : a) quatre nouveaux amis ; b) une excellente raison de revenir chez ses tantes. Viens ici, toi, que je te morde les oreilles ! Si, si, les oreilles ! Ma tante Joanna adore ça, les oreilles d'Anaïs !

— DRELIN !

— Marc ! Il ne manquait plus que lui ! Tiens, va voir matante Ninon.

Oh, que ça n'a pas l'air d'aller fort… Derrière lui, le sourire flottant et éthéré de Marithé m'apparaît. Gros-Taupin en profite pour s'éclipser discrètement, malgré les invitations répétées de Ninon.

— Ben oui, ajouté-je, quand il y en a pour onze, il y en a pour quinze !

Mais il refuse, manifestement gêné d'exister, et nous quitte. J'effleure les joues rugueuses de Marc et je fais l'accolade à Marithé qui fronce les sourcils.

— Tu es préoccupée, toi !

— Ah non, commence pas ! Occupe-toi donc du dark qui t'accompagne !

Mais c'est foutu. En une phrase, elle vient de réveiller mes angoisses comme on actionne un commutateur. Tandis qu'on trinque aux bonnes nouvelles des autres, je me referme sur moi-même, envieuse de la douce assurance que semble donner l'amour à tous les couples sauf au mien. Bientôt, Ninon passe à la cuisine et les filles la suivent en m'entraînant de force. Tandis que Charlotte remue le ragoût, Ninon sort un joint de l'armoire à verres en déclarant, complètement crampée :

— Celui-là, ça faisait exactement un an que j'en rêvais !

Dany et Charlotte pouffent. Patricia me flanque un coup de coude.

— Mais qu'est-ce que t'as, toi ?

— « Les gens heureux me font chier », c'est ça que j'ai !

— Être deux, ça n'est pas facile tous les jours, me dit doucement Dany.

— OK, la leçon de morale, ça sera pour une autre fois, si tu veux bien !

— Mais qu'est-ce que tu crois ? s'emporte légèrement Dany. Que c'est un miracle, un couple uni qui dure ?

— Exactement, oui !

— Ben justement pas, ma vieille ! Il y a un prix à payer. Mais il le vaut ! Charlotte et Patricia sont là pour prouver que ce n'est pas de la soumission de faire des compromis. N'est-ce pas ?

Elles ont la décence de ne pas répondre.

— Excusez-moi. Ça file pas et ça paraît... Je me sens de trop partout.

Au salon, les gars discutent de philatélie. Tout pour me remonter.

— Vous avez vu ça, dit François, le timbre commémoratif d'André Malraux ? Un illustrateur a pastiché la célèbre photo où il apparaissait, cigarette au bec, et a effacé la cigarette !

— C'est Big Brother, ça ! s'exclame Jean-Marie.

— Eh bien, prochainement sur nos écrans, mais surtout dans nos vies, la réalité disparaîtra au profit de la virtualité. Le mouvement est déjà amorcé.

— Les rousses sont fausses, les nez sont refaits..., dit Sylvain. Quoi de neuf ?

— La technologie, mes chums. *Big brother is watching you*, on le savait déjà, mais désormais, il a le pouvoir de modifier si parfaitement les apparences qu'on en vient à douter de ses sens, de sa raison et de sa mémoire.

— Déjà qu'on n'en avait pas beaucoup, soupire Marc.

— Tout le monde prend un air blasé, poursuit-il, « ben oui, on le sait », et tout le monde subit, passif, la transformation du passé, de la vérité. Calvaire ! On devrait être dans la rue, à arracher ces œuvres-mensonges, à brûler ces timbres qui passent trop vite à la poste, mais non ! On est là comme des ruminants à se scandaliser mollement entre deux bières, à tchéquer la gaffe de loin pour se détourner, vite rassurés, parce que nous, on l'a, l'esprit critique, on l'a appris au cégep... Est-on à ce point béatement admiratifs devant la bête machine à la mémoire parfaite (sauf quand elle se plante), à l'exceptionnelle rapidité d'exécution (sauf quand les circuits sont surchargés) et à la complexité de la quincaillerie (comme si notre cerveau ne l'était pas mille fois plus) ?

— Puisqu'on en parle, dis-je pour dire quelque chose, ma résolution, cette année, c'est d'arrêter de fumer.

— Ah non ! proteste Jean-Marie, tu vas pas me faire endurer ça !

Je reste figée une seconde, à l'issue de laquelle j'éclate brusquement en sanglots et je m'enfuis par la cuisine pour aller me barricader chez moi.

— Mais qu'est-ce qui se passe ? s'alarme Ninon.

Je me jette sur mon lit. Je vous l'avais dit que tout était fini ! Je l'énerve ! Je vais de plus en plus gaffer par peur d'en faire trop, ou pas assez, ou pas correct et il va se tanner de ma vulnérabilité. On est aussi bien d'en finir tout de suite et de rompre avant le réveillon, comme ça on aura notre divorce à fêter !

La porte de la cuisine s'ouvre. Jean-Marie s'arrête devant la chambre, mais je ne me retourne pas. Je l'entends aller dans son studio puis revenir.

— Joanna, viens avec moi, me dit-il en me tirant du lit. Suis-moi.

— Non, je ne veux pas retourner chez Ninon !

— Ce n'est pas là que je veux t'amener. Fais ce que je te dis, pour une fois.

Je crois que c'est la scène finale. Comme je n'ai pas prévu de scénario, je me laisse entraîner « chez lui », où il me place au centre de la pièce.

— Regarde-toi.

Mais je ne vois rien à cause des lourds rideaux de velours qui obstruent la fenêtre. Je l'entends se diriger vers les boutons de contrôle. La musique déchirante de Radiohead envahit la pièce, puis une faible lueur asymétrique se lève sur moi et je m'entrevois, fée lumineuse dans le tulle de ma robe rose.

— Ne bouge pas. Regarde seulement comme tu es belle.

La lumière s'accentue d'un cran et je suis dans le point chaud de l'éclairage théâtral parfaitement orienté. Il me rejoint dans le halo aveuglant, me rince le visage avec une débarbouillette humide et se met en frais de me remaquiller.

— Ne bouge pas, ne pleure pas. Et regarde-toi toujours.

Il applique le fond de teint avec une éponge humectée, redessine mes yeux en amande, farde mes pommettes saillantes, puis m'applique le rouge à lèvres, et je n'ai encore rien vécu de plus sensuel que de tendre la bouche vers lui pour qu'il en trace le contour. Il me quitte pour augmenter encore l'éclairage et revient se placer derrière moi.

— Ne me regarde pas, regarde-toi. J'ai fait une erreur, Joanna. Pas celle à laquelle tu penses, ajoute-t-il précipitamment. Mais je t'ai fait de la peine et maintenant, je m'ennuie de Joanna Limoges, celle qui rit. C'est elle que j'aime.

— Oh, Jean-Marie !

— Surtout, ne pleure pas ! dit-il en emprisonnant ma tête dans mon regard. Regarde comme tu es une belle femme de trente ans. Tu ne seras jamais plus belle comme ça, regarde-toi.

— Cette beauté, c'est toi qui me la donnes.

— Non. C'est ta beauté et c'est toi qui me la donnes. Je t'en sais gré, Joanna.

Je scrute l'image de mon visage au savant maquillage soulignant la personnalité de mes traits, et ses mains m'écrasent les seins par-derrière. Il descend la fermeture éclair de ma robe bon marché et me la retire en laissant la jupe froufrouter à mes pieds. Je me retrouve en jarretelles et en bustier provocants, comme une femme se sous-vêt les soirs de fête pour faire plaisir à un homme, tenue qu'elle arbore rarement longtemps debout en pleine lumière.

— Regarde-toi, répète-t-il sans fin en me retirant chaque morceau, qu'il répand artistiquement autour de moi comme on fait au théâtre pour saupoudrer la scène de couleurs. Et je t'avertis : je vais te manger jusqu'à ce que tu perdes connaissance, s'il le faut, mais tu ne sors pas d'ici tant que tu n'as pas joui.

Fascinée par cette menace de bonheur obligé qu'il m'adresse, bouleversée par le moment qu'il invente pour moi, je retiens mes larmes parce qu'il n'aime pas que je pleure. Me voilà bientôt couchée comme un pistil dans la corolle de ma robe qui bruit autour de moi comme un chant de féminité. Et je jouis, faiblement la première fois, intensément la fois suivante, en criant la troisième, et la dernière fois, j'éjacule comme un homme, brusquement et abondamment.

— Ha, ha, ha ! J'ai faim ! rit-il aussitôt comme un Gino préhistorique. Viens-t'en !

De ma main gantée jusqu'au coude, je nous pointe dans la glace.

— On a l'air d'un couple d'acteurs flyés descendant les marches de la Croisette !

— On sera peut-être ça dans dix ans, Joanna. Qui sait ce qui peut arriver ?

Même s'il avait brisé quelque chose, il vient de le réparer ; mais il n'a pas à le savoir. Et puis, il vient de m'interdire d'arrêter de fumer ; ça, c'est vraiment cool !

2 janvier 1997

Nous avons passé les fêtes à courir les rites obligés, mais pour une fois, j'y ai pris plaisir. Il y avait eu ta fin de session et ma fin de saison, puis nos partys de bureau à l'issue desquels on attendait l'autre saoul, rigolard et maladroit. Il y eut ensuite le souper chez ta mère, froide comme un iceberg, et le brunch chez ton grand-père sévère comme un personnage de Norman Rockwell, où j'ai rencontré ton père et sa troisième femme. Après, il y eut aussi mes propres aïeux, tendres, radoteux et déchirants de sénilité. Et j'omets les courses frénétiques dans les magasins bondés, les soupers gargantuesques à la chaîne et l'alcool omniprésent qui tournait dans nos têtes.

Le 31 décembre, tu as couché chez moi, et le lendemain, après m'avoir baisée comme un fou, tu m'as servi de commissionnaire tout l'après-midi. Je ne cessais de penser à l'an dernier, comme quand on est devenu riche et qu'on se rappelle sa pauvreté. J'aurais voulu que tout le monde soit heureux autour de moi et j'étais triste pour Joanna. Quand je t'avais demandé, quelques semaines auparavant, si, selon toi, Jean-Marie l'avait trompée, tu m'avais dit :

— Je vais te répondre sincèrement cette fois-ci : je n'en sais absolument rien. Mais ne me repose plus jamais cette question-là.

— Solidarité masculine ?

— Il est dans ma vie depuis plus longtemps qu'elle, c'est tout.

(Je viens de me rendre compte à quel point il y a longtemps que je n'ai pas écrit. Comme il est vrai que le bonheur n'a pas d'histoire, qu'il se met mal en récit ! « Le bonheur n'est pas narratif, il est pictural », dirais-tu ! Moi, je te répondrais : « Je n'écris plus : je vis ! »)

Quand elle a foutu le camp, nous nous sommes réunis dans le salon pour essayer de comprendre ce qui se passait.

— Votre vie citadine est insupportable, est intervenue Marithé. Vos existences sont asservies aux modes de vie de l'époque, vous n'êtes que des figurants dans le roman de la société postmoderne. Vous vous gaussez de la multitude de choix que vous croyez avoir devant vous, mais en fait, vous êtes complètement assujettis par l'urbanité.

— Ton mode de vie à toi n'est ni plus valable ni plus nul que le nôtre, a objecté François. N'es-tu pas dépendante de l'industrie du tourisme régional ?

Je me suis sentie fière de ton intelligence implacable, remplie d'orgueil d'être amoureuse d'un homme au discours aussi brillant. Detroit me revenait comme un relent d'abjection.

Dany a fait manger Anaïs et a réussi à l'endormir. J'ai fait circuler les amuse-gueule en attendant le retour de mes voisins.

— Marc ne va pas bien, m'a dit Marithé en me prenant à part. Il est de plus en plus refermé. Il ne parle plus qu'aux chevaux et à moi. Au ranch, on le tolère parce que son oncle l'a ordonné, mais c'en est au point que les gens en ont peur. J'essaie de lui indiquer le chemin de la lumière, mais je n'y arrive pas.

Aussi me suis-je assise près de lui en revenant de la cuisine.

— Tu ne m'écris plus, Marc, l'ai-je abordé en lui prenant la main.

— Toi non plus, Ninon, a-t-il répondu en ébauchant un regard traqué.

— C'est vrai. Je t'ai négligé.

— Mais non, nous ne sommes plus sur la même longueur d'onde, c'est tout.

— Ce sera ma résolution pour l'année qui vient. Je vais te donner des nouvelles, c'est promis.

Il a détourné les yeux sans répondre et je suis retournée m'asseoir à tes côtés en songeant à l'exigence des amitiés. Ce n'est qu'à neuf heures que Joanna et Jean-Marie sont enfin revenus. Le sourire éloquent de Joanna nous a fait rire.

— Ça y est, tu as eu ton biscuit ? s'est moquée Patricia en faisant référence au personnage d'un vieux dessin animé.

— Sexe, a laconiquement éructé Joanna.

J'ai ri parce que je savais que tantôt, j'en recevrais tout mon content, que je t'en donnerais autant, et que ça allégeait ma vie comme une bouffée d'hélium. J'ai souhaité que l'ordre des choses soit rétabli pour ma chère amie et que notre vie se poursuive indéfiniment dans l'atmosphère de nos amours à vif.

Ninon

CHARADES VALENTINES
un autre jeu à la Jean-Marie

a) 1. Mon premier fréquente les poubelles.
     2. Mon second est un mot qui te fait accourir.
     3. On a passé une partie de la fin de semaine dans mon troisième.
Mon tout est une phrase célèbre d'un personnage de Gotlib.

b) 1. Mon premier arrive au hockey.
     2. Mon second est le contraire de moins.
     3. Mon troisième est binaire.
Mon tout est une fin de semaine réussie !

c) 1. Mon premier est une chose que je dois avoir fait chaque semaine en pensant à toi (et aux critiques constructives que je devrai te faire après).
     2. Mon second fait partie du mur.
Mon tout qualifie mes pensées actuelles.

Solutions : Rat-love-lit, Tour du chapeau + 1 = 4, Lu-brique

(J'ai essayé mille formules. Elles revenaient toutes à ça : Je suis bien avec toi, Joanna, et je t'aime.)

Jean-Marie

14 février 1997

— *Je ne t'aime pas.*

Tu n'as rien dit d'autre. Dans l'atmosphère de ce jour rose, le contraire venait de m'échapper, et voilà ce que tu répondais. Je t'avais tellement tourné dans tous les sens, et je n'avais toujours rien compris ! Soudain, tout m'a semblé clair. Les clichés étaient vrais, tous : les hommes sont des salauds, des sans-cœur, des abuseurs, des handicapés émotifs !

Je me suis mise à crier, pour combler ton silence cubique. Les yeux baissés, tu étais tendu comme une corde de violon. Il me semblait que tout ton corps, ce bloc de pierre que j'avais enveloppé d'amour afin d'en arrondir les coins, d'en fendre les angles, de le réchauffer pour l'attendrir au point de croire que j'y étais arrivée, se retenait de te rétracter. Mais la forteresse inattaquable que j'avais devant moi me détrompait. Ces mots étaient vrais : tu ne m'as jamais aimée. Je ne suis rien pour toi. Je ne suis rien.

Je me suis tue, obsédée par l'idée qu'il me fallait sortir de chez toi sur-le-champ, parce que mon intégrité était menacée. J'ai fébrilement rapaillé mes affaires. Je ne devais rien oublier pour ne plus jamais avoir à revenir ici, mais c'était sans importance. Même si je ne laissais aucune trace, nous nous arrangerions pour être de nouveau en présence l'un de l'autre, pour reprendre le combat, moi pour t'aimer, toi pour te refuser. Je suis sortie de la pièce convaincue que nous nous déchirerions encore.

Il me fallut lacer mes bottes au moins sommairement pour ne pas me tuer dans l'escalier. Je ne retenais même pas mes larmes, qui coulaient intarissablement sur mes joues, je ne retenais plus rien, surtout pas toi.

Tu étais de l'autre côté de l'univers, derrière moi. Devant la porte, je me suis retournée et nous avons échangé un regard pathétique. Tu avais poussé le jeu jusqu'au bout et tu avais gagné, mais tu avais cassé ton jouet et tu ne savais pas comment le réparer. Je me suis détournée. Avant de me lancer dans l'escalier, je me suis cabrée, attendant encore une frac-

tion de seconde un mot, un son, une main sur mon épaule. Tu n'avais qu'à dire « Va-t'en pas ! » Mais tu ne m'as pas retenue. J'ai fait un pas en avant. Tu ne m'as pas suivie. Tandis que je me retrouvais dans la neige sale d'une nuit d'hiver, perdue dans la ville, ton soulagement né de mon absence était sans doute immense, et moi, j'aurais voulu crever.

Ninon

Tous les mêmes ?

Il faut donner à Jean-Marie quelque chose que beaucoup de gars n'ont pas : la mémoire des dates importantes. Vous me direz qu'il est difficile d'oublier quel jour on est quand on a passé sa journée à livrer des ballons en récitant de mauvais poèmes scabreux à toute une chacune. Heureusement, le temps supplémentaire à domicile ne l'a pas rebuté et, aussitôt rentré, déguisé en cupidon (en plein hiver, faut le faire !), il s'est jeté à mes pieds avec des mots d'amour cuculs à faire frémir la plus rébarbative des nymphettes (mais comme je suis un public conquis d'avance, ça m'a fait presque autant d'effet que le menu à base d'huîtres et de chocolat que j'avais prévu).

On en est à s'enduire de crème fouettée quand la sonnette fait DRELIN !

— T'avais prévu une autre surprise ? demandé-je en le léchant goulûment.

— Non, toi ?

Le temps de revêtir mon kimono, j'ouvre la porte à Ninon qui, dévastée d'amour perdu, se jette dans mes bras. Comme dans un rêve récurrent, je referme la porte derrière elle. Je lui ai imposé la même scène tant de fois que j'ai l'impression de jouer son rôle.

— Oh, Joanna, il a été tellement chien !

— Oh, ma Ninon, viens t'asseoir. Vas-y, pleure, ma grande, laisse-toi aller.

Jean-Marie revient de son ébahissement momentané pour écarter les preuves incriminantes de l'orgie en cours qui s'interposent entre le divan et moi, où je l'assois et la berce.

— Il t'a encore fait du mal ? Il n'en vaut pas la peine, ce n'est pas ton genre.

— Je l'aime ! étouffe-t-elle sur ma poitrine.

— Excuse-moi, je vais trop vite. Tu veux une bière ?

— Oh oui, merci ! Dis-moi : comment tu as fait pour traverser ça tant de fois ?

— Je t'avais. Et maintenant, tu m'as, dis-je en lui retirant doucement ses bottes, que je balance au bout de mes bras, créant une superbe arabesque de slutche fondante qui se mêle à la crème fouettée maculant le plancher. Calme-toi, raconte-moi ce qui s'est passé.

— Si tu savais comme il a été cruel ! Comment ça se fait que j'aime ce gars-là ?

Combien de fois, combien de femmes fois combien d'hommes se sont-elles posé cette question à travers les âges ? Une sentence lue dans un vieux *Nous* me revient : « Les hommes sont sourds, les femmes muettes. » Je soupire en apercevant la bouteille de champagne qui va devoir attendre dans le frigo.

— Il m'a invitée pour me flusher, Joanna. Plutôt que de laisser passer le temps, de me préparer au téléphone, il m'a convoquée le 14 février pour me crisser là !

— Il n'y a pas de bonne manière de laisser quelqu'un. Il y en a des élégantes, des bitches, des radicales, des flamboyantes, mais aucune qui ne fasse pas mal.

— Si tu savais comme je me trouve conne !

C'est la seconde phase : la culpabilité de son propre échec. La honte de s'être laissé bafouer par la vie, d'y avoir cru cinq minutes de trop. Un moment d'inadvertance, on a sérieusement eu l'illusion de pouvoir être heureuse, un peu. Oh oui, je connais le feeling !

— Je me sens si abandonnée, si dévastée ! En un an et demi, j'ai tout perdu.

Que dire ? C'est si vrai, hélas ! Pourquoi faut-il que fatalement, le bulldozer passe un jour au milieu de la maison ? Je tremble de nouveau en pensant à mon propre bonheur, si récent, si mérité, si vulnérable.

— Laisse-toi une chance, le temps va recoller les morceaux. Une mauvaise passe, ça finit toujours par finir, tu me le disais toi-même il n'y a pas longtemps.

— Donne-moi une autre bière, dit-elle en vidant la sienne. Oh ! Comme toute l'agressivité du rejet que je viens d'absorber me gonfle de fiel !

Soudain, à la vue de Jean-Marie qui remet de l'ordre, elle fait mine de se lever.

— Je vous dérange ! bafouille-t-elle. C'est la Saint-Valentin, j'aurais dû y penser ! Je m'excuse, je vais m'en aller.

— Mais non, reste, Ninon, dit Jean-Marie. Je vais aller prendre ma douche.

Je tâche de cacher ma déception, car il était dans nos plans de la prendre ensemble, mais le téléphone arrête son mouvement. Il répond et écoute longuement, ponctuant les silences d'onomatopées intrigantes, puis raccroche.

— C'est François. Il est dans tous ses états. Il s'en vient.

— Je m'en vais ! s'affole Ninon en s'arrachant à moi. Je ne veux pas le voir !

— Mais à quoi il joue, ce crétin des Andes ? Ninon, reste assise ! Tu es mon amie et tu passeras avant tous les autres, est-ce que c'est clair ?

— Je… je m'en vais aux toilettes, lâche-moi.

— Il dit que ses paroles ont dépassé ses pensées, me chuchote Jean-Marie. Il voulait dire qu'il ne voulait pas d'engagement, mais ça a l'air que c'est mal sorti.

— N'Amour, je suis désolée du gâchis de notre soirée.

— Moi aussi, mais on se reprendra, mon amour, répond-il en me serrant contre lui. Attends de voir nos noces de gyproc !

Ninon ressort de la salle de bains, le maquillage gâché et le visage bouffi.

— Je me suis regardée dans le miroir, chez nous, avant d'aller le rejoindre, et j'étais belle ! sanglote-t-elle. Et là, j'ai l'air d'avoir quarante ans ! J'ai le même air que le jour de l'incendie ! Joanna, laisse-moi m'en aller, OK ? Je ne veux pas qu'il me voie comme ça, je… Je ne veux pas lui donner ça !

— Je te suis. Je ne te laisse pas seule dans cet état. D'ailleurs, moi non plus, je ne veux pas le voir, sinon je vais lui sauter dans la face ! Jean-Marie, avertis-moi quand il sera parti, OK ?

— Une île déserte, chuchote-t-il à mon oreille tandis que je l'embrasse, pour une couple d'années, ça te dirait ?

— Tu mets un homme là-dessus tout de suite, OK ?

Chez Ninon, il fait frais et humide. Elle tourne exagérément le thermostat et s'assoit par terre dans le salon.

— Sans lui, cet appartement pue le célibat, dit-elle en levant les yeux. Il y a trop d'air, les plafonds sont trop hauts. Te souviens-tu de mon sous-sol ? C'est la seule place où j'étais bien quand j'étais mal. L'appartement n'existe plus, je te l'ai dit ? Ils l'ont annexé au logement du rez-de-chaussée.

Je reste silencieuse, car en cet instant, elle n'a pas besoin de mots. Au loin, on entend la sonnette qui tinte chez nous. Elle tend l'oreille.

— C'est lui ! Qu'est-ce qu'il veut ? Comprends-tu quelque chose, toi ?

— À part qu'il est ben ben fucké, non.

— Il est si sensible, si fragile, si meurtri !

Phase trois, intitulée : Je l'aime encore. Réponse appropriée :

— Arrête de lui trouver des excuses. Il vient de se comporter ignoblement et rien ne le justifiait.

— Il a gaffé, il le regrette sans doute !

— Aïe ! Tu ne vas quand même pas te traîner à ses pieds ?

— J'en ai rien à foutre, de l'orgueil ou de la dépendance ! Avant de le rencontrer, j'étais seule jusqu'au vertige, je ne veux pas que ce soit fini !

La sonnerie du téléphone retentit, me laissant le temps de penser à ce qu'elle a besoin d'entendre maintenant. Entre les trois dring, le silence s'appesantit dans la maison. Elle a raison : c'est froid ici, elle ne s'est pas encore tout à fait approprié l'espace. Je la regarde fixer le téléphone et j'ai l'impression d'entendre son cœur hoqueter quand le voyant lumineux se met à clignoter.

— Réponds, dit-elle en me donnant son code d'accès.

Je m'exécute, malgré mes mains encore collantes de sucre.

« Excuse-moi, Ninon. Je t'en prie, rappelle-moi. Je ne sais pas ce qui m'a pris, ce n'est pas ce que je voulais dire. Je t'aime, j'en suis certain, maintenant. Je me sens tellement con ! Rappelle-moi ! » conclut impérieusement François.

— Con, je te le fais pas dire !... sifflé-je en tendant l'appareil à Ninon. Prends-le : c'est un message de Saint-Valentin !

— Il le dit ! bafouille-t-elle en redoublant de larmes à l'écoute de la voix. Pourquoi il a dit le contraire, tantôt ? Je veux le réécouter, pour bien déceler les intonations de sa voix.

— Si seulement il était moins beige, que je marmonne en soupirant.

Mais je ne peux pas lui reprocher sa réaction : quand je sortais avec un animateur de radio, j'enregistrais toutes nos conversations pour réentendre sans fin les notes graves et râpeuses de son sensuel organe vocal.

— Dis-moi quoi faire, Joanna !

— Tu as quatre options : tu refuses à jamais et tu le regrettes, tu te précipites dans ses bras et tu le regrettes, tu laisses un peu de temps s'écouler parce que ce serait bien à ton tour de le niaiser un peu ou tu le rappelles chez lui pour dresser la liste de tes conditions futures. C'est cette dernière solution que je te conseille, mais avant, mets-les donc par écrit, pour ne pas en oublier.

— C'est ce que tu ferais ?

— C'est ce que j'ai fait la dernière fois, mais ce n'est pas garant de grand-chose.

À côté, on entend ma porte claquer, des pas lourds descendre l'escalier et la porte d'en bas se refermer à son tour avec un feulement. Je n'avais jamais remarqué qu'on entendait à ce point ce qui se passait entre les appartements. Je vois Ninon se retenir jusqu'à la folie de courir vers celui qui vient de la repousser sauvagement. Le problème, avec les peines d'amour, c'est que le seul qui pourrait nous réconforter est justement celui qu'il ne faut pas appeler.

— Retourne vers ton amour, Joanna. Je te remercie et je m'excuse encore.

— Tu es sûre que ça va aller ?

— Oui, je vais écrire un peu. Et jouis assez fort pour que je m'endorme au son de tes ébats !

Je l'embrasse avant de m'enfuir. Je peux peut-être rattraper Jean-Marie dans la douche.

14-15 février

La prochaine fois que je te rencontrerai chez Joanna, je partirai en claquant les portes. Je courrai dans les rues sombres de la ville jusqu'au premier bar que je rencontrerai et je m'y réfugierai en me cachant comme une coupable.

Je rentrerai très tard dans la nuit, enragée d'avoir retenu mes pleurs. Je me surprendrai l'oreille collée au mur pour deviner si tu es encore à côté et j'aurai des larmes de honte d'épier ainsi le bonheur des autres. Je marcherai de long en large, me frappant la tête sur les murs. Je finirai par étouffer mes sanglots dans l'oreiller, après avoir mis Pearl Jam à tue-tête pour couvrir mes gémissements dans la tempête grunge, buvant pour te noyer jusqu'à en vomir. Je me traînerai sous la douche glacée pour me laver de toi et de tous les relents cendreux de ma vie, mais je ne pourrai pas débarrasser mon corps de l'obsession du tien.

Mais cette fois, je n'attendrai pas que tu rappelles, je ne quêterai pas de renseignements auprès de Jean-Marie, je ne te chercherai pas aux endroits où tu es susceptible de te trouver, je ne provoquerai pas le hasard. Le jour, j'errerai dans la ville à la recherche du double de mon dernier amant. Selon les soirs, je me noierai dans l'alcool, le travail ou la piscine de quartier. Ça finira invariablement devant la télé, la blessure anesthésiée par le hasch, épuisée de penser à toi mais terrorisée par le sommeil où tu pourrais venir me rejoindre par le biais de mes rêves. La nuit, je sortirai, fatiguée à l'avance des efforts qu'il faudra faire pour me rendre là où, il y a si peu de temps, il était si aisé de me trouver : dévêtue devant un homme, glissée entre ses draps, blottie contre sa peau. Je réintégrerai la maison glacée, le cœur, la tête et le sexe vides, où ne m'attendra que la solitude ricanante, jusqu'à ce que tu reviennes à la charge comme un noyé qui s'accroche aux autres pour ne pas sombrer.

Une fois, ce sera vrai, nous aurons rompu pour de bon. Je me sentirai vieillir et me dessécher. Je me laisserai aller. Je finirai par ne plus sentir mon corps, par ne plus voir mon vagin que comme un orifice à tampon. J'entreverrai mon avenir comme je l'ai si souvent envisagé, dans une vision totalement exempte d'hommes et de romantisme. J'aurai peur de

r seule, j'imaginerai tout ce que cela implique. Je ne songerai pas
*auvreté, mais à l'impossibilité d'enrichissement ; pas à l'absence
d'un enfant, mais à l'interdiction d'y fantasmer ; pas aux samedis soir
désœuvrés, mais aux dimanches matin silencieux. Et je me replongerai
souvent dans nos souvenirs, de plus en plus aigres à mesure que je vieilli-
rai mal.

Je n'ai pas envie de vivre cette histoire banale écrite d'avance. Je
veux que tu reviennes, je veux être de nouveau dans tes bras à toi,
reviens !

Reviens est le mot le plus pathétique au monde, car il implique que
quelqu'un est parti, dont on s'ennuie.

Ninon

Chapitre 8

Et puis après

L'Agenda selon Joanna Limoges

Décembre 1997 : — Monter au ciel (au propre).
Janvier 1998 :   — Toucher le ciel (au figuré).
— Le recevoir sur la tête (au figuré).
— Bis.
— Le recevoir sur la tête (au propre, cette fois).
— « Ma vitre est un jardin de givre / Tous mes chums gisent gelés ».
— Avoir une grande révélation : L'enfer, là, c'est pavé de verglas !

2 janvier 1998

Nouveau cahier. Le vingt-troisième en trente et un ans. Cher interlocuteur inventé à huit ans parce que je n'avais personne avec qui jouer autour de moi! Et depuis, comme toujours, d'une année à l'autre, j'y reviens pour la même raison... Je viens de feuilleter l'ancien, à peine entamé. Pathétiques anecdotes d'une année en dents de scie qui vient de s'achever; c'est à peine si j'y retrouve quelques souvenirs en vrac, ponctués de minutes heureuses au milieu de journées entières à badtriper sur la prochaine date de ma rupture avec François.

Ici, une trace de bonheur. « Mars : Une auberge sur un mont sauvage. Une table de billard où des bums empochent boule après boule. Un divan crevé où tu es vautré, un tapis sale où je suis accroupie. La nuit, dehors. Ta bouche qui me parle et me touche. Notre interminable baiser que je cache dans mes cheveux pour jouer. »

Là, une sensation d'abandon. « Avril : Je viens d'obtenir un contrat de scénographie au Festival de Théâtre des Amériques pour l'an prochain! Comme je voudrais t'avoir auprès de moi pour partager ma joie! Mais je n'ose pas t'appeler de peur de me heurter à un refus indifférent... »

Plus loin, trois instants de magie : « Mai : L'autoroute des Laurentides. Les autres qui jasent en avant, nous croyant endormis. Ta tête dans mon chandail et moi, la mienne appuyée sur le siège avant, qui résiste à l'envie de crier de plaisir et de rire. » Puis « Juin : Ton auto roulant sur l'asphalte chaud. Une clôture à escalader sur un terrain industriel, pour le plaisir de la délinquance, comme à quinze ans. Une voie ferrée désaffectée se perdant dans un tunnel bouché infesté de rats. Un joint. Des gardiens qui rôdent avec des lampes de poche, dont la silhouette se découpe dans la nuit, à quelques pas de nous. » Et « Août : Un soir de party sur le toit de ton appartement. Le lampadaire qui nous regarde de près. La circulation en bruit de fond. Nos mains, nos bouches, nos insides, nos chuchotements tandis que nos amis dansent tout à côté. »

Et c'est reparti pour une période d'incertitude. Septembre : « Comment faire pour me taire, pour me contenter de ce que tu me donnes, com-

ment arrêter de trembler, de douter, d'en faire trop ? Je t'aime, ça ne devrait pas être un drame ! Ta sensibilité te donne énormément de valeur à mes yeux, mais combien de temps vas-tu te mortifier pour une erreur du passé ? Quelle est cette orgueilleuse façon de voir les choses ? Moi, je te suis fidèle et ça ne me donne rien. Allume, tu t'empoisonnes la vie ! Et la mienne... » Octobre : « Nouveau break. Sommes-nous enfin au bout de nos énergies destructrices ? Je ne peux plus me battre pour te convaincre. Je ne veux pas t'accabler d'accusations, je ne veux pas avoir raison, je veux juste avoir le goût de vivre à nouveau ma vie avec toi ! Pourquoi faut-il que je paie si cher le prix de t'aimer ? Et le pire, c'est que d'une fois à l'autre, pour me consoler de ta perte annoncée, tu as le culot de minimiser ce que nous avons vécu, salissant mes souvenirs. »

Il ne manque qu'hier...

Je n'écris plus, et c'est une tragédie ; comme si j'avais cessé de poser un regard sur ma vie, par refus que son absurdité me saute au visage.

Comment mon amour a-t-il pu se retourner contre moi ? Je me suis tellement remise en question que je ne sais plus qui je suis. J'ai voulu me quitter pour te découvrir et je me suis perdue. Où est passée la superbe femme que j'ai brièvement été, quand je croyais que tu étais amoureux de moi ? Je suis allée au bout d'un trip usé à la corde, il faut que je change de beat, que je retrouve mon chemin.

Ninon

Les joies de l'ADN

« Mais qu'est-ce que vous lui trouvez, à ce
type ? »
« Il me fait rire. »

Le détective et Jessica
dans *Roger Rabbit*

Salut ! Ça va ? Ben moi aussi ! Imaginez-vous donc qu'on est débarqués de Floride il n'y a pas une semaine ! Ben oui, mes parents se sont
résignés à rencontrer leur gendre et, pour ce faire, à nous payer les billets
d'avion. Et savez-vous quoi ? Ma première réflexion, quand ma vieille
poudrée de mère a embrassé l'air environnant mes joues, c'est que je ne
m'étais pas ennuyée une miette ! Deux heures après avoir mis le pied dans
son condo, j'avais comptabilisé quatorze reproches, six vacheries de première qualité et quatre tentatives de chantage émotif bien culpabilisant.
Imaginez une semaine ! Je vous jure, il faut avoir l'ego fait fort…

Heureusement, ma mère a deux qualités (et peut-être une troisième,
si je me donnais la peine de chercher) : elle aime les bains de soleil et ne
manque jamais l'apéro. Pardon ? Et mon père ? C'est vrai, j'ai un père !
Eh bien, il m'a dit bonjour. Puis il a emmené Jean-Marie au golf, qui a
accepté à condition que mon paternel essaie le surf en échange. Sur quoi
il s'est appliqué à dérincher les verts, puis il s'est arrangé pour que p'pa
reçoive la planche directement sur la tête, et c'était réglé : mon vieux est
retourné jouer avec des gars de son âge, et Jean-Marie a pu léviter en paix
sur la grande bleue. Ça l'a rendu si sympathique aux yeux de maman, toujours ravie des échecs de son mari, qu'au moment des adieux, elle m'a
négligemment glissé dans la main un chèque de… dites un chiffre ? Cinq
mille beaux dollars ! Oui, mesdames !

À celles qui trouveraient ça d'une générosité sans nom, je rappellerai
que c'est à peu près ce qu'elle m'a coûté en psychologues et que ce n'est
pas à cause de l'avarice des voisins que j'ai accumulé tant de dettes

d'études… Mais je lui ai quand même dit merci, car c'est ce qui m'a permis de me retrouver sans aucune dette, pour la première fois depuis mes vingt et un ans, pendant un gros deux jours. Et j'ai très hâte de vous présenter Diligence, ma nouvelle Tercel flambant neuve, payable en quarante-huit versements, qui doit arriver d'ici quelques semaines ! Quant à ma résolution pour 1998, je vous la livre tout de suite : respecter mon nouveau budget (souhaitez-moi bonne chance !).

En plus, Jean-Marie a été d'un romantisme de dessin animé pendant tout le voyage, ce qui clôt d'ailleurs une charmante année à conserver dans la vitrine des souvenirs doux. Une chance, parce que de l'énergie, ça allait en prendre au retour pour revitaliser l'atmosphère du jour de l'An…

D'abord, Marc nous a lâchés, sans même répondre aux lettres de Ninon. Puis, jusqu'à la dernière minute, François a tergiversé : j'y vais-tu, j'y serai pas, je ne veux pas créer d'attentes, et gnan-gnan-gnan. Ça niaise comme ça depuis l'hiver passé. Ninon est en train de virer dingue à force de passer du chaud au froid. Et chaque fois qu'au prix d'une volonté innommable, elle lui donne officiellement son 4 %, le revoilà à ses genoux. Elle dit non, il insiste, elle lui dresse une nouvelle liste de conditions, il dit oui et il s'empresse de se la mettre où je pense pour disparaître de nouveau, partout sauf de chez nous (c'est-tu drôle, hein ?).. Quant à elle, je ne compte plus les cinq piastres, les paires de bas et les tasses de sucre qu'elle vient m'emprunter chaque fois qu'il met le pied dans l'escalier. C'est moi qui me sens surveillée ! Finalement, il s'est pointé le premier de l'an chez Dany et associés, qui avaient mis leur bonheur à notre disposition pour qu'on le squatte (mais guère plus, parce que leur train de vie est désormais aussi hypothéqué que leur bungalow), et il n'est pas resté à coucher. Ninon s'est endormie down, s'est levée du même pied et, n'eût été d'Anaïs, qui vous trottine et vous babille déjà ça comme une grande, elle aurait encore cet air-là à l'heure qu'il est. Et si vous voyiez comme elle a engraissé ! Elle a mangé au moins quinze livres d'émotions. Je te crisserais ça à la porte, moi…

Quant à Pat et Charlotte, je n'en parle même pas, d'autant plus qu'on ne communique pratiquement plus que par courriels. Mais le moins qu'on puisse dire, c'est que Pat ne semble plus porter la misère du sort humain sur le dos, et au diable ceux et celles qui ne partagent pas sa fierté ! C'est beau à voir !

Bon, c'est pas tout, ça, il est dix heures et demie, avec toutes ces histoires, et je n'ai pas encore trouvé avec quels guili-guili je vais réveiller Jean-Marie !

Comment ça, « DRELIN ! » ?

À :   Ninon Lafontaine
        ninon.l@tisselatoile.qc

De :   PatChaillé
        lelocal@lagrossebibittevamangertouteslespetites.qc

Bonjour ! Suis-je la première à te courrieller un mémo ? Tu verras que les amitiés s'entretiennent bien, sur le Net. Comme on s'enchaîne désormais à nos ordinateurs, on est plus près de la sortie de secours virtuelle que de la porte !

Je voulais aussi te parler de ton état au jour de l'An. Je vais essayer de laisser mes discours féministes de côté (mmh ! pas facile !), mais sincèrement, je crois que, tous sexes confondus, François est un manipulateur. Je sais bien qu'il a mille raisons, bonnes ou mauvaises, pour agir comme il le fait à ton endroit, mais je pense qu'à force de scruter les tréfonds de ses motivations, tu ne vois plus la surface des choses, et elle est infiniment plus éloquente : d'une manière ou d'une autre, il se sert de toi. Je t'en prie, ne te braque pas ! Loin de moi l'idée de prétendre que ce genre de situation est proprement hétérosexuelle : dans un couple gai, la misogynie porte souvent le nom de cruauté mentale. Mais j'écoutais un groupe de discussion, à la télé, l'autre soir, où un homme disait : la femme-thérapeute, quand on est guéri, on la quitte ! C'est cruel mais entends-le ! Tu t'obstines dans un cul-de-sac.

Je n'ai jamais été aussi seule que toi, parce que la colocation est une solitude qui piaille, mais si tu continues sur ta lancée et que tu restes avec lui pour ne pas te retrouver seule, tu vas te détruire. Ton type, c'est un misogyne. Que ce soit conjoncturel ou pas, volontaire ou non, il te fait vivre des affres terribles et il a foulé tes limites depuis longtemps. Peut-être qu'il ne veut rien en savoir. Mais peut-être aussi que c'est toi qui ne te fais pas entendre… Écoute : prends-en, laisses-en, mais réfléchis-y. Je t'aime et je t'embrasse.

Pat

entre femmes, la mémoire revient comme une conscience
ouvre-moi, ce soir, il s'agit de nos bouches et de nos bras,
et puisqu'il s'agit de nous/ouvre-moi
NICOLE BROSSARD,
« *(4) Amantes/écrire* » Ma mémoire d'amour•

Derrière la porte

Les histoires d'amour finissent mal
En général

LES RITA MITSOUKO

Un jour, on sonne à la porte. Il y a la main qui abandonne la souris, le corps qui se déploie et se déplie, les jambes un peu courbaturées qui avancent vers la porte d'entrée. Il y a ce pressentiment d'un danger imminent, mais avec la sonnette que j'ai, on ne va pas s'en formaliser.

Je lui ouvre.

Derrière la porte, il y a une femme, une beauté cubaine d'à peine plus de vingt ans, tenant dans ses bras de déesse une magnifique petite fille dont j'ignorais l'existence il y a une seconde, et que je sais être la fille de mon chum, car je devine, dans les traits de ce visage angélique et sensuel, son front, son regard et son nez magnifiques que j'ai tant détaillés. Et je sais que ces deux femmes sont entrées dans mon existence pour me voler l'homme que j'aime, celui qui a fécondé l'une pour procréer l'autre, et que je ne suis pas de taille dans ce combat.

J'ai un moment de panique, je ne sais comment protéger mon nid, mon couple, mes souvenirs. Pendant un instant, je ne sais pas pourquoi cette enfant a au moins trois ans, alors qu'il y en a déjà près de cinq que mon amant, mon conjoint, mon chum, mon homme m'assure de sa fidélité, et mon cerveau se lance dans un calcul fou de mois, de cycles menstruels, de voyages à Cuba, comme si ça pouvait changer quelque chose à ce qui est. À mesure que je recule dans le temps, tout mon univers s'effrite sur lui-même et je voudrais mourir comme mes souvenirs tombent, mais il y a la vie qui nous retient dans l'espoir qu'on s'en venge, alors qu'elle gagne toujours.

Comme dans une pensée magique, j'ai le réflexe de refermer la porte sur elles pour qu'elles disparaissent de ma vie, et je devrais le faire, mais je sais qu'elles sont infiniment plus fortes que moi. Je m'efface plutôt avec un sourire ironique du pas de MA porte, et j'accueille CHEZ MOI ces femmes qui viennent de violer ma vie, concédant à cette mère, qui a eu la bassesse de se servir de sa fécondité pour garder son pouvoir sur un homme, sa victoire sur moi. Et le plus horrible, c'est que cet homme avec qui je vais rompre à l'instant, je l'aime encore. Et je voudrais le tuer, le détruire comme il m'a avilie. Je voudrais mourir, aussi, courir vers la fenêtre et me jeter au travers pour terrasser le flot d'humiliation dans lequel je me noie. Il faudrait que je le fasse, c'est impérieux, je ne vois d'autre issue que cette fenêtre donnant sur le vide.

À part Ninon. Ninon dont j'ai osé juger l'ampleur de la peine, Ninon dont j'ai intensément besoin, parce que je suis ravagée. Mais avant de l'appeler à l'aide, j'ai besoin de dompter ma honte.

J'attrape mon sac à main pendant à la patère et je les plante là, sans savoir où je vais aller, car je n'ai plus de foyer. Je suis déracinée.

TROUOULOU-OULOU-OULOU !

Bonjour. Ici Gontran, votre animateur habituel. Aujourd'hui, question-quiz : La Floride est :
— un État américain ;
— un état d'esprit ;
— un esprit d'état !
« Jean-Marie, j'ai une grande nouvelle à t'annoncer : tu déménages ! »

TROUOULOU-OULOU-OULOU !

Bonjour. Vous êtes bien chez Ninon Lafontaine. Il m'est impossible de vous répondre actuellement. Laissez un message après le trait sonore.

« Allô, Ninon, c'est Joanna. Ça te dirait de m'accompagner à un lancement, ce soir ? Ça va être plate et j'ai envie de compagnie. Je te paie la bière. Rappelle-moi au journal. Ah oui ! Au fait : Jean-Marie et moi, c'est fini. »

Bonne chose de faite

RIP : Jean-Marie Dupuis, 27 juin 1993 — 6 janvier 1998.
Et maintenant, *who's the next ?*

6 janvier 1998

Joanna n'a répondu à aucune de mes pressantes questions au télé-phone. À mon arrivée, elle m'a dressé un sommaire :

— Alors voilà : quand il était à Cuba, Jean-Marie a fait un enfant à une fille qui est retontie ce matin avec la petite dans les bras. Je l'ai averti qu'il devait déménager. Pour l'instant, je garde l'appartement à moi seule jusqu'en juillet et je vais annuler l'achat de la voiture.

— Enfin, Joanna, crie, pleure, fais quelque chose !

— Nan nan nan. Les angoisses et les hurlements, ils ont eu lieu l'an dernier, on ne va pas recommencer. Cet enculé-là m'a volé quatre ans et demi de ma vie, ça vient de s'arrêter ici. Ce n'était rien qu'un Jean-Marie-couche-toi-là, haha ! Quand je pense que je venais de le présenter à ma mère !... Tiens, mais c'est le beau Alain-Paul !

— Souris, Joanna ! a lancé le photographe en levant son appareil vers elle.

Elle a automatiquement pris la pause avec un sourire d'une extrême fausseté.

— Une autre pour ta collection de belles pitounes ?

— Tu sais très bien que ce n'est pas la photo que j'ai envie de déve-lopper...

— Tu dis ça parce que tu crois que j'ai encore un chum, mais je suis librrrre !

— Aïe, aïe, aïe ! Dans quels beaux draps me suis-je mis ?

— Tu ne le sais pas, tu n'as pas vu ma literie ! C'est ça, enfuis-toi, lâche !

— C'est que les tigresses, on les préfère en cage ! a-t-il conclu en s'éloignant.

Joanna a enchaîné sur autre chose pour éviter mes questions. J'ai décidé de lui laisser un répit. Le vernis finirait bien par craquer.

— Merci d'être venue. Je savais que ce serait mortellement ennuyant. Aussi plate que le livre, d'ailleurs...

— Passe-moi-le donc.

— Moi, les lancements au céleri et aux carottes... Tu en veux une ?

— *Ginette Lebrun... Connais pas.*

— *Même son nom est plate.*

— *C'est un commentaire qui va être dans le journal de jeudi, ça ?*

— *Non, je suis chroniqueuse mondaine, moi, pas critique. Mais il va y avoir un mode d'emploi pour construire des pyramides en bâtons de céleri, par exemple... On s'en va-tu ?*

— *Tu ne restes pas pour les discours ?*

— *Tu veux l'entendre remercier la fruiterie qui a rendu l'événement possible ?*

Elle a levé les yeux vers moi et j'ai senti que le vernis ne tiendrait plus longtemps. À ce moment, l'électricité a manqué pendant une fraction de seconde, puis les projecteurs se sont allumés sur la scène et un son de feed-back a retenti dans les haut-parleurs.

— *Mesdames et messieurs*, a commencé un homme au micro, *bonsoir. Nous avons le regret de vous informer que notre chère auteure a été retardée en raison de la panne d'électricité qui sévit dans l'ouest de la ville, causée par une rupture de lignes entre le poste Atwater et la centrale de Kahnawake. Afin de vous faire patienter, permettez-nous de vous offrir une tournée générale.*

— *Évidemment, s'ils nous retiennent de force...,* a-t-elle blagué, soulagée.

— *Elle est là ! C'est bien elle !* a crié une voix derrière nous.

— *Dimitri, dans mes bras ! Viens que je te présente une amie. Ninon, artiste multidisciplinaire, Dimitri, champion d'échecs. Ma fille, m'a avertie Joanna, inutile de crouser ce gars-là : il te voit venir vingt coups d'avance. Excusez-moi, je vais aller réclamer mon drink gratuit.*

— *Drôle de lancement, n'est-ce pas ?* m'a-t-il dit pour chasser le léger malaise qui avait suivi la déclaration de Joanna.

— *Oui. Quand je pense à la pauvre auteure ! Tu la connais ?*

— *Pas du tout, je suis entré ici par hasard, parce que c'était le seul bar ouvert dans le coin. Il y a des pannes d'électricité partout.*

Joanna est revenue, morte de rire, les mains pleines de bières.

— *Je retire tout ce que j'ai dit sur les céleris et les carottes ! Que c'est drôle ! Le livre se vend comme des petits pains parce qu'on est les seuls à avoir l'électricité dans le coin ! Ça va être un best-seller par défaut !*

Je la regardais se bidonner en papillotant d'un groupe à l'autre et je savais, pour la connaître depuis la nuit des temps, qu'elle se complaisait dans son personnage pour ne pas penser et qu'elle arrivait parfois à oublier vraiment le drame dans lequel elle se retrouvait depuis le matin. Cette fois-ci, c'était promis, je serais à ses côtés dans cet horrible événement. Et qui sait, son énergie me permettrait peut-être, moi aussi, de *m'arracher à cette histoire dégradante qui a bien trop duré. Il fallait que je m'habitue à l'idée de me retrouver de nouveau seule, moi aussi ; que j'en trouve la force. Quitte, pour cela, à faire ce que Patricia me conseillait ce matin : plonger dans le vide, tout simplement.*

C'est là qu'elle a aperçu Barbara, assise à une table avec d'autres personnes. Je l'ai vue blêmir, puis attaquer avant que j'aie pu faire un geste.

— Oh ben, si c'est pas la partenaire de mon nouvel ex ! Entre femmes, Barbara, maintenant que ce n'est plus mon chum, dis-moi donc la vérité : as-tu déjà couché avec lui pendant qu'on sortait ensemble ?

Barbara l'a toisée avec un souverain mépris narquois et a répondu :
— Souvent.

Joanna est restée immobile une seconde, le teint d'une effrayante lividité. Puis, à son tour, elle a scruté Barbara avant de conclure avec dégoût :
— Stie que t'es laide.

Barbara s'est figée de désarroi. J'ai eu pitié de cette femme au visage ingrat, en effet, attaquée publiquement par une autre d'une joliesse pleine d'assurance. Je me suis sentie grosse, bouffie, indésirable moi aussi.

Après, elle a bu, elle a bu sans fin... Elle ne cessait de rire d'une voix éraillée, lançant des grossièretés à tous ceux qu'elle reconnaissait, et même aux autres. Vite saoule à chanceler, laide d'alcool, elle m'a tendu ses clés.

— Prends ma voiture. Je m'en vais coucher chez Alain-Paul.
— Quoi ? Mais t'es folle ? Non, non. Tu viens coucher chez nous.
— Je vais me gêner, d'abord ! a-t-elle ri d'un sarcasme malsain.
— T'es saoule, Joanna, saoule à faire des niaiseries.
— Ouaip ! C'est pour ça que je rentre pas chez nous, d'ailleurs : ça pourrait tourner à la violence. Va. T'inquiète pas. Tu pars avec ma voiture, et moi, je vais baiser avec n'importe qui. Que veux-tu qu'il m'arrive de pire aujourd'hui ?

Elle a levé les yeux vers moi, le regard suppliant comme une photo de sinistrée. Je hais ce mot qui me poursuit depuis trois ans.
— Tu as des condoms ?
À cette question, elle a vacillé.
— Merci de m'y avoir fait penser.
— À n'importe quelle heure, dans n'importe quel état, tu peux me rappeler, OK ?

Et je suis partie pour chez moi, où ne m'attendait aucun message.

Ninon

Suite et fin

L'amour, c'est comme les dents.
Tu souffres pour les avoir,
Tu souffres quand tu les as,
Et tu souffres encore quand tu les perds.

Sélection du Reader's Digest
(me semble)

Ah ben bonjour! Comment ça va, vous? Oh, moi, à part un sérieux mal de bloc, tout est sous contrôle. (Pas pire, le coup de la narratrice qui ment à ses lectrices, non? Haha!) Tiens, la porte de ma maison. Un, deux, trois, go, j'entre!

— Tiens! Mon nouvel ex est déjà debout! Pas encore commencé à faire tes boîtes?

— Joanna, il faut qu'on se parle.

— À mon avis, on s'est déjà tout dit. Elle est où, ta nouvelle blonde?

— Chez Gros-Taupin. Et ce n'est pas ma nouvelle blonde. Attends que je mette la main sur celui qui lui a donné mon adresse...

— Je ne serai pas là pour voir ça!

— Je ne veux pas qu'on se laisse!

— Trop tard, c'est fait!

— Je suis autant chez nous que toi, ici.

— Tu veux meubler un six et demi avec un poêle et un piano? Ah, c'est vrai: il y a aussi le trampoline. Ça doit swinguer quand on fourre! Merde. Je suis sortie avec un amuseur public et je n'ai pas essayé ça!

— Je vais t'expliquer.

— Tu n'as rien à m'expliquer. C'était ta vie à l'étranger, après tout! Sauf que, si tu m'as refilé un virus, Jean-Marie Dupuis, JE TE TUE! Est-ce que c'est clair? Viens, puisque tu es là, on va faire la séparation des biens ensemble. «La séparation des biens ensemble.» Ça sonne drôle, non!

— Tu n'as rien à craindre des maladies. J'ai toujours pris des condoms.

— Niaise-moi donc !

— Sauf que les condoms cubains, ça vaut pas de la marde ! C'était un accident, Joanna ! Je te le jure !

— Hon… Quelqu'un a ouvert la porte dans ton dos, te projetant bandé dans la madame ? C'est comme ça que ça s'est passé ? Pauvre Jean-Marie…

— Joanna…

— Je peux les faire moi-même, tes boîtes. Hon… Il pleure… Malheureusement pour toi, je tolère ça très bien, moi, les larmes des autres, surtout quand elles viennent d'un ÉCŒURANT QUI M'A TROMPÉE PENDANT QUATRE ANS ! Tu décrisses, c'est-tu clair ? Je-veux-pus-jamais-rien-sawoir-de-toé.

— Je ne t'ai pas trompée pendant quatre ans !

— Ah bon, t'as pris des breaks entre Miss Cuba pis Barbara ? Au fait, dis-je en arrêtant sa réplique de la main, j'ai passé la soirée avec elle, hier, et elle m'a TOUT dit. Pas de chance !

Pas pire comme offensive. Je pense que je peux m'octroyer le temps d'aller me faire un petit café, que je vais déguster avec une douzaine d'aspirines. Et en attendant, je vais commencer à vider ce qui lui appartient dans les armoires.

— Ne t'inquiète pas : je te dégage immédiatement de toute responsabilité financière. D'ailleurs, je vais te rembourser le mois de janvier.

— Joanna…, gémit-il, appuyé au cadre de la porte.

— Tu n'as pas beaucoup dormi, toi.

— Arrête !

C'est vrai, je suis cruelle. C'est voulu. C'est pour cracher le pus, vous comprenez ? C'est pour lui couper la parole. D'ailleurs, tiens, j'ai une folle envie d'entendre du Rage against the Machine. À grosse planche, à part de ça.

— Éteins ça, faut qu'on se parle !

Et il se met résolument à pleurer, à pleurer, et moi aussi. Oh non !

— TOUCHE-MOI PAS !

— Je te demande pardon, s'il te plaît !

— Mais tu n'as aucune excuse ! Tu étais aimé, baisé, adulé comme un héros !

— Après tout, ça ne t'a rien enlevé !

— Rien enlevé ? Tu viens de réduire à néant l'amour auquel j'ai le plus cru ! Pour le reste de mes jours, je serai une fille cocue par un gars qui me trompait devant tout le monde et qui me piquait des crises parce que j'étais trop jalouse ! Mais je ne suis pas jalouse ! Je suis allergique au mensonge, c'est pas pareil !

Je me verse une tasse de café en tremblant de rage. Mars, dieu de la guerre, merci. À présenter les choses comme ça, je viens de me repomper.

— Mais qu'est-ce que je vais faire, moi ?

— Je m'en calice-tu ! Tiens, plutôt non : le plus vite tu auras vidé les lieux, le mieux ce sera, alors je vais t'aider. Cet après-midi, on sépare notre stock, on passe à la banque et on te loue un camion. Ce soir, tu vas coucher avec ta Cubaine... C'est quoi son nom, au fait ? Tu t'en souviens ?

— Carmen, murmure-t-il, vaincu.

— Ben voilà qui explique tout !... Et ta fille ?

— Cristina.

— Très jolie, en passant... Et demain, tu prends tes affaires et tu les redéménages chez Gros-Taupin. Après, ce n'est plus de mes osties de problèmes, parce que tu auras disparu de ma vie à jamais. Tu vois ? Ce n'est pas plus compliqué que ça, tout est réglé ! Hon non ! Il pleure encore !

Quelques moqueries encore et j'aurai bientôt gagné. Je hais la maudite voix acariâtre qui me sort des entrailles. Ah, maman, si seulement tu m'avais appris à retenir un homme, au lieu de me montrer comment le rendre fou !

— Joanna, écoute-moi. J'ai couché avec Carmen une couple de fois, au moment où tu te posais toi-même beaucoup de questions à notre sujet, et... le condom a lâché. Deux fois. Alors je me suis poussé à New York à toute vitesse.

— Tu savais qu'elle était enceinte ?

— Non, j'étais pas sûr mais j'ai pas pris de chance. Je veux rien savoir de cette fille-là ! Je vais lui offrir de l'argent pour aider la petite, mais c'est tout.

— T'en as plus, d'argent. Et Barbara ?

— C'est arrivé une ou deux fois !

— Ce n'est pas ce qu'elle dit. Et l'an passé, quand elle n'était pas là, c'était qui ?

— Personne !

— Je ne te crois pas. Mais on ne va pas perdre de temps à se demander qui ment. C'est fini, Jean-Marie, dis-je doucement. Toi et moi, c'est fini.

Je me remets à pleurer quand soudain l'électricité manque. Rage against the Machine s'interrompt en plein « Fuck ! » et le salon prend un air lugubre. Je fais quelques pas vers la fenêtre. Jean-Marie m'y rejoint.

— On annonce une alerte météorologique, dit Jean-Marie.

— Là où j'étais, hier, l'électricité a manqué aussi.

— Toi, as-tu couché avec un autre, hier ?

— C'est pas de tes affaires. Hier, c'était déjà fini. C'est écrit dans mon agenda.

Je crois qu'il était à un millimètre de poser sa main sur mon épaule quand le retour de l'électricité nous a fait sursauter.

7 janvier

Je suis rentrée chez moi en fin d'après-midi, l'âme amère. Hier, nous n'avions pas fait l'amour et ce matin, tu avais été odieux de fermeture. Comme ça arrive souvent, c'est l'entrain de l'ineffable Jérémie qui avait sauvé la mise au déjeuner. Puis j'avais passé la journée à livrer des commandes, et partout où j'étais allée, des pannes d'électricité sporadiques m'avaient retardée. À la Coop UQAM, j'étais à un doigt de recevoir mon dû quand une nouvelle panne a bloqué les caisses, et je me suis réfugiée à l'Après-cours, seul endroit du pavillon Judith-Jasmin qu'on n'avait pas évacué. Le staff avait garni les tables de chandelles. Tout le monde se parlait, répandant les rumeurs et les vieux souvenirs. Tel guichet automatique fonctionnait encore. Ça rappelait à certains le déluge du 14 juillet qui avait paralysé le centre-ville en 1987... Ou peut-être 1989. Non, ça c'était l'année de « l'orage magnétique » qui avait affecté les barrages hydroélectriques dans le Nord. On s'obstinait sur les dates, on essayait de rappeler quel cours ça nous avait fait « sécher », on riait de la blague. Quelqu'un disait que le service était rétabli dans le métro, partout sauf sur la ligne bleue. Le temps de finir la bière, c'était faux. En commandant la suivante, on apprenait que c'était l'état de siège dans les coins boisés de la ville. Finalement, ça a été vrai, le métro s'est remis à fonctionner et j'ai pu rentrer.

L'échec amoureux de Joanna me faisait atrocement mal. Outre le fait qu'il signait la fin d'une période de nos vies d'un horrible paraphe, il me donnait l'impression que tout était désormais impossible, dans cette fin de siècle où la planète nous signifiait à grands désastres qu'elle n'en pouvait plus : l'amour, la confiance, les projets. Et j'essayais de chasser de ma pensée l'idée qu'il sonnait probablement le glas de mes propres amours, puisque sans Jean-Marie, les chances de relancer François s'amenuisaient dramatiquement. Le trip à quatre était fini.

Je n'avais pas enlevé mon manteau que Joanna cognait.

— Salut, a-t-elle amorcé simplement, les yeux rouges.

— Ça va ? ai-je tout aussi banalement répondu.

— Disons que l'atmosphère est à l'avenant de la température, mais je m'endure. Ça a été toute une histoire à la Caisse pop parce que les cir-

cuits étaient tout mélangés, mais nos avoirs sont divisés. J'en ai profité pour retirer ce qui me restait de liquide (en argent, je veux dire, haha!). Pour le bail, ça devra attendre, mais N'Am... Jean-Marie est passé au bureau de poste et il a commencé à magasiner les camions. Il lui reste aussi à trouver des boîtes, mais aujourd'hui, rien n'est simple.

— Sérieusement, tu ne vas pas l'obliger à déménager avec ce temps ?

— Ben tiens ! Ça n'en sera que plus beau ! a-t-elle ri cruellement.

— Il est là ?

— Non, il est parti chez sa nouvelle blonde.

— Combien de temps tu penses pouvoir te cramponner à l'ironie ?

— Jusqu'à ce qu'il ait vidé les lieux. Après ça, je me donnerai le droit de craquer. Ça va être laid ! T'as de la bière ?

— Joanna, tu bois comme un trou.

— Tu as raison. On pourrait se partager une boîte de beignes, à la place.

Ça m'a blessée, mais c'était très réaliste : à chacune sa compulsivité ! Je l'ai pris en riant.

— Méchante ! Tu sais ce qui me fait le plus peur, si je lâche François ? C'est que ça veut dire aussi me mettre au régime ! Allez, d'accord. Mais on fait livrer. Il pleut, il grêle, il vente, il neige, il slutche et il verglace en même temps.

— Le Canada n'est qu'un gros banc de neige.

Nous nous sommes installées devant le bulletin d'informations en attendant le livreur, qui est arrivé ruisselant et taciturne.

— Tiens, tu le mérites bien, a dit Joanna en lui donnant un souverain pourboire.

— C'est cool, tout le monde me dit ça à soir ! a-t-il blagué avant de retourner dans la tourmente.

À la télé, on nous avertissait que ça ne faisait que commencer. Joanna, toujours organisée, a aussitôt dressé la liste de ce qui nous manquait.

— Des chandelles et de l'huile à fondue, j'en ai en masse ; ça prend une boîte d'allumettes, un briquet de rechange... Quoi d'autre ? Des briquettes pour le barbecue. Où on va trouver ça en plein hiver ? Au Pneu Canadien... Merde, le Hibachi est à Jean-Marie : on oublie ça ! Qu'est-ce qu'on mange ce soir ?

— Attends que je voie ce qui reste de périssable...

Dans l'escalier intérieur, on a entendu Jean-Marie se secouer les bottes et monter lourdement, puis la porte d'à côté se refermer.

— Est-ce que je peux coucher ici ? a-t-elle brusquement demandé.

— Bien sûr, ça me fait super plaisir.

C'était vrai. Nous allions souper ensemble en parlant de nos peines, nous remémorant les beaux souvenirs, tentant longuement de trouver la source de nos échecs, pleurant sporadiquement, riant par moments. Et nous nous endormirions serrées l'une contre l'autre dans mon lit trop grand, comme on l'avait fait si souvent dans mon ancien appartement, quand on était jeunes.

— Je vais aller avertir Jean-Marie que je suis ici et chercher quelques trucs.

Elle a plongé dans la cage d'escalier en retenant son souffle, et j'ai l'impression qu'elle ne l'a pas relâché avant de se rasseoir dans la cuisine.

— Tout va bien. Il a trouvé un déménageur dans le Voir. *Il part demain soir.*

Et elle s'est effondrée en larmes.

Ninon

Le verglas

Le représentant des services de la voirie s'appelle M. Barrière ; la porte-parole d'Hydro-Québec : Mme Lalumière. De toute beauté. Ça inspire confiance, vous ne trouvez pas ?

Avec les fréquentes sautes de courant, je n'allais pas me risquer à ouvrir l'ordinateur et, de toute façon, je n'avais pas la tête à travailler, alors j'ai passé la journée à aller et venir entre les deux appartements, constatant à chaque retour l'absence d'une nouvelle dent dans mon décor. Jean-Marie n'avait pas grand-chose, quand on a emménagé, mais l'affiche géante du gars dépeigné par ses haut-parleurs, je l'aimais beaucoup, et son retrait laisse une trace jaune sur le mur. Sans parler de la chaîne stéréo. Et puis c'est vrai, la cafetière-filtre, c'est à lui, et aussi la table de cuisine. L'ensemble bistro en marbre qui garnissait un coin du salon a l'air perdu au milieu de la grande pièce. Il va y avoir beaucoup de choses à remplacer, mais il faut aussi que je tienne compte de la venue d'un coloc éventuel (yark !). De toute façon, j'ai décidé d'attendre que Jean-Marie soit parti pour me réapproprier l'espace, d'autant plus que pour l'instant on n'en aura pas de trop.

Car le téléphone, lui, n'a pas arrêté de sonner. Après s'être informé de ma situation, Mon Boss m'a annoncé la fermeture du bureau jusqu'à nouvel ordre et m'a donné cinq noms constituant ma chaîne d'appels, destinée à permettre à tout le monde de rester en contact. Patricia, qui devait se débrouiller sans Charlotte puisqu'elle avait été réquisitionnée jusqu'à nouvel ordre par ses patrons, nous a annoncé qu'elle serait au Local jour et nuit. Puis ça a été Dany, que Ninon et moi avons tout de suite sommée de s'en venir : à la limite, même si on manque d'électricité, la vieille fournaise au gaz nous tiendra au chaud. Quant à Ninon, elle a essayé de joindre Marithé, mais n'a obtenu aucune réponse. François, par contre, ne s'est pas gêné pour s'inviter, pour une fois, et depuis il fait la navette entre les deux appartements, échangeant des murmures avec Jean-Marie et Gros-Taupin, qui se cantonnent dans le studio, ou me fuyant précautionneusement pour retourner chez Ninon.

Si bien qu'à l'heure du souper le ghetto blaster et la télévision ont pris place dans la cuisine, le salon est temporairement transformé en camping familial, la petite pièce vide a été convertie en chambre d'enfant, dans le studio s'amoncelle l'avoir empaqueté de Jean-Marie, et ne serait-ce du tragique de mes histoires d'amour, ça pourrait n'être qu'un joyeux party. Pour ma part, saoule depuis la première bière qui a succédé à mon deuxième café, j'erre dans mon territoire démantelé, passant mon temps à me chercher en riant nerveusement pour ne pas m'effondrer. Je ne suis sortie qu'une petite heure avec Ninon, histoire de faire quelques courses et de m'assurer de la sécurité de ma bonne vieille Rossinante, engoncée dans la neige pétrifiée jusqu'aux ailes. Bref, tout est maintenant prêt pour le mets principal, qui ne tarde pas à arriver. À dix-huit heures quarante, après avoir oscillé à plusieurs reprises, le courant rend définitivement l'âme, au moment même où la sonnette retentissait, et son tintamarre habituel meurt dans un « DRE... loup... » de circonstance.

Jean-Marie descend pour ouvrir la porte au déménageur, une espèce de bon vivant. François se charge de déverser dix livres de sel entre la porte et le camion. Informé de la teneur de la situation, le bon diable philosophe :

— Vous êtes le dix-huitième couple que je sépare depuis que je fais cette job-là, mais j'en ai réuni trente-deux, alors les statistiques sont de mon bord.

Le temps que la glace fonde, ils commencent par descendre les boîtes. Sylvain propose son aide aux gars, puis c'est au tour de Ninon de jouer les grandes âmes, et au bout du compte, à part Dany qui tient Anaïs occupée, nous mettons tous la main à la pâte. La pluie verglaçante, qu'un épouvantable vent du nord colle instantanément aux arbres, redouble de fureur tandis que nous glissons, les bras chargés, sur la croûte givrée qui se reforme à vue d'œil. Seul Jean-Marie, doté d'un sens de l'équilibre à toute épreuve, arrive à tenir la position verticale. Malgré moi, le comique de la situation m'apparaît, et je retrouve momentanément mon sens de l'humour.

— Quand on est arrivés ici, c'est toi qui faisais des cabrioles... Te rends-tu compte qu'il y a au moins trente degrés Celsius entre notre emménagement et notre séparation ?

— Exactement la même courbe météorologique que notre passion, maugrée-t-il, la goutte au nez, en s'emparant du projecteur que je lui tends.

— Allons, ta nouvelle blonde est une fille d'Amérique centrale, le thermostat va te remonter bien vite !

— Ce n'est pas ma nouvelle blonde. Avec la chance que j'ai en amour, je déménagerais à Cuba le jour d'un ouragan !

Comme chaque fois qu'il me fait rire, je l'aime intensément une fraction de seconde, avant de me rappeler qu'il n'est plus mon chum. Je suis renversée par un déferlement de peine aussi brusque qu'abondant. J'abandonne la chaîne pour me précipiter en haut, où Dany fait les cent pas dans le passage avec Anaïs dans les bras. Elle tend sa main libre vers ma joue.

— Tu sais que tu pourrais interrompre tout ce cauchemar si tu acceptais de lui pardonner ? me dit-elle doucement.

— Je ne peux pas, sangloté-je. S'il n'y avait eu qu'une femme, qu'une fois, peut-être, mais comme c'est là, je passerais le reste de ma vie à me méfier de lui et de tout, à ne pas le croire ; c'est impossible. Et puis, il y a la petite, en plus !

— Pleure pas, Yïona, dit Anaïs en imitant le geste de sa mère.

Je redouble de larmes. Dany dépose sa fille par terre et m'entraîne dans le salon, où j'essaie de prendre sur moi.

— Où est ma bière ?

— Passe donc au Diet Pepsi avant de tomber sans connaissance.

— Tu as raison. Je vais aussi me brosser les dents, j'ai l'impression d'avoir deux livres de tabac dans la bouche.

Quand je ressors des toilettes après m'être rincé les yeux pour la millième fois, les grandes opérations sont commencées autour du piano. Très professionnel, le déménageur (appelons-le Le Rigolo) explique comment s'y prendre pendant que Gros-Taupin démonte les portes, laissant s'engouffrer le froid humide. Sylvain descend avec la pelle et s'évertue à élargir la piste qui mène au camion. Ninon propose de faire du café, avant de se rappeler que ça marche à l'électricité.

— J'ai apporté mon réchaud de camping, lance François, occupé à enrubanner le piano de couvertures et de courroies. Il est dans mon packsack bleu.

— On va avoir besoin de se réchauffer après ça, dit-elle en revenant, une flasque de cognac à la main. Joanna, pas touche avant que les gars aient fini !

Il semble que je sois l'alcoolique de service, ce soir… La lente descente commence, marche par marche. Concentrés, les cinq hommes ne communiquent plus qu'en ordres et contre-ordres brefs, travaillant de concert, attentifs à équilibrer les poids et les forces, et je ne cesse de songer combien ils sont beaux, parfois, les hommes, combien c'est beau de voir cinq gars déménager un piano. Je me remets à sangloter sans retenue, debout, les bras vides, et c'est Ninon, cette fois, qui m'enlace.

— C'est le dernier morceau, haleté-je. Après ce sera fini. Après, tout sera fini !

— On ne sait jamais, pleure aussi Ninon, on ne sait jamais.

On entend les gars toucher le trottoir. Je cours à la fenêtre. Il fait apocalyptique, maintenant. De loin en loin, la lueur bleutée des transformateurs sautant un à un éclaire la grêle molle qui tombe avec acharnement. En bas, le piano s'ébranlant vers le camion prend les apparences du corbillard de mes amours.

— Avoir su, ça aurait pu attendre une couple de jours, dis-je en pleurant toujours.

La porte arrière du camion se referme et les gars remontent, ruisselants et gelés, pendant que François finit de réinstaller les portes. Ninon leur sert le café, mais Le Rigolo refuse le cognac.

— Je dois souffler dans ma petite balloune pour faire démarrer le camion, explique-t-il, toujours avec philosophie.

Enfin, ils se remettent sur pied et réendossent leurs parkas humides. François et Ninon se serrent l'un contre l'autre, et il lui promet de l'appeler dès qu'ils seront arrivés. Il y a un moment de flottement, le temps que tout le monde se rende compte qu'il leur faut disparaître parce que ça va être le moment des adieux. Jean-Marie, hésitant, s'approche de moi qui pleure. Finalement, il dit :

— Salut.

— Bye.

Et il s'en va.

— Là, j'espère que j'ai droit à une bière ?

On s'installe dans la cuisine et on allume la radio bourrée de piles. Je laisse les filles s'occuper des détails logistiques, complètement détachée de ce qui se passe, comme si j'étais une invitée dans cet environnement incongru. Je m'empare d'Anaïs, qui traîne Pamela en la suçant avec délectation (beurk !).

— Vous deux, matante Joanna a besoin de vous. Restez sur mes genoux.

Je m'enfonce le nez dans ma poupée de paille, comme quand j'avais quatre ans, nous berçant toutes les trois. Attentive et subtile comme le sont parfois les enfants, Anaïs se laisse serrer en silence, me touchant parfois les cheveux ou les seins d'un geste qu'elle veut réconfortant. Ça me fait penser aux enfants que je n'aurai pas, à celui que j'ai failli avoir, et je ne sais pas pourquoi, je suis persuadée que ça aurait été un garçon. Je détourne la tête et la vision de fin du monde qui m'apparaît par la fenêtre m'affole complètement.

— J'espère qu'ils n'auront pas d'accident ! Si seulement j'avais su…

Le téléphone sonne. Ninon va répondre. Elle bavarde un instant au sujet de la situation avec quelqu'un qu'elle semble connaître.

— C'est ta mère, m'annonce-t-elle en me tendant l'appareil. Elle écoutait les informations sur CNN, elle voulait savoir comment ça va.

— Ça prend bien un cataclysme pour qu'elle m'appelle, dis-je en passant mes bébés à Dany. Salut, m'man… Ben, Ninon te l'a dit, on n'a pas froid, on a tout ce qu'il faut, on est capables de toffer trois bons jours…

Jean-Marie ? On s'est laissés, il n'habite plus ici... Non, ce n'est pas encore de ma faute ! Il me trompait, maman !... Non, je ne l'ai pas poussé dans les bras des autres !... Je le sais, qu'il était formidable, imagine-toi donc... Tu pourrais m'apporter un peu de réconfort au lieu de tirer sur la gale !... Aïe, si c'est pour me faire des reproches, tes coups de téléphone, je peux m'en passer ! Est-ce que je t'appelle, moi, quand il y a des ouragans en Floride ?... Ben, c'est ça, bonjour !... J'aurais tant voulu aimer ma mère, soupiré-je en raccrochant rageusement.

— C'est d'une auteure féministe, cette phrase-là, note Ninon.

— Tu veux que je reprenne la petite ? demandé-je à Dany.

— Non, elle est en train de s'endormir. Mais Pamela, tu peux l'avoir !

Je me retrouve avec ma poupée dans une main, ma bière dans l'autre.

— Méchante régression ! Tout ce qui a changé, c'est la forme du biberon, finalement !

Le téléphone sonne de nouveau. Ma nouvelle secrétaire va répondre. On comprend bien que le piano et les gars arrivent tout juste, sains et saufs. Ça va lui coûter une beurrée, à Jean-Marie. Oui, mais une jolie fille l'attendait pour le réconforter en débarquant... Et peut-être aussi une petite braillarde fatigante ! Héhé ! Cette image me donne un (petit-petit-petit) regain.

Ninon me tend les restes de légumes dénichés dans mon frigidaire, qu'elle a transformés en plat de crudités.

— Joanna, il faut que tu manges.

— Nan !

— Grignote un peu, insiste-t-elle. Quand François et Sylvain reviendront, on se tapera une fondue nocturne du tonnerre.

Je croque dans une carotte et, pendant que j'ai l'impression de sentir les vitamines et autres éléments nutritifs se dissocier de l'aliment dans mon estomac pour se répartir dans mon organisme affamé, s'amorce une fulgurante suite de pensées : carottes-lancement-Barbara-Jean-Marie-adultère-rupture-combien-de-fois-quand-où-c'est-fini-il-est-parti. Je frémis.

— Je m'en vais prendre une douche, ça va me réhydrater. Après, on clenche le souper, OK ?

Je prends mon temps, m'exposant longuement la figure à l'eau brûlante. Quand je pense au monde qui n'a déjà plus d'eau chaude, et à ceux qui ont déjà froid... Eh bien, j'échangerais ma peine d'amour contre leur sort n'importe quel temps !

Je pénètre dans ma chambre apparemment presque intacte, à part le dessus du bureau pour messieurs. Mais le garde-robe exigu est soudain devenu spacieux, et certains tiroirs sonnent creux. Je m'apprête à ressortir quand, dans le miroir, la lueur de la lampe de poche lèche les échasses de Jean-Marie en reflet. Je me réfugie vite auprès des autres comme si j'avais vu un fauve.

— Jean-Marie a oublié ses échasses.

— Acte manqué, commente Dany. Il a laissé derrière lui quelque chose qu'il ne pouvait pas quitter comme ça.

— Je demanderai à François de les lui donner. Pas question qu'il remette les pieds ici !

Pour me faire taire, Ninon flanque une planche devant moi, et mon cerveau repart dans une nouvelle ronde : couper-des-légumes-la-lasagne-à-la-Jean-Marie-Jean-Marie-est-parti-tout-est-fini. Ah, zut, ça va faire !

Brandissant mon couteau, je me mets à taper du pied en cadence.

— Attention, les filles, un… deux… trois : « Mon mari vient de mourir… »

— « … Pas capable de m'empêcher de rire ! » entonnent les autres à l'unisson.

Je saute dans les airs et marque le rythme en tapant des mains, me complaisant dans ce vieux rigodon, car j'ai toujours envie de chanter quand il y a des pannes d'électricité. Et je patine, je me crinque d'énergie, si vous saviez l'effort que j'y mets, les filles, chantant de plus en plus fort pour submerger ma peine, au point que l'on n'entend les gars revenir que quand ils entrent dans la cuisine. Quand je dis les gars, je parle de Sylvain, François, et Jean-Marie.

— Tu as oublié tes échasses.

— Oui.

Aussitôt, je vais dans la chambre dont il referme la porte derrière nous et je me sens prise dans un guet-apens. Je braque la lampe de poche sur lui.

— J'ai oublié autre chose.

— Quoi ? Écoute, ça se peut, si je trouve quelque chose, je le donnerai à Ninon pour qu'elle le dépose à l'agence (Ninon-agence-Jean-Marie-elle-va-le-revoir-et-moi-pas-Barbara-qui-d'autre-combien-d'autres-quand-où)…

— Tais-toi. J'ai tous les torts. J'admets tout, OK ?

— La fois où j'étais certaine aussi ?

— Ça a été la dernière fois. Je n'avais pas pensé que ça pourrait te faire aussi mal. À partir de là, je ne t'ai plus trompée, ça, je peux te le jurer.

— C'était qui ?

— Ça n'a pas d'importance. Elle n'en avait aucune. Joanna, tout est de ma faute et je suis parti, comme tu me l'as demandé. Mais je ne veux pas qu'on se laisse comme ça. Ce que j'ai oublié, c'est de te faire l'amour une dernière fois.

— Oh non !

— Il le faut.

— Elle t'attend là-bas.

— Gros-Taupin va s'en occuper. Je lui ai dit que je ne reviendrais pas ce soir. Et qu'aussitôt que les choses reprendraient leur cours normal, je la renverrais à Cuba avec un peu d'argent. J'en trouverai. Si elle veut rester ici, je la référerai à des gens qui pourront l'aider, mais c'est tout. Joanna, tu m'as jeté à la rue, tu t'es vengée, je le méritais, c'est correct. Mais laisse-moi choisir ma sortie.

Je ne réponds pas, terrorisée par je ne sais quoi.

— Regarde dehors. C'est vraiment un temps à ne pas mettre un chien à la rue. C'est un temps hors du temps. J'ai faim, j'ai froid, je suis crevé, je suis malheureux, finit-il les larmes aux yeux. Ma cuisine est pleine d'amis, dont les tiens qui étaient devenus les miens, et vice versa, et j'ai envie de rentrer chez nous, mais je n'en ai plus. Demain, si l'électricité n'est pas revenue chez Gros-Taupin, je vais aller coucher dans un centre de réfugiés avec cette fille-là, qui a détruit ma vie ! Je suis un gars de scène, donne-moi au moins une chance de ne pas rater ma sortie ! Laisse-moi te toucher. S'il te plaît !

OK. Chaque instant de cette soirée... Non, c'est la nuit maintenant. Chaque seconde de cette nuit sera désormais un compte à rebours vers le sevrage de mon amour. Mais si nous devions mourir demain, pendant ce désastre effrayant, j'aimerais avoir fait l'amour une dernière fois avec Jean-Marie.

Je lui tends la main et il m'enlace, il y avait trois jours que ce n'était pas arrivé, comment j'ai fait ? Comment je vais faire ? Je me remets à pleurer. C'est si bon, ça fait si mal ! Pourquoi ?

— Ne pleure plus, Joanna. Nous avons des invités.

— OK, reniflé-je.

Hors les murs de notre chambre, notre chambre pour encore une nuit, nous attendent nos amis. Tous, nous sommes là pour nous distraire du cours horrible que prend parfois la vie. Ce soir seulement, faisons semblant que tout va bien.

CANTICA À PLUSIEURS VOIX

Dans la ville de verglas, mon envie de toi comme une idée fixe. Sous la pluie de glace, au milieu des branches qui craquent, sur une rue impraticable, ma maison refermée sur elle-même et mon corps ouvert. Tes mains sur ma peau, impatiente comme ma bouche à laquelle tu manques aussitôt que tu la quittes. Je te veux.

Une trêve au milieu de notre guerre. Des images d'Épinal dans ma mémoire sensitive. Les tons chauds de ta chevelure au milieu de mes cuisses, et dehors, l'enfer froid. La lumière de tes yeux plantée dans les miens, et ailleurs, le cataclysme. La couleur de ta peau dans la noirceur de la ville éteinte, ma fournaise rouge comme le centre d'un bonbon, je te désire.

La ville souffre et tu es en moi. Les centrales qui sautent une à une comme les derniers remparts de mes défenses, les arbres dégarnis qui ploient sous la glace comme mon dos se cabre, les pylônes qui s'effondrent autant que tu te tends, les rues de givre qui nous isolent de nos vies, mon lit à la dérive dans Montréal dévastée, je suis bien.

En toile de fond, l'armée qui débarque dans nos rues, les États-Uniens à notre secours, l'Afrique qui tremble en regardant CNN, les réfugiés de NDG, les morts de Saint-Hyacinthe, les assiégés de Claude-Robillard, et nous. Je ne veux rien savoir de ce qui se passe en dehors de NOUS. Nous sommes les rescapés d'un conte de fées méchantes, notre tapis volant nous entraîne par l'œil de la tempête, dans les méandres de ta complexité, dans les circonvolutions de mes joies, et je ne veux jamais revenir. Je t'aime !

Après-demain, on rebranchera la réalité et tu partiras. J'irai marcher dans la ville étêtée et je pleurerai les arbres. Je plongerai dans mon quartier désert et mutilé et j'aurai peur que tu ne reviennes jamais. Je me barricaderai chez moi dans l'immobilité de Montréal gelée, et j'aurai peur pour ma vie, ma planète et son avenir.

Mais je n'aurai plus peur de toi.

Trououlou-oulou-oulou !

Bonjour. Vous êtes bien chez Ninon Lafontaine. Il m'est impossible de vous répondre actuellement. Laissez un message après le trait sonore.

« Bonjour, Ninon, c'est Marithé. Je viens de recevoir ton message. J'espère que ça va par chez vous, car les nouvelles sont inquiétantes. Ici, on a à faire à une bonne tempête, mais rien à comparer avec votre situation, et il n'y a pas encore de panne généralisée. Je t'appelle pour te dire que je n'ai plus de nouvelles de Marc depuis plusieurs jours. Il allait de plus en plus mal, depuis quelques semaines, au point qu'il avait commencé à perdre le langage. Puis il est arrivé un événement bizarre. Nous venons de nous brancher à Internet, à la librairie, et un jour, il est venu m'y rejoindre après avoir fait des courses au village. Il est si beau quand il vient à cheval dans les rues de Nominingue... Il s'est assis devant l'ordinateur et s'est mis à naviguer. Il y a passé la soirée, puis la nuit, sans boire ni manger. Il n'y avait plus moyen de le faire décrocher. Il a fini par lâcher prise quand je me suis mise à répéter sans fin : « Les chevaux, les chevaux... » Après, pendant quelques jours, il n'est sorti qu'à heures fixes, pour s'occuper des bêtes, puis il a averti son oncle qu'il ne reviendrait pas. Tu sais, celui-là, ce n'est pas un mauvais homme, peut-être même qu'il aurait accepté d'être l'image de père dont Marc aurait eu besoin, mais il y a longtemps qu'il n'essaie même plus d'entrer en communication avec lui.

Depuis, Marc n'est pas sorti de chez lui. Je suis allée lui porter des victuailles, mais il a refusé d'ouvrir la porte. J'ai laissé les sacs d'épicerie sur le perron. Ce que les rongeurs ont laissé est encore devant la maison. Je ne sais plus quoi faire. Je crois qu'il a besoin de vous ! Je pourrais envoyer la police, c'est sûr, mais je voulais vous avertir avant. »

Mon amour

Me voilà seul
C'était écrit

CHARLES AZNAVOUR,
Me voilà seul

Je te regarde t'habiller, pour la dernière fois. Tu es beau. La nudité te va bien. Ton corps, je ne le verrai plus jamais nu. C'est déchirant mais je l'assume. Autrement, je ne pourrais plus me regarder dans le miroir et m'aimer, moi.

On a baisé comme des fous, comme aux plus beaux moments de notre histoire. J'ai presque réussi à taire la voix dans ma tête. Quand j'ai pleuré, quelques fois, tu m'as dit que tu m'aimais, et je t'ai cru. Je l'ai dit aussi pour l'entendre une dernière fois. Tu m'as fait jouir. Mon corps tiquait, mais je me suis forcée parce que ça allait être l'ultime souvenir. Après, tu m'as bercée comme tu ne le feras jamais plus, et nous avons refait l'amour au matin. Tu avais raison : tantôt, cela n'en sera que plus déchirant, mais nous devions le faire.

— Tu déjeunes ici ? Si, si, je t'invite. Profites-en avant que la rage me revienne, ça m'étonnerait qu'on puisse rester bons amis.

Hors les murs de ma chambre, Dany a fait manger Anaïs qui dessine dans le salon. Le café de cow-boy qui nous attend m'emplit d'aise, sauf que ça actionne dans ma tête le maudit machin : dernier-café-de-cow-boy-chez-Marc-déclencheur-de-notre-première-chicane-tout-est-de-sa-faute.

Ninon et François retontissent, comme au bon vieux temps où on était colocs. C'était en 1996, l'année du Déluge. Deux ans déjà ! Comme on était jeunes et heureux ! Je m'en vais sur trente-deux et je suis redevenue célibataire. Ce n'est pas à trente ans qu'on vieillit, c'est tout de suite après. C'est horrible.

Je sirote mon café silencieusement, oscillant entre les larmes et la rage enfouie qui recommence à me remonter à la gorge. Les autres commentent les nouvelles du journal (quel héroïsme, ces camelots !).

— Il faut que je m'en aille, dit Jean-Marie après avoir rapidement déjeuné.

— N'oublie pas tes échasses.

— Certainement pas, je comptais justement essayer ça pour le retour !

— N'Amour ! Fais attention à toi !

Ça m'est sorti tout seul. Jean-Marie sourit vaillamment.

— Je vais m'en ennuyer de cette quétainerie-là, Jojo-Nana.

Cette fois-là, c'est la vraie. Il a la présence d'esprit de faire ça vite. Il s'habille en un tournemain, saisit ses échasses, les repose, se jette sur moi pour me serrer contre lui très fort, une seconde, les reprend et franchit le porche.

C'est fini.

— Joanna, écoute ça ! s'écrie Ninon en me tendant le téléphone.

Vaseuse, je saisis le combiné et j'écoute le message de Marithé.

— Qu'est-ce qu'on fait ?

— On y va !

— Hahaha ! Moi, je vais franchir deux cents kilomètres sur la glace vive pour aller m'occuper de Marc Auger qui ne manque absolument de rien dans sa cabane ? Moi, je vais risquer ma vie et ma voiture pour sauver M. Chose de la dépression ? C'est tout ce qui manquait à mes fêtes ! Let's go, ça va être drôle !

Carnets de voyage intérieur
8 janvier 1998

Les derniers morceaux de papier que je possède doivent servir à rallumer ce feu. Mon identification légale, avant-dernière trace de mon existence, est dans le poêle à bois, et servira à rallumer ce feu.

Il me faut rallumer ce feu, parce que ma survie en dépend. Mon corps manifeste qu'il a froid par des frissons, des tremblements et de la douleur dans mes articulations atrophiées. Si je ne rallume pas ce feu, je mourrai d'hypothermie dans les prochaines heures (mais qu'est-ce qu'une heure ?).

Les murs ont disparu autour de moi (mais qu'est-ce qu'un mur ?). Je ne conçois plus l'usage des objets qui jonchent l'espace limité par ces cloisons au nom qui m'échappe.

Il n'y a plus de monde, de mots, je ne sais plus à qui appartient cette (voix ? conscience ?) qui tient ce soliloque en moi, si c'est bien de l'intérieur de ma tête qu'émanent ces pensées. Je suis...

Non. Je ne suis plus.

Je n'ai plus d'identité, de territoire, de frontières. Je n'en avais jamais eu, jusqu'à ce que je revienne d'Ailleurs, ici où je sombre dans le trou noir de ma totale superficialité, rayé, effacé du monde, vacuité coincée au fond de cet espace vide meublé seulement de mon champ de vision, dans lequel trône un poêle à bois qu'il faut que j'alimente.

Je ne suis utile qu'à ce poêle, qui, lui, n'est utile qu'à mon corps. C'est vrai, j'ai encore un corps, qu'on identifiera par les empreintes de mes gencives, quand on me retrouvera décomposé par le redoux du printemps, grignoté par les mulots et les ratons, servant enfin à quelque chose, morceau de la chaîne alimentaire.

Mais très loin depuis les méandres de mon cerveau arrive l'idée que je suis un humain, le dernier maillon, celui qui s'est inventé des mythes et des religions, et que l'humain n'a jamais laissé ses morts aux charognards.

*Il faut que je rallume ce feu et que je fasse un avec lui. J'ouvre la truie au ventre noir, je plonge la main dans ses entrailles brûlées, son néant dense, et avec une de mes dernières allumettes, j'enflamme mon baptistère, mon permis de conduire et les pages de mon passeport. Une flamme malingre luit au plus profond de ce noir, une lueur sur laquelle je souffle pour que les bûches prennent, comme ma mémoire anthropologique me l'a transmis depuis l'*Homo sapiens. *Je viens de faire un geste de survie qui me ramène à l'évidence que je ne suis pas mort, et pourtant je ne me crois pas vivant, car je n'ai plus de nom, de nationalité, d'état civil.*

Mais mon corps souffre du froid. Il faut que je trouve un moyen de me consumer dans ce poêle, que je me dépèce en morceaux pour y pénétrer ou que je fasse brûler les matériaux qui composent mon abri, il faut que ma disparition soit irrévocablement consommée, mon existence enfin révolue.

Le bois crépite et m'étonne, il y avait longtemps qu'il n'y avait plus de sons, déjà. Sa lumière m'aveugle et voilà que je suis dedans, dans les pages de ce passeport aux mille relents de moi, dans l'éclat d'un jour nocturne qui m'éblouit. Je referme la porte de la truie et la lumière s'éteint.

Je ne suis pas encore mort. J'ai des fonctions vitales, un estomac vide depuis des jours (mais qu'est-ce qu'un jour ?), et envie d'uriner.

Je détache mon pantalon, prends mon sexe mou dans ma main. Ce bout de moi infiniment vain, je le sors dans le froid et je pisse en projetant autour de moi un jet de mon odeur, traçant mon territoire qui englobe à peu près l'aura de chaleur entourant le poêle, dans lequel il faudrait que je trouve un moyen de me fondre.

Au loin, très amorti, un son, comme un claquement feutré. Je ne veux pas du monde, je ne veux pas de l'extérieur, allez-vous-en, tous les sons, toutes les images, tous les souvenirs, tous les paysages, toutes les voix. Qui ose marcher sur le perron de ma maison, tourner la poignée de ma porte, franchir mon porche ? Qui ose saisir mon image d'homme plié, la détresse noire de mon âme (mais qu'est-ce qu'une âme) ?

— QUI OSE ?

— Redresse-toi, Marc Auger, dit Ninon, redresse-toi, sinon je m'effondre aussi.

Une femme belle comme une cariatide s'avance vers moi, auréolée d'une vapeur froide qui me fait quitter le poêle des yeux. Je voudrais qu'elle se penche et me serre dans ses bras, je voudrais ses seins et sa bouche sur mon front, mais je sais que je ne peux lui faire l'affront de le lui demander, car cette femme n'est pas ma mère, c'est mon amie.

Pour faire ce qu'elle me demande, il faut que je décolle le bras de mon corps et que je saisisse le cuir de son gant, que je trouve la force de ne pas me pendre à elle pour me lever, que je retrouve assez d'équilibre pour me tenir debout et m'étirer jusqu'à ce que je sois plus grand qu'elle, jusqu'à voir son visage dans l'angle où je l'ai toujours vu, jusqu'à ce que mon nez se blottisse dans sa tempe et que ma bouche embrasse le bas de sa pommette en même temps.

Son corps dans son manteau rêche, que j'enserre, que j'écrase, sou-dain, sans m'en rendre compte, son souffle, sa bouche qui ne s'attarde pas, qui rejoint un endroit familier à la base de mon cou, mes sanglots dont mon corps maigre et sale retient les soubresauts, la douleur pure et sans souvenir que je contiens, sauve-moi, Ninon, redonne-moi la vie, Ninon, mais tu n'as pas ce pouvoir.

C'est elle qui sanglote de toutes ses forces sur ma poitrine, mainte-nant, et j'ai le réflexe de poser ma main sur sa nuque pour la réconfor-ter. Ninon n'est pas mon ennemie. Ninon a la même douleur que moi et j'ai honte d'avoir refusé d'y survivre.

— Nous devons reconstruire nos vies, Marc, dit-elle.

— Sans pays, Ninon ?

— Reviens en ville.

Le fond du baril

Sept heures, que ça a pris, incluant la dernière qu'on a passée à traverser le banc de neige qui séparait la route de la cabane avec provisions et cordée de bois. J'ai laissé Ninon entrer avant moi. Je me suis avachie sur le banc de neige recouvrant le perron, lessivée d'avoir passé la journée crispée sur le volant, les quatre membres aux aguets. J'avais une bière dans ma sacoche, dont je rêvais depuis le matin, mais quand j'en ai pris une rasade, le cœur m'a levé et je l'ai recrachée dans la neige. C'est une bonne nouvelle. Si seulement je pouvais développer une allergie à ce stoffe-là, cela n'en serait que mieux.

Quand Ninon est venue me chercher, je m'étais préparée au pire mais certainement pas à trouver Marc décharné, dégarni, voûté, mourant sur pieds. Je me suis précipitée vers lui, l'enlaçant pour lui communiquer ma chaleur.

— Parle-moi, Marc, répétais-je en l'attirant vers le sofa pour le réchauffer plus commodément. Me reconnais-tu ? Dis mon nom, dis Joanna, tu te souviens ?

Derrière moi, Ninon ravivait déjà le feu et faisait chauffer du lait, que je lui ai fait boire à petites gorgées. Jean-Marie-est-parti-Jean-Marie-c'est-fini jouait en fond sonore dans un coin de mon esprit, mais là, j'étais avec Marc, mon ami-frère Marc, mon ex Marc, qui avait besoin de moi, et rien n'était plus important.

Au loin, une motoneige a vrombi et Marithé est arrivée. Marc s'est cabré sous moi, mais j'ai retenu ses mouvements, psalmodiant :

— C'est une amie, Marc, tu n'as rien à craindre, nous sommes toutes tes amies, tes trois femelles sont ici…

Marithé a rapporté les douillettes de la chambre et Ninon a allumé des chandelles dans la pièce principale. Bientôt, une bonne flambée a illuminé le poêle, l'espace s'est réchauffé peu à peu, et nous nous sommes préparées à veiller.

Lettre que je ne posterai pas
31 janvier

Tu dis que ce n'est pas de mes affaires. Tu me rappelles qu'on ne s'est rien promis sinon la vérité, que tu n'as pas à me dire avec qui tu as couché. Je le sais, je l'ai demandé par réflexe, ça m'est sorti comme un « han ! » quand on vous donne un coup de pied dans le ventre. Tu me dis de ne pas crier après toi, mais voilà des heures que tu m'enrobes d'un mépris glacial. Tu me dis que je répète sans cesse les mêmes affaires, mais tu m'imposes toujours les mêmes silences. Tu me dis que tu ne veux pas faire l'amour avec moi, mais alors que fais-tu chez moi ? Tu me dis qu'il ne faut plus nous revoir, mais tu viens de m'inviter au lancement de ton manuel pédagogique. Tu me dis que j'en fais trop, mais quand j'en fais moins, tu ne fais rien. Tu me fais mal. Tu m'imposes ton indifférence, tu m'assènes de grands coups d'évidences tordues, ça y est, on est retombés dans notre pattern comme dans des sillons trop creux tracés par des mois de discussions identiques. Mais cette fois, nous irons jusqu'au bout, je ne partirai pas pour terminer la conversation, je ne te chasserai pas pour me soustraire à ta misogynie, j'encaisserai tout, et tu frapperas jusqu'à en avoir mal au cœur de ta propre méchanceté. Puis nous baiserons dans la haine, le désespoir et la hargne, nous tuerons les derniers relents d'un amour qui a déjà existé, nous le foulerons au pied, et nous serons vraiment séparés.

Pendant que tu me caresses, je songe. Je songe à toutes les autres dernières fois qui étaient suivies d'une autre. Je songe que Joanna avait raison : tu n'aurais même pas eu besoin de me dire que tu as couché ailleurs, car tu n'es plus le même ; tes gestes, ton rythme, tout est différent. Comme il y a de la haine dans tes hanches, comme tes yeux sont indéchiffrables, comme tu es méchant ! Tu me baises pour te débarrasser de moi, pour que je te haïsse à jamais, pour que tout soit fini.

C'est le matin, la nuit a été harassante, pleine de mots blessants, de frustrations et de larmes. Tu m'en veux, je suis gorgée de rancune, et la détresse me submerge par vagues à chaque fois que ton bassin enfonce ton pénis dans le fond de ma matrice. Voilà la synthèse de toute notre relation, en un coït, en une nuit. Tu m'abandonnes négligemment ton attention, comme une faveur, et je jouis. Cette relation sexuelle est d'une violence inouïe, pas en gestes mais en power trip. Nous savons tous les deux que c'est vraiment la dernière fois, il ne peut en être autrement. Nous revoir pourrait nous pousser au meurtre, je crois.

Quand tu pars, je suis brisée. J'ai les pupilles dilatées d'insomnie, je halète, je saigne des yeux. Je me masturbe. Je jouis violemment en pensant à toi. Effondrée dans le lit en bataille, dans le soleil de cette belle journée d'hiver, je tripote machinalement le condom plein de sperme, bouché par un nœud, et je me dis qu'un gars devrait toujours emporter ses vidanges quand il part de chez une fille, ça pourrait se retourner contre lui. En même temps, cet objet des temps modernes est une formidable intrusion dans ma vie, dans ma maison, comme si un chien avait pissé pour faire son territoire dans le mien. J'ai des idées laides mais, ironiquement, je me dis que j'écrirai enfin.

T'avoir aimé, c'est t'avoir attendu.

Ninon

Épilogue

La plus grande perte

L'Agenda selon Joanna Limoges

1998 : Tâcher de survivre à un bout ben ben plate.
1999 :
Janvier : Prendre la résolution de m'en remettre.
Février : Travailler fort dans les coins.
Mars : Travailler fort tout court.
Avril : Bis.
Mai : *Idem* (et bronzer).
Juin : *Op. cit.* (et toaster).
Juillet : Crouser tout ce qui bouge, avec des résultats variables (et me régénérer encore et encore aux piles solaires).
Août : Ne rien commencer de nouveau (à part chercher l'ombre) et m'énerver.
Septembre : Histoire de commencer quelque chose, commencer à écouter ce qu'ils disent sur le bogue.
Octobre : À tout hasard, faire des grosses commandes.
Novembre : Vous êtes ici.
Décembre : Tic, tac, tic, tac, tic, tac. Bogue *or not* bogue ?

1998

Ici, juste ici, c'était la place à ta main. C'est toujours là qu'elle se nichait quand nous dormions ensemble. Après l'amour, dans un geste à la fois possessif et tendre, elle empoignait l'intérieur de ma cuisse, là où la peau est douce comme la joue d'un bébé, et elle s'y endormait.

Ce soir, j'écoute des films en mangeant des tortillas gratinées, en fumant des cigarettes et en buvant un verre de Caballero, accompagnée de la seule et déprimante réflexion que cette soirée plate pourrait être merveilleuse si ta main était sur ma cuisse, si je te donnais un bisou dans le cou en ramassant ma bière. Comme je m'ennuie de m'ennuyer à deux !

Je ne dormirai plus jamais. J'ai tout essayé, la dope, les somnifères, les boules Quiès, les cartons noirs dans les fenêtres, mais l'intérieur de ma cuisse est obsédé par l'absence de ta main. Mes nuits sont interminables et glaciales, mes draps sont rêches, mon lit est immensément vide. Les pupilles desséchées à force de garder les yeux ouverts, les nerfs à vif, je cherche le sommeil dans toutes les positions, mais il me fuit à jamais. J'en ai oublié la clé un jour, en partant de chez toi, sur la table de chevet, à côté de la petite lampe.

Au bout du compte, le mot « nous » est une aberration. Pourtant, ça existe, puisque ça finit.

Ninon

« Dehors novembre »
(Les Colocs)

> Tu n'étais seulement qu'une aventure,
> Sur mon cœur de pierre, une égratignure,
> Un peu de chaleur dans ma froidure.
>
> OFFENBACH,
> *Seulement qu'une aventure*

Salut ! Mon Dieu, mais quelle tête vous faites ! Changez d'air, ça finit pas de même !

Remarquez, je dis ça, mais il n'était pas facile, le bout qu'on vient de traverser. Pas pour rien que je n'ai pas donné de nouvelles : vous m'auriez sans doute trouvé des ressemblances avec François le Triste Sire, et même si je lui dois des excuses, à celui-là, je ne crois pas que je l'aurais pris en riant. Mais puisque, au lit comme à la narration, je suis une femme fidèle, MOI, me revoilà pour vous expliquer pourquoi vous n'avez rien manqué.

Allons-y dans l'ordre. Tout d'abord, Marc. Quand on l'a réchappé, ça a pris trois jours de soupe et de pain pour qu'il soit transportable. Et en plus, il se débattait, ce casse-pieds. Il a fallu le menacer d'appeler la police pour arriver à le faire manger. Des vraies mères, sauf que la menace était vraie ! Puis on l'a finalement convaincu de nous suivre à Montréal, où on l'a confié d'office à un psychiatre qui lui a prescrit de quoi s'endurer. Il ne voulait rien savoir, mais à force de lui expliquer que ce n'était pas lui qui était fou, mais plutôt le monde dans lequel on vit, et que dans un cas comme le sien, des antidépresseurs, c'était comme des anti-allergies contre la connerie ambiante, il a fini par coopérer et il est venu rester ici. Oui, oui, chez moi. Le noir mat de l'ancien studio de Jean-Marie lui a tout à fait convenu, c'est juste assez schizoïde pour lui. Quand il s'est porté un peu mieux, Ninon lui a apporté des craies à tableau, et il s'est mis à dessiner de grandes fresques ben ben fuckées sur les murs, qu'il lave (c'est tout ce que l'asthmatique de la maison lui demande) toutes les fois qu'il se fatigue de son décor. Il a coupé les ponts avec Marithé et il continue à voir son psy. Quand j'ai le temps, je le sors dans le quartier, tentant de lui transmettre mon amour infini de Montréal, de sa multiethnicité, de sa beauté paisible et de ses heures folles. (Oui, moi aussi, j'ai l'impression de faire des réclames politiquement correctes, mais vous essaierez de guérir un agoraphobe, vous autres, pour rire ! Tous les coups sont permis !) Au début, il recevait du chômage et maintenant il est bénéficiaire de l'aide sociale pour cause d'inaptitude au travail. Je ne suis pas certaine qu'on puisse en faire un citoyen très productif avant longtemps, mais il prend lentement du mieux, même s'il fuit encore comme la peste tout ce qui s'appelle télécommunications et médiatique.

Vous me direz que ce n'est pas le compagnon idéal pour se remettre d'une peine d'amour, mais ce n'est pas tout à fait juste. D'abord, c'est mon ami. Deux bras d'homme, des fois, ça fait du bien, et ça rend des tas de services, en plus ! Et puis, son arrivée m'a permis de garder l'appartement, que j'ai pratiquement à moi puisque Marc est presque toujours dans sa chambre. Avec Ninon qui reste toujours à côté, ça fait un trip à trois très doux et très calme (parfois un peu trop à mon goût, mais j'en avais sans doute besoin). On se réserve presque toujours le dimanche matin, et ces quelques heures passées ensemble sont très apaisantes. En tout cas, c'est comme ça qu'on a réussi à panser nos plaies : par l'amitié, comme toujours.

D'ailleurs, c'est à trois qu'on s'est mis à la diète santé, aussitôt rentrés : pendant six mois, Ninon a cuisiné Montignac (ah ! la mooode !), je me suis mise à la consommation contrôlée (avec quelques rechutes, voir plus loin au sujet de mes niaiseries), et je me suis refait un semblant de sobriété. Quant à Marc, on l'a gavé comme un petit poulet d'hydrates de carbone et de fibres alimentaires.

Je sais que ça fait un peu « Les joyeux déprimés », mais c'est un « trip », un épisode, c'est sûr que ça va finir à un moment donné (honnête-ment, je commence à avoir hâte !). Sauf que, pour une fois, je m'accorde une bonne convalescence amoureuse avant de resonner le tocsin. (À ce sujet, j'ai aussi changé — à mes frais — le « DRELIN ! » agressant pour un digne « dong » doucereux comme une jaquette d'hôpital. Ça fait un peu vieille Anglaise, mais justement, je suis en train de rénover mon image.)

Je vous parlerai des autres après. Mes niaiseries, maintenant.

Ça a commencé avec Alain-Paul. Vous voulez le savoir, hein ? Eh bien, une fois chez lui, j'ai continué à me saouler à mort. À la minute où il m'a touchée, je me suis échappée pour aller vomir mon âme dans la cuvette et j'ai passé le reste de la nuit couchée sur le plancher des toilettes.

Le deuxième, tout de suite après notre retour de Nominingue, plus il était doux et plus j'étais froide. Je songeais à Jean-Marie, aux caresses qu'il m'aurait faites, et je me suis mise à pleurer. Il a arrêté de me toucher. Je l'ai supplié de continuer, de passer par-dessus mes larmes. Et il l'a fait : il m'a baisée pendant que je sanglotais. Je crois même que c'est ce qui le faisait bander. Quand il est venu, je lui ai dit merci et je suis partie. Je me suis lavée trois fois en arrivant, et rien que d'en parler me donne l'envie d'y retourner.

Au troisième aussi, je me suis mise à pleurer. Je lui ai dit de continuer, mais il s'est retiré, ahuri. Je suis partie à brailler en lui demandant pardon. Il m'a prise dans ses bras et j'ai hurlé de larmes pendant dix minutes. Quand je me suis calmée un peu, il m'a demandé de m'en aller.

Le quatrième ? Quatre sur dix. Pas d'autres commentaires (sinon qu'à date, c'était mon meilleur score).

La cinquième fois, c'était avec un vieux copain, un ancien amant d'un soir. Je me suis sentie un peu plus en confiance. J'ai songé à toute vitesse aux fantasmes les plus efficaces de mon répertoire et j'ai joui seule de mon côté. Après quoi, j'ai pleuré et bu, pleuré et bu.

Le suivant, à peine m'avait-il effleurée que je me suis totalement figée. Il n'était pas particulièrement laid, mais il était le parfait contraire de Jean-Marie, aussi courtaud que Jean-Marie était élancé, aussi poilu qu'il était imberbe. Vaguement écœurée, je baisais en veillant à mettre mes bijoux et mes sous-vêtements dans mon sac, au cas où je déciderais de lever le camp en cours de route. Quand je m'en suis rendu compte, il ne me restait qu'à le faire.

Le dernier, il était pas mal plus jeune que moi, aux alentours de vingt-trois ans. Quoi que je fasse, il était tout de suite épaté. Il a appris et je l'ai laissé expérimenter. Mais son enthousiasme maladroit, ne me demandant aucun effort, m'a finalement apaisée.

Sept d'un coup, comme le petit tailleur, en autant de semaines. Voilà. Le clou était chassé. Après, j'ai passé les tests et depuis, de six mois en six mois, j'ai recours à un homme pour nourrir la bête.

Je n'ai jamais revu Jean-Marie. C'est fou : tu aimes quelqu'un qui est toute ta vie pendant des années et qui, un jour, disparaît totalement de ton existence. Ai-je espéré son appel ! En ai-je passé, des heures à rêver qu'il inventait un miracle, un acte héroïque destiné à tout lui faire pardonner ! Mais à part quelques coups de téléphone échangés pour des détails pratiques, qui me bouleversaient pendant des jours, nous ne nous sommes jamais croisés.

J'ai eu de ses nouvelles, par exemple ! Pendant un bout de temps, Ninon le rencontrait par hasard à tout bout de champ, et me rapportait leurs propos. Parfois, je ne voulais rien entendre. D'autres fois, j'en réclamais à grands cris. Elle a fini par en avoir son voyage d'être l'entremetteuse (on n'a pas toutes ce talent), mais j'ai su que, tout de suite après avoir pu sortir du Centre Claude-Robillard, puis de la ville, Carmen avait sauté dans un Boeing en nous laissant nous débrouiller avec notre maudite météo de fous (héhé !). Ne vous réjouissez pas trop vite. Début 1999, Jean-Marie réintégrait sa job au Cirque du Soleil et allait la retrouver à Cuba. Elle est shot, hein ? Ça m'a donné un coup ! Je commençais tout juste à m'en remettre, et là, c'était comme une autre trahison. La fille qui avait supposément ruiné sa vie, il la lui donnait ! Et moi, je n'avais été qu'un intermède entre deux épisodes de cirque !

J'ai plongé dans la phase finale de la guérison comme quand on rejette violemment tous les microbes hors de son organisme par instinct de survie. Maintenant, toute trace d'amour est révolue, et je peux surmonter la nausée quand je prononce les mots « du temps que j'étais avec Jean-Marie ».

N'ayez crainte. Il restera toujours les merveilleux souvenirs, que j'époussette consciencieusement quand ils affluent en laisses infinies : notre-rencontre-chez-Ninon-dans-son-sous-sol, le-voyage-à-Cuba-en-1994-le-soleil-la-plage-l'hôtel-(Carmen-quand-où), sa-chambrette-à-Soho-la-saison-suivante, le-déménagement-les-coquerelles-la-réno-le-retour-de-Ninon-la-colocation-les-trips-à-quatre, les-baises-le-matin-les-baises-le-matin-les-baises-le-matin. Rhââ ! Vos gueules, les mouettes !

Il me reste de bien vilaines cicatrices (quoique pas de virus). Et en plus, il m'a donné ma première ride ! (Depuis, j'ai endigué les dommages, mais mon budget pharmacie a quadruplé.)

Financièrement, au train de vie de préretraitée que je mène, ça va, et je l'ai eue, ma Diligence en quarante-huit versements. Le Contrat du Siècle ? Jamais eu de nouvelles (quoique, sous le couvert, on commence à parler d'une histoire de prête-noms européens pour des produits culturels québécois, et je compte suivre l'affaire de très près. Qui sait : peut-être qu'un scoop relancerait ma carrière !).

Car, une chose est sûre, c'est côté travail qu'il doit y avoir du mouvement prochainement. Je commence à passer de mode. On m'a assez entendue. C'est comme ça, les médias. Vous-mêmes, ne vous tannez-vous pas de toujours entendre le même monde s'exprimer, prétendument en votre nom ? Il faut dire que je n'ai pas pondu grand chroniques formidables pendant ma peine d'amour. J'en ai écrit, des textes à une main, un kleenex dans l'autre ! Si j'avais été salariée, bien sûr, un bon congé de maladie m'aurait probablement permis de me ressourcer. Au lieu de quoi, je me suis esquintée à produire du matériel alors que j'aurais dû rester ici à manger de la soupe avec Marc. Mais avant de me faire montrer la porte par mon propre lectorat, je commence à me chercher un nouvel emploi pour l'an prochain, et d'ailleurs le changement va me faire du bien ! (Ça, c'est si tout ne saute pas le 1er janvier, évidemment. Des fois, je pense qu'on le souhaite !) Je n'ai aucune idée de ce que j'ai envie de faire, par exemple. L'idée géniale que je cherchais, je ne l'ai jamais eue, trop affairée à m'occuper du menteur avec qui je partageais mon lit.

Mais un peu de gaieté. Chez Patricia et Charlotte, ça flotte toujours. L'une construit des sites virtuels, l'autre des installations hydroélectriques on ne peut plus matérielles. Depuis le verglas, Charlotte a fait tant d'heures supplémentaires que l'achat d'une maison est dans l'air, mais Patricia hésite encore, toujours à cause du déséquilibre de leurs revenus. Ce qui ne les empêche pas d'être en passe de devenir le couple le plus installé de la gang.

Je dis ça, mais n'allez pas vous inquiéter pour Dany et Sylvain ! D'abord, il y a eu un miracle : l'affaire de Sylvain a été reportée tant de fois que le juge, excédé par la lenteur des procédures, a déclaré la cause non avenue et Sylvain non coupable. Je le sais, ça écœure un peu, parce que justice n'a pas été rendue. Mais d'un autre côté, c'est notre ami, et on a été soulagés pour lui. Surtout qu'en un sens, ils ont payé leur dette à la société, car ils se sont fait dévaliser pendant le verglas. Ils étaient assurés, mais la moitié de leur ameublement étant composé de stock volé, ils n'ont pas pu réclamer grand-chose. Depuis, ils tirent pas mal le diable par la queue, surtout que Dany ne travaille qu'à temps partiel.

Heureusement, cela ne les a pas empêchés de s'aimer, et vous rencontrerez Thomas avant la fin, c'est promis. Pour l'instant, je peux déjà vous dire qu'il a été conçu chez nous, pendant le verglas. Ça me fait une fleur ! Quant à Anaïs, elle a maintenant près de quatre ans, et ce n'est pas parce que c'est ma filleule, mais je la trouve vraiment très intelligente… (Remerciez le ciel que je ne sois pas mère : je passerais ma vie avec mon album de photos dans ma sacoche !)

Bref, tout ne va pas comme dans le meilleur des mondes de leur côté, mais ils l'ont, eux, l'amour-éternel, alors qu'ils arrêtent de chialer !

Ninon ? L'an passé, elle a repeint son appartement. C'est drôle : autant c'est bonbon chez moi, autant c'est sableux chez elle. Dans son salon, elle a réussi à mixer du bleu marine avec du cannelle chaud, et c'est d'un effet saisissant : vous entrez dans la pièce, et c'est fini, vous n'avez plus aucune envie d'en ressortir. Si ça pouvait attraper un petit papillon de nuit minimalement coopératif, ce ne serait pas trop tôt ; mais sa revanche, elle l'a eue dans le travail. On se me l'arrache partout pour œuvrer à l'aspect scénographique de toutes sortes d'événements. Ce n'est pas mêlant, c'est rendu qu'on recherche la griffe Ninon Lafontaine dans toutes sortes de domaines. Si elle continue sur sa lancée, ça pourrait virer en carrière internationale. Malheureusement, ça ne met que très sporadiquement un homme dans son lit, et c'est bête à dire, mais elle vieillit (par contre, elle a maigri, alors les désastres s'équilibrent).

Mais on bavarde, on bavarde, et il faut que j'aille me préparer, car ce soir, un gars m'a invitée à souper ! Je vous l'avais dit, que ça finissait pas de même ! Si la race mâle pensait s'être débarrassée de moi aussi facilement, eh bien, je vous en prie, détrompez-en tous les représentants que vous connaissez. J'ai le charme un peu raqué, je l'admets, mais j'ai toujours, toujours de beaux yeux, comme chantait l'autre, et la nouvelle texture de mon rouge à lèvres leur donne la folle envie de se poser sur des semblables dénudées. À plus tard !

Carnets de voyage intérieur
27 novembre 1999

Je marchais seul dans la rue, toujours apeuré par les signes aux conno-
tations infinies qui harcelaient les limites de ma bulle médicamentée. Les
mots, les logos, les symboles étaient omniprésents, défilant derrière la neige
flottante en kaléidoscope coloré de chaque côté de ma tête, et je devais ralen-
tir le pas pour ne pas me laisser étourdir par l'incessant discours de la ville.

Fatigué de consommer des marques, j'ai rebroussé chemin avant
d'avoir acheté tout ce que Joanna avait inscrit sur la liste, quand le jap-
pement d'un chien suivi de pleurs d'enfant m'ont sorti de ma torpeur.
Devant moi, il y avait une très jeune femme, les bras encombrés de
paquets, qui parlait doucement en quatre langues à un bébé assis dans
une poussette, tandis qu'un tout petit garçon, étanchément vêtu d'un suit
d'hiver comme j'en ai porté, attendait à côté.

J'ai cherché dans les abîmes de ma mémoire la syntaxe correspon-
dant au vocabulaire que j'entendais. La complexité affolante de l'amal-
game de mots en réseaux de sens m'a effrayé et j'ai failli abandonner ma
recherche, mais soudain, des phrases simples me sont revenues, et j'ai dit
au bébé en créole :

— Ou pa bezwen kriye ankò, oke, se fini [1].

Puis au garçonnet :

— Èske ou renmen nèj la [2] ?

Il a répondu d'abord sans mots, retroussant la lèvre et se cachant
comiquement la tête dans ses bras, puis il s'est ouvert tout grand vers le
ciel, souriant à pleines dents, et il a dit :

— Nèj la bèl [3] !

---

1. Ne pleure plus. Allons, c'est fini.
2. Est-ce que tu aimes la neige ?
3. La neige est belle !

La jeune femme a ri en levant les yeux vers moi, et mille soleils sont apparus sur la neige cristalline.

— Il ne se souvient pas du verglas qu'il y avait à sa naissance! a-t-elle dit en français.

— Rete trankil [1] ! ai-je dit au chien qui jappait encore.

Tout de suite, il s'est rangé de mon côté et m'a fait la fête. Je me suis mis à marcher au pas de cette lumière à voix de femme, assez lentement pour que l'environnement ne me donne pas le vertige. À l'intérieur de ma tête affluaient mille autres images, adoucies par le temps, d'un pays pauvre et agité où j'étais allé autrefois pour soulager la misère, quand j'étais assez fort pour croire que je pouvais changer le cours des choses.

Nous nous sommes laissés devant chez moi, parce que j'avais peur de devoir retraverser la rue Papineau tout seul après.

— Tu restes là? m'a-t-elle demandé en désignant la fenêtre au-dessus du commerce.

— Oui, avec une colocataire.

— Moi, j'habite par là, avec ma mère, a-t-elle dit en pointant vers l'est.

— J'aimerais te revoir, Soleil, est ce que j'ai cru bon de dire.

Elle a ri de nouveau, a levé les yeux au ciel exactement comme son fils, et a déclaré :

— Je veux bien!

Je suis rentrée pour t'écrire, Ninon, même si je savais que tu étais là, parce que j'étais trop fébrile pour parler. Tu trouveras ma lettre sur le pas de ta porte.

Je voulais juste te dire que j'ai recommencé à émettre et à recevoir.

Marc

---

1. Reste tranquille !

Bilan du premier rendez-vous

CRITÈRE	DESCRIPTION	POINTAGE	ANGOISSE
Yeux	Bleus.	8/10 (Vert, c'est 9, autre, ça serait 10, mais je ne vois pas ce que ça donnerait.)	Est-ce que ça l'emplit d'un orgueil démesuré ?
Cheveux	Il en a.	7/10 (Aucun autre signe particulier.)	Compte-t-il les perdre bientôt ?
Taille	Moyenne.	8/10 (Au moins, ça ne donne pas le torticolis.)	Ici, non, je ne vois pas.
Poids	« Proportionnel à sa taille ».	7/10 (Mon dernier chum avait un méchant body, ce sera dur à battre.)	Ici non plus, c'est justement ce qui commence à m'inquiéter.
Nez	Un peu aquilin.	7/10 (À défaut des beaux nez, je ne déteste pas ceux qui ont de la personnalité.)	Je ne pense pas à celui de Jean-Marie je ne pense pas à celui de Jean-Marie je ne pense pas à celui de Jean-Marie je ne pense pas à celui
Mains	Deux, qui trahissent son âge (mininum 30 ans).	Ça ne compte pas avant contact.	Y aura-t-il contact ?
Look général	Un peu straight.	5/10	Si c'est son kit le plus décontracté, on est faits !
Coefficient de dégagement de charme général	Au début, il était un peu guindé, mais après le joint, il s'est détendu.	6/10	Je pense que je l'impressionne un peu.
État civil	Célibataire (qu'il dit) sans enfant (qu'il pense).	10/10 (Si c'est vrai.)	Oui. Et ça m'écœure d'angoisser là-dessus.
Profession	Pitonneux. Non, attendez : gosseux de patentes informatiques, plutôt. Ou serait-ce concepteur de logiciels pour quincaillerie postfuturiste ? Pitonneux, c'est bien ça.	Sans opinion, mais au moins il travaille.	Arrive-t-il à communiquer avec autre chose que des machines ?

CRITÈRE	DESCRIPTION	POINTAGE	ANGOISSE
Employeur actuel	Un centre de recherche et d'autres grands savants.	?	Est-ce que je fais rire de moi si j'en parle à mes amies ?
Revenu annuel	Difficile à dire, mais sous le seuil de la pauvreté, ça c'est certain.	2/10	Va-t-il essayer de se faire vivre ? J'en ai connu un comme ça !
Passé amoureux	Oui, mais pas beaucoup.	3/10 (Pas assez, c'est comme trop.)	Qu'il dit.
Famille	Oui.	3/10	Zut.
Passé tout court	A passé beaucoup de temps à gosser gratuitement sur des machins informatiques dans sa jeunesse. N'a pas vu le temps passer jusqu'à ce qu'on le repêche pour cause de génisme. Ne l'a pas revu depuis non plus.	3/10	Un peu Schtroumpf à lunettes, tout ça.
Âge	34 ans.	7/10	Non, pas particulièrement.
Loisirs	Jouer au pool.	6,5/10	J'aime bien jouer au pool, mais pour aligner les boules, il faut que je sois saoule.
Ambition	Pardon ?	2/10	Ça n'ira pas très loin !
Sens de l'initiative	M'a payé deux bières ; m'a parlé de lui ; m'a demandé « pis toi » deux fois mais m'a interrompue quand j'ai répondu.	5/10	Est-ce que c'est parce que j'ai pris le plancher ?
Réflexes	S'est laissé faire quand j'ai passé à l'attaque, puis a contre-attaqué.	7/10	N'en veut-il qu'à mon corps ? Est-ce un passif ?
Coefficient d'efficacité	Pour une première fois, c'était pas si pire. En tout cas, il connaît son clavier.	7/10	Et lui, combien il me donnerait ?

INTERPRÉTATION DES RÉSULTATS :

a) Vous n'êtes manifestement pas prête pour une nouvelle relation à long terme.

b) Les agences de rencontres ne sont pas pour vous.

28/11/1999
7 h 09

À : Joanna Limoges
jlimoges@arachophil.qc
Ninon Lafontaine
ninon.l@tisselatoile.qc

De : Patricia Chaillé
lelocal@lagrossebibittevamangertouteslespetites.qc

C'est arrivé. Ça a déjà sauté, même si les ordinateurs tiennent le coup. On a affamé les pauvres des pays riches, on a laissé crever ceux des pays pauvres, on a financé leurs guerres, on a encouragé l'enfoncement de la classe moyenne dans l'indigence, on a surendettés les petits-bourgeois, on a profité de l'accession des femmes au marché du travail pour baisser les salaires de tout le monde, on a échangé l'aliénation de l'esclavage industriel pour la transformation des chômeurs et chômeuses en quêteurs et quêteuses de maîtres et de maîtresses, on a tué le libre arbitre et toute velléité d'agir sur le monde à même l'abrutissement de la triple tâche pour tous et toutes, on a perdu les citoyens et citoyennes dans les dédales kafkaïens de la bureaucratie, on a abruti les esprits en les gavant des calories vides du cinéma américain et de la sous-culture populaire, on a brainwashé les gens au point de les inciter à l'intolérance et à la délation, on a violé Gaïa, on s'est torché avec la Déclaration universelle des droits de la personne, on a vidé de son sens le concept de démocratie, on a voté des lois pour bâillonner la justice, on a livré le Québec au Canada, qu'on est en train de vendre à l'Alena, et je m'en vais manifester mon désaccord à Seattle.
Pat

De you-ce que le monde s'en va ?
YVON DESCHAMPS

Miaou !

J'ai l'impression / D'avoir commencé à oublier / À l'entrée du tunnel / Et que pendant quelque temps / Je me suis dit / Que j'avais juste / À suivre la lumière / Pour me sortir de l'obscurité / Maintenant je sais / Qu'il y a un train / Au bout du tunnel / Mais je continue d'avancer

Claude Jutra dans *Cabaret neiges noires*
JEAN-FRÉDÉRIC MESSIER

Je lui ai fait raser les cheveux très court pour atténuer sa calvitie, je l'ai habillé en neuf, j'ai glissé notre numéro de téléphone dans sa poche, je lui ai promis qu'on ne bougeait pas de la soirée, je lui ai rappelé que pour traverser Papineau, il n'avait qu'à fixer le feu de circulation en faisant abstraction du reste, et je l'ai jeté dehors en espérant qu'un fou ne passe pas sur la rouge.

— Ce gars-là a fait le tour du monde, soupiré-je en débouchant ma .5.

— Il a tout de même fait des progrès depuis qu'on l'a ramené, concède Ninon.

— Et nous ? que je gémis en m'effondrant dans le divan mangeur d'hommes vachement affamé. Je commence à comprendre pourquoi trente-trois ans, on appelle ça le crisse d'âge !

— Tu savais qu'on a plus de chances de rencontrer quelqu'un par hasard que par les agences de rencontres ?

— En tout cas, ça ne peut pas être pire que le clavardage…

— Il paraît qu'après cinq ans d'abstinence, on n'a plus envie de baiser.

— Qui a le goût de vérifier si c'est vrai ? dis-je en haussant les épaules.

Je trouve la télécommande entre deux coussins. Des Américains racontent leur rencontre avec des extraterrestres, des Français parlent de la Fronce, des Québécoises prennent un café en narrant ce que leur budget ne leur permet pas de montrer. J'éteins, découragée. Ninon poursuit :

— En fait, environ le quart des gens rencontrent l'amour de leur vie au travail.

— Tu te tiens donc ben au courant des statistiques, depuis un bout de temps, dis-je en fouillant en vain dans le frigidaire.

— C'est que j'ai lu une étude. Je travaille sur mon célibat, vois-tu ! Sauf que, dans mon cas, ça a l'air incurable…

— Sans blague, Marc est sur le bord de se matcher avant nous ! On a tout mis sur nos appartements, et maintenant on est pognées toutes seules dedans ! Ça nous prendrait un changement drastique : je me fais teindre en rose et tu te fais couper les cheveux.

Pensivement, elle passe une main dans son ancienne crinière somptueuse, devenue ternie et cassante.

— Il serait peut-être temps…

— Et après ça, on sort d'ici !

— Je suis passée à Weight Watchers, dernièrement, dit Ninon. J'ai droit à une tasse de pop-corn sans beurre. Ça te dirait ?

— Et moi, à deux bières. Ça te dirait ? Méchante orgie ! dis-je en éclatant de rire. Tu tiens le phare, je vais au dépanneur, OK ? Ça sera ma sortie de la fin de semaine. Mais vendredi prochain, on part sur la go !

À mon retour, je mets du Nirvanah et je monte le son pour que ça paraisse que c'est samedi. Vers minuit, Marc revient sain et sauf. Tout s'est bien passé et la complaisante belle-mère s'est envolée pendant trois heures chez une voisine.

— Je l'ai touchée, dit-il, fébrile. En partant, je lui ai caressé le bras et elle m'a embrassé. Il y a eu contact !

Bravo, Marc. Un pas à la fois, comme ils disent dans les AA.

— Et si on l'invitait à souper samedi prochain ? propose Ninon tandis qu'il va se déshabiller.

— Oui ! approuve-t-il en revenant, nu comme un vers. Vous m'aiderez ?

Ninon et moi le regardons très exactement là où notre champ de vision se trouve, c'est-à-dire au sexe. C'est la première fois depuis deux ans que j'ai envie de lui sauter dessus, et il vient de rencontrer une fille, cet inconséquent.

— On ne te lâchera pas, soupiré-je.

Et je vais me coucher en psalmodiant :

— Vénus appelle Mars… Vénus appelle Mars…

6/12/1999

À :   Joanna Limoges
jlimoges@arachophil.qc
Ninon Lafontaine
ninon.l@tisselatoile.qc

De :   PatChaillé
lelocal@lagrossebibittevamangertouteslespetites.qc

Alors, mesdames, êtes-vous prêtes pour le bogue ? Votre ordinateur va-t-il se réveiller en 1900 le 1er janvier ? J'imagine la tête des archéologues extraterrestres qui découvriraient les restes de notre planète si tout sautait : « Mais par quel mystère les humains et humaines ont-ils inventé l'ordinateur avant la radio ? »

Je reviens de Seattle, où j'ai assisté à la plus violente répression que j'aie vue de ma vie. Les citoyens et citoyennes ont vu leur droit de parole nié, leur liberté de choix bafouée, et l'heure est plus grave que jamais, car l'ennemi est plus organisé qu'il ne l'a jamais été. Mais les tenants mondiaux du pouvoir économique qui régit désormais toute décision savent maintenant que la guerre est déclarée. L'humanité se rebelle, et j'en serai une des plus ardentes défenderesses. Combat sans fin ? Je veux bien ; mais cause perdue, ça non !

Et nous, que fait-on, ce 31 décembre 1999 ? Choisissons-nous le trip urbain, la fuite en forêt ou la rue Bélanger ? J'offrirais bien de vous recevoir, mais c'est un peu petit, chez moi, pour sept adultes et deux enfants.

On s'en reparle !

Pat

6 décembre : jamais plus

La courbe

Je feuillette avec morosité la pile de magazines qui trône sur mon bureau. Le petit nouveau qui vient d'intégrer notre formidable équipe, frais émoulu de son journal étudiant, se penche pour deviner à quoi je m'intéresse.

— Tu cherches quelque chose en particulier ?

— Oui : j'essaie de discerner de quoi on ne parle pas.

— Dur, dur !

Fort jolie bouche, le jeunot. Il a le regard un peu trop incertain, mais c'est sa première semaine dans la boîte, on va lui laisser une chance de se composer une attitude. Si je lui faisais le coup de la cuisse ? Au point où j'en suis !

Je recule ma chaise et m'étire négligemment en pointant le pied.

— Il sont beaux, tes bas, dit-il.

« Ils sont beaux, tes bas. » J'espère, ils m'ont coûté quarante piastres ! Si j'essayais de me trouver une raison de fouiller dans le classeur, pour voir ce qu'il dira du coup de la fesse ? « Elle est belle, ta jupe » ?

— Joanna, je veux te voir à mon bureau. Tout de suite, dit Mon Boss en passant.

Étonnée par son ton sec, je ramasse mon agenda et mon cahier de notes, à tout hasard. Aussitôt la porte refermée, il jette entre nous mon curriculum vitæ imprimé arborant l'adresse d'un site de recherche d'emploi.

— Paraît que tu te cherches une job ?

— Ben, avant de perdre la mienne…, dis-je, un peu gênée.

— Ah ça, faut dire qu'ils ne sont pas particulièrement hilarants, tes textes, depuis deux ans. Ce n'est plus de la chronique mondaine, c'est de la critique sociale. Mais c'est vrai : Mme Limoges joue les intellos dans une revue d'idées. Et ses réflexions les plus intéressantes, elle les garde pour des universitaires.

— Je ne joue pas, Steph, c'est une perte de temps. Je cherche un nouveau point de vue, parce que, quoi qu'il se passe, on sera bientôt dans une nouvelle ère.

— Il serait temps que tu le trouves, parce que tu commences à te répéter.

— Il n'y a pas que moi : l'industrie culturelle aussi. Les musiciens prétentieux, les starlettes interchangeables, les vieux débris indécollables, quand on a de la mémoire, on a l'impression de les avoir tous vus. J'aimerais traiter de la culture plus en profondeur.

— En effet, je crois que c'est bien ça, ton problème : tu n'es plus du tout dans le créneau de ta tribune. Ta vision est beaucoup trop globale. Moi aussi, je crois que tu es mûre pour relever de nouveaux défis... dans un autre cadre.

Bon, en plus, je vais perdre ma job ! Stie que ça va ben !

— Évidemment, si tu ne voulais pas absolument quitter la boîte, la rédaction en chef te serait toute désignée, mais...

— Le poste de rédactrice en chef ? Mais toi ?

— La télévision vient de me dresser un pont d'or. Moi aussi, je commence à me sentir à l'étroit dans mon jardin. J'ai des choses à dire que je crois importantes. Tant qu'à faire, pourquoi ne pas rejoindre dix fois plus d'auditeurs !

Il me fait un sourire coquin, redevenu le Bon Boss que je connais.

— Les portes se rouvrent, Joanna. Les retraites massives de la fonction publique créent de la place. L'expertise de la génération perdue, on va enfin pouvoir la mettre à contribution. Pour certains, il est déjà trop tard. La précarité a usé prématurément bien du monde... Mais ceux qui n'étaient pas déjà trop mal placés, dont nous sommes, mettront enfin la main sur le micro.

— Je vais avoir la page 5 ? une augmentation ? la sécurité d'emploi ?

— Et un compte de dépenses.

— Yesss !

— Mais attention : le contrat n'inclut pas le droit à l'erreur. Tu tiens ça mort pour l'instant, OK ? Mais tu retires ton CV de ce site tout de suite, compris ?

— Oui, Boss !

Je reviens dans la salle de rédaction comme sur un nuage et j'attrape mon sac au vol. Je me retourne pour dire bonjour au petit nouveau et je saisis son regard sur mon cul. Finalement, il a peut-être du potentiel. Attends un peu que je te convoque à mon tour : « Minou, minou, minou, viens voir la rédactrice en chef, elle va te donner une augmentation ! »

À :   *PatChaillé*
    lelocal@lagrossebibittevamangertouteslespetites.qc
De :   *Ninon Lafontaine*
    ninon.l@tisselatoile.qc

Bonjour, Pat. Pour faire suite à ton courriel, je te propose de passer le jour de l'An ici (je veux dire chez Joanna) parce que Marc refusera sûrement de descendre au centre-ville. Mais comme je crois aussi qu'il aura peut-être d'autres projets pour la suite de la soirée, on pourrait finir la nuit en ville, car Joanna et moi avons le goût de nous épivarder. D'ailleurs, ça commence dès ce soir. On se retrouve au Boudoir vers six heures après le salon de coiffure. Ça te dit ? (Le singulier inclut évidemment le pluriel !) Dany sera là aussi.

Eh oui, Marc a rencontré quelqu'un. Je t'en avais parlé ; elle est venue souper samedi. Elle a vingt-trois ans et suit des cours de soins aux malades payés par un programme de l'aide sociale (tu connais ça !). Marc a raison : cette fille est un soleil, ce n'est pas un cliché exotique. Son chum l'a maltraitée puis abandonnée enceinte de son deuxième enfant et elle garde un sourire à toute épreuve. Veux-tu me dire de quoi on se plaint !

Elle est née ici. Elle a un très léger accent, perceptible seulement dans certains sons. Ça lui donne une voix chantante et la rend absolument croquable. Marc est ébloui.

Un peu avant neuf heures, Joanna et moi avons prétexté un film pour nous éclipser, mais finalement, on est allées s'éclater sur la piste de danse du Bleu est noir, et on est rentrées avec le dernier métro, claquées comme si on avait cent ans. Elle a couché chez nous. Vers trois heures, Marc est vaillamment allé reconduire Bibiane. Dimanche matin, il nous a annoncé qu'elle l'avait invité la semaine prochaine à une fête qui se tiendra à côté, au Bureau de la Communauté chrétienne des Haïtiens de Montréal, que ça s'appelle. Pendant que Joanna se moquait de lui en se tapant les cuisses, il est allé à la porte de la cuisine et a regardé l'édifice voisin avec un désespoir fatigué, comme si c'était un autre pays. Mais de fait, ce l'est un peu... C'étaient les dernières nouvelles. On s'en reparle ce soir ?

Ninon

La minute nostalgique

Je prends soin de redessiner mes lèvres dans le rétroviseur avant de descendre de voiture.

— Décidément, J'ADORE la texture de ce nouveau rouge à lèvres.

Ninon tourne le miroir vers elle.

— Je me sens toute nue ! rit-elle en replaçant sa foison de boucles courtes.

On rigole jusqu'au Boudoir, où on fait notre entrée. Jeff met deux bonnes secondes à me reconnaître et dit quelque chose que je n'ai pas entendu depuis des millions d'années.

— T'es belle !

— Merci, hihi ! minaudé-je en cherchant nos amies des yeux.

— Wow ! s'exclame Dany, qui arbore elle-même une nouvelle permanente mettant en valeur le blond naturel de ses cheveux, dans lesquels coule une petite mèche bleue.

— Salut, Pat. Les tiens aussi sont très beaux.

Incertaine, elle effleure les fleurs en relief dans ses cheveux brun foncé rasés très court. Je trépigne pendant que Marie-Ève prend les commandes et, quand nous sommes toutes servies, je chuchote à l'oreille de Ninon, qui passe le mot. Quand Dany reçoit finalement « Je viens de me faire offrir le poste de rédactrice en chef, mais il ne faut pas que ça se sache », elle ouvre des yeux ronds et bondit en l'air, imitée de nous toutes.

— Yahoo ! chahute-t-on de concert. C'est super !

On se rassoit, au comble de l'excitation. Machinalement, mon système de repérage balaie le bar et se fige. Près de la table de billard, il y a Jean-Marie.

Le souffle coupé, je fouille des yeux la foule qui l'entoure. Je reconnais des gens de l'agence d'amuseurs, mais je ne vois ni Barbara ni Carmen.

— Il faut que j'aille aux toilettes.

J'avance subrepticement en fixant sa tablée des yeux, mais personne ne m'accorde d'attention. J'entre aux toilettes et je me regarde.

J'ai vieilli. Quand je souris, je fais encore la mi-vingtaine, mais autrement, la tristesse de mes yeux trahit les larmes qu'ils ont versées. J'ai toujours un beau corps, que la natation à laquelle je m'astreins a lentement sculpté, et diminuer l'absorption d'alcool a fait du bien à mon teint. Quant à mes cheveux roses, ils s'agencent fort bien à mon bronzage artificiel. Mais je ne suis plus la jeune femme à la démarche impatiente et au rire spontané qu'il a connue.

Je me remets du rouge à lèvres, pour le plaisir, vérifie mes cheveux, essaie mon regard avec et sans lunettes. Je les remets, ce n'est pas le temps de m'enfarger. Quand je suis à trois pas de lui, personne ne m'a encore reconnue. J'ouvre la bouche, ignorant totalement le ton que ma voix va adopter. C'est la séductrice qui décide de parler.

— Salut, dis-je d'une voix sexy en laissant couler mon regard narquois au-dessus de mes lunettes.

Il hésite lui aussi quant aux signes à me renvoyer, puis sourit comme quand il me trouvait très belle (mais je me fais peut-être des idées).

— Bonjour! dit-il en se levant tout de suite pour venir à moi. J'ai bien pensé que je risquais de te voir ici! C'est très beau, tes cheveux!

Il manque de me toucher le bras, hésite à m'embrasser et ne le fait finalement pas. Il est beau! Il a le teint tout bronzé, le sourire blanc et le nez magistral. C'était mon chum, ce gars-là, avant.

— Ça va? réussis-je à éructer. Qu'est-ce que tu fais là?

— Je suis venu à Montréal pour un mois, le temps de mettre au point un nouveau projet. Je repars la semaine prochaine. Et toi?

— Il y a de la nouveauté dans l'air, mais je ne peux pas en parler. Professionnellement, ça va très bien, oui.

— Tu habites toujours rue Bélanger?

Jusque-là, il était un peu emprunté, mais à cette question passent soudain entre nos yeux les images d'une maison, d'un amour, d'une vie passée. Je fais oui de la tête. (Reprends-toi! Tu connais plein de monde, ici, pas d'esclandre!)

— Et ta fille?

— Elle grandit bien. C'est une enfant facile.

— Tu l'as emmenée?

— Non, je suis seul. Carmen ne voulait rien savoir de revenir, dit-il en riant.

Lui aussi, il a vieilli. De fines rides blanches se dessinent autour de ses yeux, ses traits commencent à s'accentuer et sa peau est moins lisse. Malgré nous, nous nous détaillons et soudain, je lis dans ses yeux son désir de moi; cette fois, j'en suis certaine. Je le reçois comme un clou dans le bas-ventre. Il la tromperait sans vergogne, je le sens. Je n'aurais qu'à dire: «Rappelle-moi avant de partir.» Ce pourrait être une juste vengeance… Et peut-être qu'il est devenu assez important pour exiger un poste à Montréal, maintenant, et que je n'aurais pas été l'intermède mais le programme principal de sa vie ?

Je me rends compte qu'il est installé à la table où on s'assoyait quand on venait jouer au billard et où on avait necké comme des fous, le premier soir de François et Ninon. Je me sens triste jusqu'au vertige. Je remarque aussi une fille qui me dévisage haineusement. Est-ce que c'est elle, celle que j'avais « devinée », il y a trois ans ? Fin de la minute nostalgique. Enfuis-toi, Joanna.

Sans préméditer mon geste, comme on quitte quelqu'un avec qui on a déjà été intime, je l'embrasse sur les deux joues et je me retrouve prisonnière de son parfum, je veux dire de son odeur. Ce n'est plus tout à fait la même qu'à l'époque, parce que la mienne n'est plus dedans, mais c'est lui. Je le respire comme quand on prend une grande sniffe de chlorophylle après la pluie et je le salue en me détournant rapidement, étourdie.

Mon Dieu, j'aurais besoin d'un miracle extra large, all dressed, pour manger ici. Et j'apprécierais que le délai de livraison n'excède pas trente minutes.

— Où t'étais passée ? me demandent les filles quand je me rassois.

— Jean-Marie est ici.

— Oh non ! Ça va aller ?

— On va pas en faire une maladie, il repart la semaine prochaine.

— Oui, s'affole Ninon, mais ça veut peut-être dire que François va s'amener, et…

— Bonjour ! fait François derrière nous, nous faisant sursauter ça de haut.

Dites-moi pas que c'est ça, le miracle que j'ai commandé ?

On échange quelques mots. Ninon est mal à l'aise, François l'est tout autant, Patricia a des couteaux à la place des yeux, moi, je suis sur le bord de la crise de nerfs et Dany regarde monter la tension avec circonspection. Après l'avoir complimentée sur sa nouvelle coupe de cheveux, il annonce à Ninon :

— Je donne un cours sur la culture contemporaine, la session prochaine. On est en train d'organiser une conférence et je vais dire un mot de ton livre, que j'ai mis au programme. Ça te dirait de venir ?

Mais sur quelle planète il faut aller pour les fuir, les maudits ex dont on n'arrive pas à guérir ? Ninon, que je sens bouleversée, ne répond ni oui ni non. François va rejoindre Jean-Marie. On se retrouve abasourdies autour de la table.

— Bonjour ! fait une autre voix juste derrière moi, et je me retourne en furie.

— Mais l'humanité tout entière a décidé de me faire faire une crise cardiaque, aujourd'hui ? Oh ! Le petit nouveau !

— Pascal, me rappelle-t-il gentiment. C'est beau, tes cheveux.

En fait, il n'est pas petit du tout, il fait même probablement six bons pieds. Je me demande si, à son âge, il a appris le système impérial ?

— Heu… tu veux t'asseoir ?

— J'attends quelqu'un mais en attendant qu'une table se libère…

Il se cherche un siège, mais le bar est bondé, maintenant. Il y a un brouhaha qui vient du fond, c'est la gang à Jean-Marie qui essaie de se frayer un chemin. Pascal trouve enfin une chaise et prend place à côté de moi. Dans ma tête, ça joue : Jean-Marie-est-ici, Jean-Marie-ne-m'a-pas-rappelée-depuis-qu'il-est-revenu, Jean-Marie-c'est-fini-pour-la-vie, Jean-Marie-je-t'haïs. Je ne réfléchis pas. Au moment où il passe devant notre table, j'attrape Pascal par la nuque, je lui flanque un gros french aussi baveux qu'exhaustif en levant juste assez les yeux pour voir François regarder Jean-Marie qui me regarde. Ils nous dépassent, des gens se glissent entre nous avant qu'ils aient atteint la sortie et je libère Pascal, qui reste immobile, les yeux écarquillés. Les filles, Ninon comprise, se rouleraient par terre s'il y avait de la place. Personnellement, je m'écroulerais en larmes dans le pichet afin de m'y noyer à jamais, mais les hurlements de rire autour de moi me rassérènent. Faut dire qu'avec la tête que fait Pascal, il y a de quoi rigoler.

— Je te paie une bière. Je te dois des excuses, je viens de me servir de toi.

— N'importe quand ! balbutie-t-il. Je suis toujours prêt à rendre service, moi !

— Ce n'est pas ta blonde que tu attends, j'espère ? dis-je en voyant une fille se diriger vers nous quand elle l'aperçoit.

— Non, c'est ma sœur qui arrive de Québec, répond-il en se levant pour lui trouver une chaise. Nathalie, Joanna.

— Salut ! Ne posez pas de questions, dis-je en levant mon verre, et faites comme moi : je porte un toast au livreur de Dieu.

— Et à nos coupes de cheveux, rit Dany.

Je me rassois en constatant que, cette fois-ci, ce sont mes seins que Pascal regarde. Peut-être qu'il les cherche ? J'attrape le fou rire. L'atmosphère est joyeuse et folle, ce soir, et je me sens belle, au présent ! Comme disait Pauline Harvey, l'amour est une valse, et j'ai le goût de danser !

Conte au futur pour mon fils et ma fille
par Dany Lamont

Thomas, mon fils chéri, l'image incarnée de ton père que j'aimerai toujours, et Anaïs, ma fille adorée, qui me ressemble tant, je vous raconterai l'histoire d'un siècle dont vous êtes issus mais dont vous ne garderez aucun souvenir.

Sans doute, quand je vous ferai le récit de notre propre jeunesse, nous trouverez-vous vieux et dépassés, comme nous l'avons pensé de nos propres parents. Nous tâcherons pourtant de vous transmettre les valeurs auxquelles nous croyons, parce qu'il est important de perpétuer la mémoire. Oh ! Mon fils, ma fille, je ne serai pas toujours là pour vous protéger des dangers au milieu desquels je vous ai plongés, mais je ne vous laisserai ni amnésiques ni démunis, je vous le promets. L'histoire ne va pas si vite, beaucoup moins vite que les machines inventées pour servir l'humain, qui le trahissent souvent, et je suppose que vous aurez vous aussi des enfants, à qui vous transmettrez à votre tour la mémoire. Peut-être comprendrez-vous alors les raisons qui ont motivé nos actes, et ferez-vous mieux. Je le souhaite ardemment, car enfanter, c'est donner vie à l'espoir, par amour de la vie.

Anaïs, Thomas, ma fille, mon fils, soyez heureux dans le nouveau millénaire !

Compte à rebours

— 10 ! crie Dany tandis que Marc l'embrasse à toute allure.

— 9 ! clame Sylvain en lui faisant joyeusement l'accolade.

— 8 ! dit Ninon, à qui il murmure quelque chose à l'oreille.

— 7 ! crie Anaïs de tous ses poumons tandis qu'il la lance en l'air et la redépose pour embrasser son frère.

— 6 ! que je beugle en déroulant le fil qui retient le bouchon de la bouteille de champagne.

— 5 ! dit Patricia en recevant Marc contre elle.

— 4 ! dit Charlotte en le poussant dans mes bras.

— 3 ! crient les autres tandis qu'il m'écrase contre lui en chuchotant « Merci ».

— 2 ! rions-nous en le regardant dévaler l'escalier vers le BCCHM.

— 1 ! trépignons-nous sur la terrasse en voyant Bibiane en sortir en courant.

— 0 ! hurle-t-on au moment où ils se jettent l'un dans l'autre. BONNE ANNÉE 2000 !

Bibiane et Marc nous envoient des baisers et réintègrent l'édifice.

— 1 ! compte encore Patricia.

— 2 ? s'interroge Charlotte en levant peureusement les yeux.

— 3 : Ça a pas sauté ! dis-je en versant le champagne dans les coupes.

Le cellulaire de Sylvain sonne en même temps que mon propre téléphone. C'est son père et mes parents. Je souhaite des tonnes d'harmonie à mes vieux crisses, et je le pense. Après, c'est au tour de ceux qui ont encore de l'ascendance à la contacter, sauf Ninon, dont les grands-parents sont trop vieux pour être debout à cette heure, et Patricia qui, je le sais, pense à sa mère.

— Ma grande sœur ! dis-je en la serrant très fort.

— Ma maudite folle de petite sœur !

— Mes chumesses ! dit Ninon en se joignant à nous.

On se déchaîne bientôt sur *Le petit bonheur* chanté en grunge, et sur *Samedi soir* rappé par Normand Brathwaite. Je veux rire, je veux être heureuse, je vous en prie, mon Dieu, pour l'an 2000, renvoyez-moi votre livreur, que je le baise !

Vers une heure, Marc revient nous saluer avec Bibiane et ses deux enfants. Louissaint, le plus jeune, n'a pas l'air trop sûr de lui, mais Adrien repère tout de suite une petite Anaïs presque à sa hauteur.

— *Adriyen, swete ti fi a bònane* [1], dit Bibiane.

— *Bònane*, murmure-t-il, adorablement gêné.

— Anaïs, dit doucement Dany, embrasse Adrien pour la nouvelle année.

Je vous jure que je n'ai pas fait exprès pour cette scène. Elle est venue comme ça, s'est placée toute seule, et le chaste baiser qui suit est à l'image de la paix que nous souhaitons à notre planète. Ce moment si parfait est, je l'espère, l'allégorie de l'harmonie qui règne et doit continuer de régner dans ma ville, que j'aime en cet instant à la folie.

Anaïs et Adrien, inconscients de l'importance que nous leur accordons, ne voient pas nos sourires tandis que La bottine souriante joue du néofolklore québéco-world beat dans le salon. Mais c'est un son infiniment plus discordant qui interrompt ce moment.

— Ouin ! vagit Thomas dans la petite pièce que j'ai convertie en chambre-d'amis-ayant-des-enfants.

Ça donne l'occasion aux plus jeunes de se rencontrer, mais les présentations sont nettement moins pacifiques, puisque Louissaint décide d'imiter Thomas et de se mettre à hurler. Ce qui n'est pas grave, puisque, de toute façon, on crie plus fort qu'eux.

La petite famille s'en retourne bientôt en bas. Vers deux heures, Dany et Sylvain, rompus, couchent les enfants et vont s'effondrer dans ma chambre tandis qu'on part pour le Plateau en filles. On fait quelques bars, où l'on rencontre chaque fois une foison de connaissances, pour atterrir au Boudoir, où un espace a été libéré pour danser. Et là, qui je vois-t-y pas ? Jérémie ! Tiens, tiens…

Il vient tout de suite nous faire la bise. Patricia, à qui il donne l'envie de se gratter, lui souhaite bonne année et fout le camp à l'autre bout du bar avec Charlotte. Il nous présente aussitôt à ses amis, trois beaux mecs bien plantés, avec qui il a travaillé dans l'Ouest à vingt ans. Dans ma tête, ça fait aussitôt « Minimanimo ». Je flanque mon barda n'importe où et je plonge sur la piste de danse pour chasser tous les démons, toutes les peurs, et exprimer ma joie !

---

1. Adrien, souhaite la bonne année à la petite fille.

Quand j'en sors pour aller me chercher un verre (lâchez-moi un peu, c'est le jour de l'An !), je retrouve les filles assises à une table, en train de se frencher à bouche-que-veux-tu en plein milieu de la place, dans une complaisante indifférence générale. Tiens, une autre scène à la sauce 2000 ! Je reviens vers les danseurs, où Ninon se laisse peloter comme à quinze ans par un des trois beaux bébés. Ben cout'donc !

Et moi ?

Ben passe et me prend dans ses bras en riant. Puis c'est au tour de Raymond, Jeff, Richard, Luc, Jean-François, Isabelle et de tous les autres qui sont là. Je souris et je blague, mais je suis grave. On est si seule dans une foule, parfois. Je pense à mon nouveau poste, à la charge de travail, à la hauteur du défi. Quand est-ce que j'ai décidé de devenir une femme de carrière, moi ? Jamais je n'aurais visé ces hauteurs professionnelles si un homme m'avait arrêtée pour se laisser aimer. Non, ce n'est pas vrai. J'aurais pu suivre Jean-Marie dans sa vie nomade. Non, ce n'est pas vrai non plus. Je suis d'ici, moi, je travaille de ma langue, le français qui se parle au Québec, je suis aussi inexportable que mon accent québécois. « J'ai point choisi, mais j'ai pris la plus belle… »

Appuyée au bout du comptoir, j'entends les blagues fuser, les rires éclater, les chansons défiler. L'alcool coule à flots, mais je n'ai plus soif. Ninon me tape sur l'épaule.

— Je m'en vais.

— Chanceuse ! Lequel ?

— Le blond. Il s'appelle Michel, il habite près d'ici. Mais essaie-toi, qu'est-ce que t'as ?

— Ce n'est rien, c'est le trop-plein qui sort ! dis-je en essuyant une larme, mais je me reprends tout de suite. Va vite ! Ramène-le pour le réveillon de demain, si tu peux !

Elle s'envole et je vais saluer mes chumesses, qui ont temporairement fini de s'afficher en public. Moi, vous m'excuserez, j'ai perdu l'habitude des beuveries, je m'en vais me coucher.

1er janvier

Je savais qu'au premier regard, je t'avais trouvé plutôt beau, mais avant de rompre ce premier baiser d'une vingtaine de minutes, je ne t'aurais pas reconnu dans la rue si nous nous étions croisés, car je n'avais pas encore fixé ton image. Quand nous avons finalement repris notre souffle, nous nous sommes souri en nous essuyant la bouche et je t'ai regardé. J'ai été un peu déçue de ton visage que j'avais cru plus jeune, mais tu avais à peu près mon âge et tu étais beau, oui, avec tes yeux très bleus au contour pâle et tes cheveux rebelles. Je t'ai aimé la gueule. J'ai souri encore et tu as repris ma bouche quelques minutes. Puis, d'un même geste tâtonnant, nous avons cherché notre verre sur la table d'à côté et nous avons éclaté de rire. Une bonne gorgée plus tard, nous avons engagé la conversation. Qu'est-ce que tu fais, comment as-tu connu Jérémie, où habites-tu. Ces informations échangées, nous sommes repartis dans un nouveau baiser. Trois autres questions, un semblant de conversation avec Jérémie et vos amis ; nous avons détourné la tête, avons scruté nos regards et tout a été simple comme un soir de pleine lune. Nous sommes partis sur un nuage jusque chez toi, où tout a été aussi simple, confortable, sans exigence. Avec maturité, nous nous excusions de nos maladresses, riant sans nervosité de notre légère pudeur. Tu me laissais jouer à la recherche de ton plaisir et guider ta main vers le mien, que je te signifiais sans retenue. Joanna m'avait au moins appris ça, à force de me miauler dans les oreilles : à être attentive au corps pour laisser la voix accompagner le reste.

Nous avons joui successivement puis je t'ai demandé si je pouvais fumer une cigarette. Je l'ai savourée à tes côtés avant de m'endormir dans tes bras, ivre et épuisée de bien-être. Vers midi, nous avons refait l'amour avant de déjeuner rapidement, car tu avais un long trajet à faire en métro et en autobus pour aller souper dans ta famille. Tu m'as demandé mon numéro de téléphone et, quand je suis partie, tu m'as serrée contre toi en disant : « C'était ben correct, hier. Je te rappelle, OK ? Ou toi, rappelle-moi. » C'est là que je me suis rendu compte qu'en une nuit, j'avais été plus à l'aise avec toi que pendant des mois avec François,

343

et cette sensation m'a sidérée. Ça n'avait été ni sublime ni génial : ça avait été simple !

Ninon

« Comme le temps est pesant »

Comme le temps est pesant en mon âme escogriffe
Un grand ciel menaçant, un éclair qui me crie
Ton cœur est malicieux, ton esprit dans ses griffes
Ne peut rien faire pour toi et tu es tout petit

DÉDÉ FORTIN

I hate myself and I want to die

KURT COBAIN

Je tourne rue Rachel, j'arrête la voiture et actionne mes clignotants. Nous descendons. Devant la porte de chez Dédé, nous lisons quelques messages accompagnant les gerbes de fleurs qui jonchent le trottoir. Nous déposons les nôtres, une pour chacun de nous, plus quatre pour Dany, Sylvain et les enfants, qui l'auraient aimé s'il avait vécu plus vieux. Nous nous recueillons devant une porte qui cache une scène d'horreur : la haine de soi-même à l'état pur, la mort irrévocable de l'espoir.

— Nous sommes des survivants, murmure Marc.

Je me serre contre lui et nous nous éloignons pour laisser la place à d'autres. Ninon nous suit, anéantie de peine comme s'il s'agissait d'un proche. Ah ! Dédé ! Tu avais mis novembre dehors, pourquoi n'as-tu pas su survivre au maudit printemps qui ne venait pas ?

Nous remontons dans l'auto, silencieux. Il fait gris, venteux, trop frais pour un mois de mai, rien n'est drôle. Dans le rétroviseur, je vois Marc crispé, halluciné par la frénétique circulation qui défile de chaque côté de la voiture. Pourtant, c'est lui qui a tenu à venir. Tout à coup, je remarque qu'il pleure.

— Ça va, Marc ?

— Il avait mon âge. J'aurais pu le faire. Si vous n'étiez pas arrivées, j'étais sur le point de le faire.

Il pleure maintenant à chaudes larmes, et Ninon profite d'un feu rouge pour le rejoindre sur la banquette arrière.

— C'est fini, dit-il. Je me résigne à vivre. Vous avez été tellement bonnes avec moi, alors que je n'ai pas pensé une minute à la peine que je vous ferais si je me suicidais. Je vous demande pardon. Maintenant, il faut que je justifie mon existence. Bibiane a deux enfants sans père, je peux être utile à quelque chose. Je vous jure que je n'essaierai plus jamais de mourir. Jurez-le aussi.

— Juré, dit Ninon en lui ébouriffant l'absence de cheveux.

— Juré aussi. De toute façon, je suis bien trop douillette. Mais j'ai un certain penchant pour l'autodestruction, par exemple, que je m'efforcerai de contenir, je le promets.

— Descends-moi là, dit Marc au coin de Saint-Denis et Rosemont. J'ai besoin de marcher.

On se revoit plus tard, OK ?

Ce monde où nous nous trouvons
conférence prononcée par François Tourangeau, enseignant

(Je descends les escaliers mobiles en consultant mes notes une dernière fois. Je longe la file d'élèves attendant l'ouverture des portes de l'auditorium en ne portant attention qu'à la présence de mes propres étudiants. J'entre dans les coulisses en saluant les techniciens. Je m'assure avec les autres participants des derniers détails du déroulement de la conférence. Je m'isole un instant pour contrôler mon léger trac. En écoutant l'animateur culturel du cégep me présenter, je regarde l'heure, inspire et relâche l'air trois fois, et j'entre en scène, où j'attaque immédiatement :)

— Postulons que l'histoire littéraire, quand elle s'intéresse à un objet très récent, porte le nom de sociocritique, et qu'elle ne peut être qu'une interprétation incomplète des données, puisqu'il est très difficile d'observer les choses du dehors quand on est dedans. En conséquence, ce qui suit n'est qu'un point de vue. Ceux et celles qui me connaissent savent que ce terme m'est cher... (Rires) C'est justement de cette position d'observation et des multiples possibilités de focalisation qui en découlent qu'il sera question.

L'an 2000 avait toujours été un symbole d'avenir ; or, nous y sommes. Nous avons atteint l'avenir, en quelque sorte. Qu'en est-il des rêves de futur que les Occidentaux chérissaient depuis cinquante ans ? Les robots ne font toujours pas le ménage, la pauvreté n'est toujours pas endiguée et Mars n'a toujours pas attaqué ! (Rires) Par contre, les riches Américains font greffer des puces électroniques à leurs enfants afin de les retrouver en cas de rapt, les premières expériences de clonage ont eu lieu et la plupart d'entre nous, Nord-Américains, avons accès à des ordinateurs surpuissants... auxquels nous sommes assujettis de maintes façons. Cet univers futuriste annoncé, nous en sommes bien à l'orée.

Or, quand le monde change, ses représentations connaissent elles aussi un bouleversement, ne serait-ce que par les nouveaux outils dont les créateurs disposent, et c'est peut-être par l'observation de ces diverses visions du monde retrouvées dans les œuvres qu'on peut déceler le plus précisément l'évolution des idées.

(Je prends une gorgée d'eau et je poursuis en cherchant Ninon des yeux.)

... Par exemple, on peut postuler que l'ordinateur domestique Apple Macintosh est à la culture contemporaine ce que la presse de Gutenberg a été à la Renaissance. Passons sur plus de dix ans de virage technologique, où la société a dû s'adapter à ses beautés et à ses répercussions. On arrive en 1995, où un autre jalon est posé : il s'agit de Windows 95. Internet à la portée de tous (du moins de tous ceux qui ont accès à l'outil, ce qui veut dire pas mal moins de monde) rend le village global (théoriquement) effectif, et toute information également accessible : le vrai, le faux, le sublime, le sordide, le légal et son contraire, le bien et le mal de chacun, sans aucune distinction qualitative. Le monde a de nouveau changé, et cette parenthèse « vachement postmoderne », comme dirait la chroniqueuse Joanna Limoges, est refermée.

Postulons que le nouveau millénaire ne débutait ni en 2000 ni en 2001, mais que c'est en 1995 que le monde moderne a été définitivement révolu. Nous sommes à l'ère mass-médiatique-informatique.

À ce stade-ci, y a-t-il des questions ?

(Je cherche encore Ninon des yeux. J'espère qu'elle est là, car j'aimais parler devant elle.)

Voilà pour la toile de fond. L'œuvre que mes élèves ont eu à lire, maintenant. Plusieurs ont été étonnés de se voir imposer un roman inconnu, peu encensé lors de sa parution et tombé dans l'oubli. L'auteure elle-même n'en était pas peu surprise. Elle devait être parmi nous...

(Elle se lève à demi et salue de la tête. Elle est si belle. Cette femme n'a jamais été jolie, mais belle de toute sa douceur. Sa coupe de cheveux la rajeunit terriblement. Elle a l'air bien plus jeune que quand je l'ai connue, il y a presque cinq ans. Comme j'aimais les traits doux de son visage particulier, ses taches de rousseur et son regard prenant quand je m'éveillais et qu'elle détournait les yeux de sa lecture pour me sourire avec tendresse, sollicitude et beaucoup trop d'amour.)

— De fait, c'est, à ce jour, le seul roman paru de Ninon Lafontaine, mais parions que ce ne sera pas le dernier. Ceci dit, Ninon Lafontaine n'est pas écrivaine : c'est une créatrice qui s'intéresse de plus en plus aux formes et aux objets culturels plus larges. Son roman même échappe à la définition limitative du terme...

(J'essaie de ne pas regarder qu'elle, mais je suis ivre de ses yeux posés sur moi. Comme j'aurais voulu qu'elle ne m'aime pas autant, parce qu'elle avait tort d'aimer quelqu'un d'aussi mièvre que moi, parce que jamais je n'aurais pu lui rendre le centième de cet amour, parce que l'idée même d'essayer m'épuisait à l'avance. Je l'ai laissée parce que je n'étais celui qu'elle aimait que dans le miroir de ses yeux, et que me conformer à la hauteur de cette image aurait été trop exigeant, car c'est elle qui est formidable, pas moi. Je conclus gravement :)

— Mais le monde dont il est question dans ce roman n'existe déjà plus. Le postmodernisme ne peut plus être, puisque la Modernité est bel et bien morte et enterrée. Quant à cet univers nouveau dans lequel nous vivons, il m'est totalement étranger puisque, à mesure que les concepts sont fixés par des mots, ils sont déjà dépassés. Aussi mon analyse manque-t-elle, malgré toute ma bonne volonté, de perspective…

Je m'entends clore mon exposé, répondre aux questions et recevoir avec un peu de gêne des applaudissements automatiques. Un prof d'histoire de l'art me succède, qui élabore quelques notions esthétiques du courant de transition dont il est question, puis un autre de sciences humaines, qui note, sans contredire ma thèse, qu'un événement, politique ou d'un autre ordre, pourrait l'emporter dans la mémoire historique, la culture étant un concept résolument trop vague. Une période de questions suit la conférence, qui prend bientôt fin. Je me fraie un chemin à travers mes étudiants pour aller vers Ninon, que je salue. Posée quoiqu'un peu émue, je le sais, elle me remercie et souligne certains points de mon laïus. Au bout de quelques phrases, sa voix redevient sûre et Ninon me regarde dans les yeux. S'ensuit le sentiment bizarre que seuls nos regards sont attachés, que son corps s'est délié du mien, qu'elle a un autre homme dans sa vie. J'aimais quand elle était ma maîtresse, quand elle était à moi seul, même si je n'ai jamais voulu y croire. Mes collègues s'interposent, l'un d'eux lui parle de son livre, qu'il a lu, l'autre la scrute avec un rien de désir enveloppant et beaucoup d'attention, comme quand un intellectuel trouve une femme très intelligente, et elle les toise comme jamais elle ne regardait un homme quand j'étais dans sa vie, comme des hommes séductibles, armée d'un charme dont elle n'a que peu conscience. La conversation devient générale, Sabine, une étudiante adulte à qui il ne manque plus que mon cours pour obtenir son DEC, s'interpose pour me poser quelques questions pertinentes. Je l'écoute en notant intérieurement son excellente compréhension de mes propos, remarquant, dans un réflexe professionnel d'autodéfense, qu'elle me touche naturellement le bras pour ponctuer ses déductions, que ses œillades sont un tout petit peu appuyées et qu'elle se comporte avec une modestie due à nos statuts tout en essayant subtilement de m'impressionner. Elle ne me lâche plus, elle a une jolie voix lente dans lesquelles les phrases s'enfilent avec des accents toniques d'une sensualité renversante. Ninon quitte mes collègues pour me dire au revoir, mais je suis captif dans la voix de Sabine. Ninon me regarde, entre nous traverse le souvenir sale de notre dernière nuit, elle regarde Sabine et sort de ma vie dans le tourbillon artistique de sa longue robe.)

Objectif : Zen

La première chose qu'on remarque quand on emprunte le chemin du Lac-à-l'Oiseau, dans le comté de Bellefeuille, c'est un immense unifolié placardé sur un chalet. La deuxième, c'est un fleurdelisé qui surplombe le lac du haut d'un mât. Et la troisième, c'est le grand arc-en-ciel de la Fierté gaie au bout du chemin. C'est là que Charlotte et Patricia nous attendent.

Le terrain n'est pas situé directement sur la rive, mais on aperçoit le lac du coin de la grande galerie. Les gais à qui appartenaient la petite villa ont laissé, en plus du drapeau, une fontaine dans le salon, où un chérubin ailé crache un jet d'eau dans un bassin. D'un kitsch…

Je descends de voiture, suivi de mon coloc pour encore au moins un an (en super forme et nouvellement au service d'un organisme œuvrant à l'entretien des animaux formés pour la zoothérapie), de Bibiane et des enfants (on a laissé Toutous à Grann [1] Adèl). Adrien spotte tout de suite sa blonde et court rejoindre Anaïs qui joue à la fée dans le sous-bois. Louissaint, qui n'a pas le droit de pleurer dans l'auto de matante Joanna, profite du fait qu'on l'a enfin détaché pour nous en beugler une. Les hurlements de Thomas nous reviennent immédiatement en écho, et Sylvain entre précipitamment dans le chalet. J'embrasse nos hôtesses et je descends tout de suite sur la rive pour piquer une plonge. Ninon et Michel, qui sont montés hier avec les filles, sortent de l'eau. Ninon m'embrasse pendant que Michel s'ébroue. Il est beau, le sacrement…

— Où est Dany ?

— Là-bas là-bas… me répond Ninon avec fatalisme.

Michel me fait la bise à son tour. Il m'aime bien ; il m'a dit qu'il me lisait depuis des années avec beaucoup de plaisir. Ah ! Si seulement il l'avait manifesté avant !

---

1. Grand-maman.

Nous revenons vers la maison, où nous attend un pichet de sangria. Marc monte la tente pendant que Bibiane tâche de convaincre Louissaint que la vie n'est pas si horrible. Anaïs se précipite dans mes bras avec des cris intergalactiques qui me sont peu familiers. Je l'assois sur le banc qui longe la balustrade mais elle m'échappe en se tortillant comme un ver à chou. Patricia se réfugie à l'ombre du parasol. Elle a mangé un sale coup de matraque, à Seattle, l'an dernier, et le soleil lui donne des migraines, maintenant.

— Tu n'as pas amené Pascal ? me demande-t-elle.

— Non, c'est fini.

— Oh…

— Ce n'est pas très grave. Ça m'a fait du bien d'avoir un homme dans mon lit le matin, pendant quelques mois, mais ce n'était qu'un millième début…

— Il avait un beau look, note Charlotte.

— Il y portait beaucoup attention, il était très sortable. Le problème, c'est que je ne tenais pas à ce qu'on nous voie ensemble !

— C'est sexuellement que ça ne marchait pas ? demande Patricia.

— Non, il faisait bien l'amour. Plus souvent aurait été mieux, mais j'avais bien du temps à rattraper. Non, ce n'est pas ça. Il manquait d'écoute. Il passait son temps à dire « nous ferons ceci, nous n'avons pas envie de cela », sans me consulter. Je me sentais appropriée, c'était ben achalant. En ce qui concerne son métier de journaliste, je veux bien devenir son mentor et lui apprendre à entendre davantage les informations qui se cachent derrière les propos des gens, mais sur le plan personnel, il y aurait eu beaucoup de choses à mettre au point entre nous pour que ce soit une histoire viable, et je n'y tenais pas à ce point. Bref, il n'était pas Jean-Marie ! conclus-je un peu piteusement.

— La prochaine qu'on matche, c'est toi, susurre Ninon en jouant dans les cheveux de Michel.

Je ris parce qu'elle est bonne, mais je vous avouerai que me retrouver LA SEULE CÉLIBATAIRE DE LA GANG, BOUT DE CIARGE, je ne la trouve pas comique !

— Et vous, faites-vous partie du 0,5 % des couples qui se sont connus dans un bar ou de la plus large proportion qui a fait connaissance par l'entremise d'amis ?

— On est membres du club des maudits chanceux, dit Michel en serrant Ninon dans ses bras.

(Soupir.) Je leur énoncerais bien toutes les horribles catastrophes émotives qui planent sur eux mais, comme je leur souhaite exactement le contraire, je vais me taire.

— Comment ça va se passer au travail, d'après toi ? demande Patricia, lovée dans Charlotte.

— Bof, ça ne lui a pas brisé le cœur. Et puis, comme je pars un mois en vacances entre la fin de mon emploi et la prise en mains du poste de rédactrice en chef, je crois que la transition se passera en douceur.

— Quand est-ce que tu t'envoles pour la France ? demande Charlotte. Je te donnerais quelques colis à transmettre à ma grand-mère.

— La semaine prochaine. À moi les Pârisians ! Rappelle-moi en rentrant lundi.

— Salut, dit Dany qui revient de sa traversée, bronzée, amincie, rayonnante et enceinte du troisième.

— Allô ! Bon, si on faisait quelque chose pour les arrêter de brailler, ces petits crisses-là ? dis-je en me dressant. Bibiane ! Comment tu dis ça, « Si tu continues à crier, je te noie » ?

— *Si w pa sispann rele, m ap neye w !* traduit-elle, excédée autant que nous.

— Va te changer, on s'occupe de ta trâlée. Sylvain ! Déshabille-moi ça, ce petit monstre-là ! Allez, Dany ! On fout tout ce petit monde à l'eau, et que je n'en voie pas un qui n'ait pas du fun !

Anaïs, pour qui l'eau est aussi vitale qu'à sa mère, lâche un cri d'amazone ayant attrapé un mâle au lasso et aide aussitôt Adrien à se mettre en tenue. Louissaint, qui a un peu peur de moi (meuh non meuh non !), coupe le son instantanément (ahhh !) et se laisse passer un gilet de sauvetage sans remuer. Marc et Bibiane sortent de la tente en s'embrassant et courent vers la petite plage granuleuse. Sylvain, qui a réussi à calmer son fils, nous rejoint joyeusement, suivi de Patricia et de Charlotte qui descendent le bancal escalier en se minouchant, au risque de se casser la gueule. Ninon… Ninon ? Ninon est très loin de nous, sur la galerie, dans les bras d'un homme beau, grand, fort, dans la bouche d'un homme qu'elle aime, je le sens d'ici, dans les yeux d'un homme qui l'aime, je le vois d'ici. Ils se détachent légèrement l'un de l'autre, mais ils descendent vers nous dans la même aura de soleil pour nous rejoindre au bord de l'eau, où nous jouons avec les enfants au pirate méditerranéen, à la sirène norvégienne, au sous-marin russe et au requin fou, bref à toutes sortes de jeux vachement éducatifs faisant l'éloge de nos profondes valeurs pacifistes, féministes et écologistes.

Voilà, ça finit comme ça. Dans un samedi ensoleillé plein de rires d'enfants, dans un regard amoureux comme une promesse angoissante, dans une main qui en tient une autre pour s'aider à gravir des montagnes dévalées, dans un regard plein d'amour enfin permis, dans une journée d'amitié qui éclate comme une bulle d'air à la surface de l'eau. Patricia continuera de se battre, Dany niera encore la mort en enfantant, Marc poursuivra sa quête de sens, Ninon sublimera ses désirs dans des œuvres et, je l'espère, aimera et sera aimée.

Ne vous inquiétez pas trop pour moi. Un autre viendra, c'est certain, à qui je tendrai les bras (et que j'engueulerai vertement parce qu'il sera scandaleusement en retard sur l'horaire prévu !). Parfois, du fond de moi ressurgissent des images de la douce Joanna que j'étais dans ses bras, de la belle Joanna comblée dont le corps exultait autour du sien, dont je m'ennuie tant, et j'ai si hâte de la revoir. En attendant, pour occuper le temps, je cultive l'espoir impérieux que le prochain sera le bon, le vrai, le pour toujours, c'est-à-dire pour les prochains cent mille jours. La plus grande perte, ce serait de ne plus y rêver, car la vie n'est que l'espoir.

Joanna Limoges
Rédactrice en chef
(Hihi !)

16 juillet

Tu es un lieu. Je t'ai trouvé au bout d'un chemin, à l'embouchure d'un autre. Je t'ai rêvé comme un pays imaginaire et j'y suis. Ici, je suis toute ici.

Tu as mon âge. Tu n'aimes pas répondre à la question « Qu'est-ce que tu fais dans la vie ? » car tu ne t'es jamais défini par ton travail. Tu as étudié pendant quelques années, tu es allé en perdre quelques autres dans l'Ouest, au retour une femme t'a entraîné dans son rêve à elle et tu l'as suivie dans un village valonneux où il n'y avait rien d'autre à faire qu'être heureux. Un jour, ça a fini. Tu n'en as pas gardé de blessures profondes, juste un peu de déception que ça n'ait mené à rien de plus grand. Tu es revenu à Montréal que tu aimes et, depuis, tu gagnes ta vie et tu cherches, car tout t'intéresse.

C'est ça qui m'attire le plus chez toi : ce talent pour le bonheur, qui simplifie tant l'existence, cette capacité d'être bien au milieu de pas grand-chose, à condition que ce soit beau. Ce dernier critère me va tout à fait. Depuis que tu es entré dans ma vie, je suis constamment dans la beauté : la tienne, dont j'adore croquer les angles infinis en quelques coups de fusain, la mienne, ravivée par le bonheur du miroir de ton regard et la simplicité de t'aimer, et celle du roman que je suis en train d'écrire à même ma vie.

Un jour, tu m'as dit qu'il était permis de rêver. Et je rêve, oh ! ça oui ! Je rêve d'un nid où je suis déjà dans tes bras, d'une maison au milieu du monde, d'un homme qui m'aimera longtemps. Je rêve d'un compagnon qui acceptera comme un apport à sa vie l'amour que j'aurai pour lui, avec qui j'irai peut-être chercher un enfant à l'autre bout de la planète, ou dans les bas-fonds de notre société sauvage, pour le sauver de la haine de la vie. Cet homme solide qui me prend par la main dans mon rêve, c'est peut-être toi ?

Tu es un lieu. Tu repartiras sans doute, ou bien c'est moi qui te quitterai. Quand, comment, pourquoi sont des questions que la vie nous posera bien assez vite. Ce n'est pas important, car l'avenir n'existe pas encore. La plus grande perte, ce serait de ne pas tenter de l'écrire.

Ninon

Des extraits de ce roman ont paru dans les publications suivantes :

« Vendredi-bière », *Nouvelles du Boudoir*, Les Intouchables, Montréal, 2001.
« Le grand saut », *Elle Québec*, juin 1999.
« Le yoyo blues de la trentaine », *Elle Québec*, février 1997.
« *Tempus fugit* », *Arcade*, n° 41, 1997.
« Après tout, pourquoi pas moi ? », *Elle Québec*, novembre 1996.
« Autour du lit », *XYZ. La revue de la nouvelle*, hiver 1994, n° 40.

Des avant-textes de cette œuvre ont également été lus au cours de diverses performances littéraires des Los Guidounos, de Lapsurde, de la Cavale des Auteurs à l'Auberge du Balcon vert (Baie Saint-Paul, 1999), de l'événement « Au delà des solitudes » au bar Zénob (Trois-Rivières, 1999) et des Journées de la Culture (Place Paul-Émile-Borduas, 2001).

La traduction des phrases en créole a été effectuée par le poète Lennou Suprice.

Table

DANGER

LE
PHOTOCOPILLAGE
TUE LE LIVRE

Cet ouvrage
composé en Times corps 11 sur 13
a été achevé d'imprimer
en novembre deux mille deux
sur les presses de

Cap-Saint-Ignace (Québec).